Les Jalna

Mazo de la Roche

La Moisson de Jalna

LES JALNA

La Naissance de Jalna
Matins à Jalna
Mary Wakefield
Jeunesse de Renny
Les Frères Whiteoak
L'Héritage des Whiteoak
Jalna
Les Whiteoak de Jalna
Finch Whiteoak
Le Maître de Jalna
La Moisson de Jalna
Le Destin de Wakefield
Retour à Jalna
La Fille de Renny
Les Sortilèges de Jalna
Le Centenaire de Jalna

Edito-Service S.A., Genève, Editeur

16 193 11 R6

CHAPITRE PREMIER

Esquisse

Le propriétaire de l'auto regardait avec intérêt le poste d'essence où il s'était arrêté pour faire le plein. Sa femme était bien plus intéressée par le jeune homme qui les servait. Elle avait suivi des cours d'art autrefois et il lui semblait n'avoir jamais vu modèle qui émût davantage son imagination. Elle aurait voulu lui voir prendre la pose dans une attitude qui fît valoir son corps mince et pourtant vigoureux, sa jolie tête couverte de cheveux noirs ondulés. Elle donna un coup de coude à son mari et, d'un regard, attira son attention vers le garçon.

— Beau châssis, dit le mari du coin des lèvres.

— Regardez-moi ces mains! murmura-t-elle.

— Hum! grommela-t-il.

— Et ces cils!

— Trop longs.

Le jeune homme redressa le tuyau et s'adressant à l'automobiliste:

— Cela fera deux dollars, dit-il d'un air engageant.

Et comme le conducteur sortait son portefeuille:

— Vous avez fait un bon bout de chemin, ajouta-t-il. C'est un numéro du Texas, n'est-ce pas?

— Oui. C'est une longue randonnée, mais bien agréable. Le pays est beau par ici.

Le jeune homme sourit en empochant l'argent.

— Je crois bien, dit-il, quoique je sois mauvais juge: c'est le seul pays que je connaisse.

— Vous avez toujours vécu ici?

— Toujours. J'ai eu toute ma vie envie de voyager, mais je n'ai jamais pu le faire.

— Oh! Vous avez encore du temps devant vous, dit l'automobiliste avec un regard d'envie à la silhouette élancée du garçon.

Sa femme intervint.

— Vous devriez faire du cinéma. Vous y gagneriez une fortune.

— Au contraire, je suis sur le point de me marier.

— Non! s'écria-t-elle. Ce n'est pas possible. Avec cet air jeune!

— Je crois précisément qu'il vaut mieux que je me marie jeune, répondit-il gravement.

— Eh bien! dit l'automobiliste en faisant tourner son moteur. Bonne chance!

— C'est « elle » qui a de la chance, on peut le dire, ajouta son épouse.

Le propriétaire du poste d'essence fit une petite révérence.

— Merci, dit-il.

— J'aime votre station, dit l'automobiliste. Elle ressemble à une vieille forge.

— C'en était une. Elle appartenait à un vieux bonhomme qui s'appelait Chalk. Dans mon enfance, je venais ici pour faire ferrer mon poney. Maintenant son fils travaille avec moi.

— Je pense que cette route a rudement changé depuis ce temps-là.

— Oh! oui. Elle a fait des progrès! J'ai beaucoup de clients, maintenant.

Il fixait ses yeux brillants sur les leurs avec un air confidentiel.

A ce moment, un homme de taille élevée sortit d'un pavillon voisin, passa une longue jambe par-dessus une barrière et, avec un mauvais regard pour les touristes, approcha du poste distributeur. Il était suivi de deux vieux épagneuls et d'un jeune terrier d'Ecosse.

La voyageuse leva les yeux sur l'enseigne qui surmontait le petit seuil de pierre et lut à haute voix:

— « W. Whiteoak. Réparations d'autos. »

Le jeune homme fit de nouveau un petit salut à la mode d'autrefois.

— J'espère que vous reviendrez.

— Certainement, nous n'y manquerons pas si nous repassons par ici. Et suivez mon conseil: allez à Hollywood.

Juste au moment où l'auto démarrait, un des épagneuls lâcha un aboiement de protestation nonchalante et se mit lourdement devant les roues. Son maître bondit à son secours et le conducteur n'évita l'accident que par un violent écart. Il jeta un regard furibond au chien et à l'homme, et l'auto bondit en avant. Le propriétaire du chien ricana avec mépris, tandis que la bonne bête agitait orgueilleusement sa queue frangée, consciente — tout aveugle qu'elle fût —

d'avoir été le centre d'un drame. Elle tourna la tête et lécha la main qui ne la retenait plus, écoutant d'un air approbateur un chapelet de jurons bien sentis.

Wakefield Whiteoak dit d'un ton plaintif:

— Si quelqu'un doit jurer, il me semble que ce devrait être moi. Je n'aime pas voir mes amis rembarrés de cette façon-là.

Sur le visage de son frère aîné passa un air d'excuse, et cependant il s'écria d'un ton moqueur:

— Tes *amis*! J'adore ça!

— Moi aussi, répondit Wakefield tranquillement. Car ce sont en réalité beaucoup plus des amis que des clients. Quelque chose d'intime s'établit entre nous. Je les aide, je leur donne des conseils; je pourrais presque, parfois, les considérer comme des malades: ils m'arrivent avec leurs moteurs détraqués ou incapables de rouler, faute d'essence. Et je les renvoie bien portants et de bonne humeur.

— Comme tu aimes t'écouter parler! Tu aurais été un bon avocat! J'ai toujours eu envie que tu deviennes un homme d'Eglise: tu aurais fait un pasteur de grande classe! Et toutes les femmes se seraient pendues à ton surplis.

— Tu n'as guère de respect pour la religion, répondit Wakefield d'un air sévère.

Il tendit la main pour retenir l'épagneul aveugle par son collier, car un camion passait sur la route.

— Tu devrais tenir *Merlin* en laisse, Renny. Il provoquera un accident un de ces jours.

— Quelle bêtise! répondit sèchement Renny. Il ne quitte jamais mes talons. C'était la faute de cet idiot, tout à l'heure. Ici, *Merlin*! Ici, *Floss*! Où est ce chiot du diable?

Les deux frères se mirent à le chercher et le découvrirent flairant une flaque d'huile dans la station d'essence. Serrant la petite bête sous son bras, Renny fixa les yeux sur le plafond noirci où une couple de fers à cheval était restée accrochée à une poutre.

— Je revois comme si c'était hier, dit-il, le temps où je t'amenais ici, assis devant moi sur ma selle, pour voir Chalk ferrer mon cheval. Cela me fait horreur de voir ce que cet endroit est devenu.

— Il faut bien que tout change, répondit Wakefield. La confiserie de Mrs Brawn est bien devenue un salon de thé! Je me revois, moi aussi, dépensant tout ce que j'avais chez Mrs Brawn et recevant une fessée magistrale pour y avoir même une fois dépensé des gains quelque peu illicites. Mais je ne me laisse pas importuner par ce souvenir. Comme dit Shakespeare: « N'opprimons pas notre mémoire avec le fardeau du passé enfui. »

Il s'y attendait, son aîné n'opposa qu'un silence embarrassé à cette citation. Wakefield l'avait cueillie le matin même dans un calendrier que lui avait donné sa sœur pour Noël, et il avait hâte de la placer avant de l'oublier. Il ajouta d'un ton semi-dictatorial:

— Mais tu devrais vraiment faire quelque chose pour les gouttières, Renny. Celle de derrière est presque emportée et le sol en dessous est tout raviné. Viens donc jeter un coup d'œil.

L'embarras de Renny devint un silence buté à l'idée de réparations à faire. Il suivit son frère et examina la gouttière sans le moindre intérêt. Ses chiens se mirent à creuser dans le trou formé sur le côté de la maison par les infiltrations de la pluie à travers la charpente. Il lança brusquement:

— Je viens de promettre à Mrs Wigles de refaire sa toiture!

Wakefield haussa les épaules d'un air découragé.

— Je l'ai pensé en te voyant sortir de là. Pauvre Mrs Wigles! Tu lui promets une toiture neuve régulièrement tous les ans au printemps!

— Bah! Quelques trous à boucher, voilà tout, répondit Renny d'un air dégagé.

— Et ma gouttière?

— Je t'enverrai quelqu'un pour voir cela.

Wakefield était bien obligé de se contenter de cette réponse.

— Tu rentres à la maison? demanda-t-il.

Renny regarda son bracelet-montre.

— Il faut que je m'arrête au salon de thé. Il y a des réparations à faire, là aussi. Le printemps, quelle sale époque — et chère! Veux-tu venir?

Wakefield ne demandait pas mieux. Il avait toujours envie d'aller où allait son grand frère. Renny avait été un père pour lui et plus indulgent que bien des pères.

Ils s'engagèrent dans le sentier qui serpentait irrégulièrement le long de la route. L'herbe était d'un vert tendre et tout émaillée de pissenlits brillants. Le ciel paraissait indécis entre la pluie et le soleil; un oiseau, sifflant à petite voix et volant d'un arbre à l'autre, avait l'air de suivre la promenade des deux frères.

Ils s'arrêtèrent un moment devant l'église qui avait été construite par leur grand-père, le capitaine Philip Whiteoak, il y avait plus de quatre-vingts ans, et ils restèrent à écouter le murmure du ruisseau qui entourait le cimetière où étaient enterrés leur père, ses deux femmes, un frère et une sœur décédés en bas âge, un grand frère et tous leurs grands-parents. Sur son tertre, l'église semblait perdue dans le passé comme au temps où la forêt primitive l'entourait de broussailles et où, seul, un sentier zigzagant tracé par les pieds des Whiteoak, ceux de leurs voisins et des gens du village, conduisait à son porche. Elle se dressait dans toute la force de ses pierres comme une forteresse imprenable. Renny aimait cette construction, mais plutôt comme l'autel de sa famille que comme temple de son dieu. Cela le contrariait que Wakefield qui allait bientôt épouser Pauline Lebraux — qui était catholique — se fût converti à cette religion. Il ne s'y était pas opposé, parce qu'il approuvait ce mariage, mais il manquait rarement une occasion d'y faire une allusion désobligeante.

— Je regrette que tu sois devenu papiste, Wakefield, dit-il en employant l'expression qu'employait sa grand-mère, avec laquelle, moralement et physiquement, il avait plus d'une ressemblance.

Wakefield ne craignit pas de discuter, car il caressait l'espoir d'être lui-même un instrument de conversion pour le chef de famille.

— Je suis sûr, dit-il, que tu finiras par t'en féliciter.

Renny sentit ce qui allait venir et se déroba. Il

interrompit Wakefield en criant pour appeler ses chiens, mais Wakefield reprit son idée sans se laisser abattre, malgré l'attitude de Renny qui accéléra le pas jusqu'à une allure incompatible avec toute conversation. Seulement quand il dit: « Le tort, le plus grand tort de l'Eglise anglicane est que la Vierge ne soit pas sainte », son aîné se tourna vers lui et s'écria:

— Elle est suffisamment sainte pour moi et je te demande de ne plus en parler.

— Très bien, dit Wakefield avec résignation, mais un jour ou l'autre...

— Nous voilà au salon de thé, coupa Renny.

Et il se tourna brusquement vers la porte.

Celle-ci était surmontée d'une enseigne peinte de couleurs gaies avec les mots: « Aux Narcisses, salon de thé », écrits en vert et or. Il y avait une grande coupe de narcisses sur la fenêtre à petits carreaux encadrée de rideaux jaunes retenus par des rubans vert pâle. A l'intérieur, tables et chaises étaient également peintes en vert. Le linge était frais sous la vaisselle à fleurs et un vase portant quelques narcisses était posé sur chaque table. Dans une petite vitrine des boîtes de bonbons ceinturées de rubans étaient exposées pour la vente. La boutique était vide; seul un chat jaune fit le gros dos en sentant arriver les chiens.

Une sonnette avait retenti à l'ouverture de la porte et une femme apparut, vigoureuse, portant allégrement la quarantaine. Elle avait de courts cheveux drus, couleur d'étoupe, un visage où l'énergie et la témérité se mêlaient de façon attrayante. Elle portait un tablier fantaisie, couvert de narcisses, qui lui allait indignement mal et, malgré cet essai manifeste d'harmonie avec la boutique, elle jurait dans ce décor. C'était Clara Lebraux, future belle-mère de Wakefield.

Elle lui sourit affectueusement; il se pencha et l'embrassa sur la joue. Elle échangea avec Renny un regard d'intelligence. Dans lès yeux de Mrs Lebraux il y avait presque une camaraderie d'homme, et pourtant une admiration passionnée pour cette grâce hardie et musclée, pour la ciselure d'oiseau de proie de ces traits, à côté desquels la jeunesse et le charme de Wakefield paraissaient insignifiants. Le regard plein de chaude affection de Renny s'égaya et il s'écria:

— Ce tablier vous va affreusement mal, Clara.

— Je sais, dit-elle, mais il va avec la maison et personne ne fera attention à moi.

— Moi je l'aime, dit Wakefield, et je le trouve plutôt seyant.

— Le goût de Wakefield! Vous êtes beaucoup mieux dans une combinaison de mécano, en train de nettoyer l'écurie.

Elle leva les épaules.

— J'y suis surtout plus heureuse, mais l'écurie, cela ne rapporte rien; l'élevage des poules ne rapporte rien, celui des renards non plus. Cela m'est égal d'avoir l'air d'un polichinelle si cette boutique arrive à rapporter.

Il la regarda, tout à coup sérieux.

— Elle doit rapporter, dit-il.

— Jusqu'à présent, c'est zéro.

— Ce n'est ouvert que depuis un mois à peine. La saison n'est pas commencée.

— Je vous ai envoyé au moins une douzaine de mes clients, dit Wakefield.

— Il en est venu plusieurs. Ils m'ont questionnée sur vous, disant que c'était pitoyable de voir un jeune homme aussi cultivé faire votre métier.

— Je crois qu'il faut de la culture dans tous les métiers, répliqua Wakefield. Même dans ce salon de thé... pour le gérer...

Clara l'interrompit.

— Grands dieux! Je n'ai rien d'intellectuel à y mettre!

— Avez-vous eu quelques clients ce matin? demanda Renny.

— Pas encore, mais c'est samedi et il fait beau. Je peux en avoir beaucoup.

Le chat en furie sauta sur la table, renversa les fleurs, cracha sa rage sur les chiens qui l'entouraient. Renny ramassa le vase, Wakefield mit les épagneuls à la porte et on enferma le chat dans la cuisine. Clara Lebraux riait à gorge déployée.

— Voilà, dit-elle. Maintenant asseyez-vous et prenez du café. Il y en a du tout frais.

— Et je peux jurer qu'il est bon, dit Wakefield. Je viens en prendre une tasse tous les matins, n'est-ce pas, belle-maman?

Renny ne dit rien, mais s'assit et, les jambes croisées, tira sur les oreilles de son petit terrier. Clara partit pour la cuisine d'où arrivait une appétissante odeur de café frais.

— Il faut que j'achète une boîte de bonbons faits par Pauline, dit Renny.

— Bonne idée, dit Wakefield. Elle n'en a pas encore beaucoup vendu, c'est décourageant. J'en offre une boîte à la maison le jour de chaque anniversaire, mais ils prennent tous un air malin comme si je ne faisais que mettre mon argent d'une poche dans l'autre. Les crèmes d'amande sont excellentes.

— Oui? Je vais les essayer.

L'hôtesse rentra avec du café et des biscuits sur un plateau. Il y avait trois tasses. Elle s'assit avec ses invités.

Le café était bouillant et servi avec de la crème. Les deux plus âgés du groupe dégustèrent le leur, en silence, à petites gorgées, tandis que Wakefield parlait avec animation de son travail et de son prochain mariage. Par moments les regards de Renny et de Clara se rencontraient et s'immobilisaient un moment, comme si chacun d'eux puisait une véritable paix dans le fait de la présence de l'autre; puis ils retournaient se poser sur le jeune garçon; celui de l'homme, avec une tendre indulgence, celui de la femme avec un léger énervement.

L'attention du trio fut attirée vers la porte: Pauline Lebraux entrait.

— Ne laissez pas entrer les chiens! cria Renny comme on parle à un enfant.

Wakefield se précipita à sa rencontre. Elle sourit à tous, mince et brune, contraste total avec sa mère. Elle portait un paquet que Clara identifia tout de suite.

— Encore des bonbons, chérie? s'écria-t-elle. Mais je n'ai pas vendu ceux d'hier!

Pauline parut désespérée.

— Oh! C'est vrai, maman? Mais vous m'aviez dit que cela marchait très bien.

Renny intervint.

— C'est exact. Vous avez eu raison d'apporter ce supplément, car je vais voir quelqu'un qui est sur le point de m'acheter un cheval. Il a cinq moutards et il faut que je leur apporte des bonbons. Cinq petites filles (sa voix prenait un accent cordial). Elles seront contentes d'avoir une boîte chacune. Cela va faire un trou dans votre provision.

Pauline le regarda avec méfiance.

— Est-ce bien vrai? demanda-t-elle.

Wakefield répondit:

— Ce qu'il dit est absolument vrai. Il se demandait, juste avant d'entrer ici, ce qu'il pourrait apporter à ces enfants.

Le front de Pauline s'éclaira.

— Alors je suis contente d'avoir fait d'autres bonbons!

— Non, non, interrompit Renny. Je prendrai les vieux. Ce ne sont que des enfants, elles ne feront jamais la différence.

Clara se leva et choisit cinq boîtes dans la vitrine.

— Ils sont tout frais, dit-elle en les tendant à Renny.

Elle arrangea ceux que Pauline venait d'apporter.

— Veux-tu du café, chérie? demanda-t-elle.

— Merci, maman.

Elle s'assit près de la table et Clara frappa sur le

bord de celle-ci pour appeler la servante. Renny se leva.

— Il faut que je m'en aille, dit-il.

Il se rappelait la réparation que Clara avait demandée et pensait que, s'il partait sur ce trait de générosité, elle hésiterait à en parler.

— A qui faut-il donner l'argent des bonbons? demanda-t-il.

— A maman, bien sûr, répondit Pauline d'un ton distant.

Elle n'arrivait pas à croire aux cinq petites filles folles de bonbons et, depuis longtemps, elle était mal à l'aise avec lui.

Il sortit un porte-monnaie usé et tendit à Clara trois dollars. Elle les brandit d'un air moqueur.

— Regardez! Pauline gagne plus que moi!

Mais si Renny pensait échapper à ses sollicitations, il se trompait. Elle l'entraîna à travers la cuisine pour lui montrer un coin du porche qui s'effondrait. A cet instant la porte du devant s'ouvrit et un couple élégant entra. Wakefield se mit incontinent à parler d'une voix pointue à Pauline.

— Chérie, dit-il, quelle merveilleuse découverte! Penser que nous avons trouvé un endroit où on fait un tel thé!... et de tels scones! Il faut que je vous achète une autre boîte de chocolats!

Pauline pencha la tête et rougit. Wake lui pressa le pied sous la table.

Dehors, Renny s'exclama:

— C'est un fameux pitre, comme disait Gran!

— Dieu! J'espère que lui et Pauline seront heureux ensemble!

— Bien sûr qu'ils le seront.

Il le disait avec d'autant plus de ferveur qu'il n'en était pas du tout sûr.

— Alors, qu'a donc ce porche?

On avait mis un encadrement de bois léger qui menaçait de s'effondrer dans un coin. Il l'examina.

— Cela n'a besoin que d'être étayé, dit-il avec l'accent chaleureux que ses familiers connaissaient bien.

— Ne croyez-vous pas qu'il faudrait un porche neuf?

— Oui, je le pense, dit-il.

Puis il ajouta gravement:

— Mais, Clara, si vous saviez combien l'argent est rare chez moi, vous n'oseriez pas me le demander. L'intérêt de l'hypothèque tombait à échéance le mois dernier et j'ai eu toutes les peines du monde à trouver cet argent. Je suis absolument à sec et il y a des réparations à faire aux écuries et aux bâtiments de ferme, absolument indispensables.

— Je sais, je sais, opina-t-elle. C'est terrible. Mais, si vous pouviez juste consolider ce porche, c'est tout ce que je demanderais. Il est vraiment dangereux dans cet état-là.

— Je vais le réparer, dit-il. Et moi-même. Pas besoin de faire venir des ouvriers, je peux bien m'en charger. Simple travail de soutènement.

Il repéra un gros pieu entre des caisses, dans un coin du jardin.

— Il faut déblayer ces décombres et faire un joli petit jardin ici.

Il saisit le madrier et l'apporta jusqu'au porche.

— Et voilà, je vais soulever le porche et vous mettrez le morceau de bois dans l'encoignure.

Il enleva sa veste.

— Vous ne pouvez pas faire cela tout seul! Vous allez vous faire mal! Laissez-moi aller chercher Wake.

— Non, non. Ce serait un effort pour son cœur. Faites ce que je vous dis, femme.

Ce ton de commandement qu'il prenait amusa Clara et produisit son effet. Elle enleva son tablier fleuri, le posa à côté de sa veste et saisit à deux mains le morceau de bois couvert de toiles d'araignées. Mais elle continua à murmurer à voix basse:

— Il ne peut pas faire cela! Il ne peut pas! Il a tort d'essayer.

Courbant son dos maigre, Renny réunit ses forces et, dans un effort de tous ses muscles, il souleva le coin du porche et le soutint de l'épaule.

— Allez-y, dit-il les dents serrées. Mettez le morceau de bois, bon Dieu!

Elle le plaqua sous le soliveau qu'il abaissa avec précaution. Il haletait en se redressant. Au milieu de son front une veine verticale saillait comme une mèche de fouet. Il lui sourit triomphalement, mais porta aussitôt sa main à son épaule.

— Qu'est-ce que je vous disais? s'écria-t-il. C'est solide comme du roc. Il ne vous reste plus qu'à planter une jolie vigne vierge ou un rosier grimpant pour cacher ce pieu.

— Vous vous êtes fait mal, dit-elle sévèrement. Qu'y a-t-il?

Il fit une grimace un peu honteuse.

— Ce n'est rien. Juste un petit effort. Je me frictionnerai avec un liniment.

Elle mit sa main courte et robuste sur l'épaule douloureuse.

— Fichue porte! Je m'en veux de vous en avoir parlé.

Fermant les paupières, il resta immobile comme si, de ce contact, il éprouvait du bien-être. Devant ses yeux fermés s'éleva la vision d'un bois éclairé par la lune, en automne, et les silhouettes d'un homme et d'une femme dans les bras l'un de l'autre. L'attraction qui les avait réunis était la même pour tous les deux. Ils étaient pareils sous sa force, comme deux arbres reçoivent également le courant magnétique de la terre.

Elle ôta sa main; il ouvrit les yeux, et vit de la tristesse dans son regard.

— C'est honteux, dit-elle, la façon dont Pauline et moi nous nous sommes accrochées à vous depuis la mort de mon mari. Et même avant, quand il était malade...

— Vous savez, répondit-il, ce que Pauline a été pour moi: comme mon enfant. Vous savez ce que vous avez été!...

— Allons, vous avez eu de l'affection pour nous. C'est quelque chose, dit-elle de sa voix rude et sourde.

Elle ramassa son tablier fleuri en entendant la sonnette du restaurant.

— Voilà, il faut que je rentre, on a besoin de moi.

Elle embrassa du regard les cinq boîtes qu'il avait posées soigneusement près de sa veste.

— Qu'allez-vous faire de cela? demanda-t-elle. Cette histoire des cinq petites filles, c'est de la blague, n'est-ce pas?

Il répondit gravement:

— Non, elles existent réellement et il faut que je leur apporte des bonbons.

Elle savait qu'il mentait et ne l'en aima que mieux. Elle lui tendit sa veste, mais il refusa.

— Non, non. Je meurs de chaleur. Posez-la sur mes épaules.

Elle s'écria avec éclat:

— Vous ne pouvez pas l'enfiler! Vous savez que vous ne pourriez pas.

Il lui fit une petite grimace moqueuse, lui effleura doucement la joue du bout des doigts, lui arracha sa veste, et s'en alla. La sonnette de la maison de thé retentit encore.

Marchant à pas vifs sur la route, ses épagneuls sur ses talons et le petit terrier mettant une note de folie au milieu de ces dix grandes pattes qui se mouvaient en mesure, Renny pensa aux diverses complications de sa vie. Il avait beaucoup de difficultés, beaucoup de responsabilités, mais tout cela ne serait rien, s'il avait plus d'argent. Pour l'instant, l'intérêt de l'hypothèque l'avait laissé complètement à plat; il était terriblement gêné. Mais enfin c'était payé et il avait devant lui six mois de liberté sans avoir à s'inquiéter de cette dette. Une bouffée d'orgueil lui fit aspirer plus profondément l'air printanier quand il pensa que grâce à cette hypothèque, toute pénible et amère qu'elle eût été pour lui et toute sa famille, il avait pu empêcher la construction d'une rangée de bungalows sur le terrain contigu au sien. Il avait quand même ajouté ce joli morceau de terre à sa propriété. Ce matin encore il avait été jusque-là pour le plaisir de voir cet emplacement libre et intact, et ces arbres tendant leur feuillage neuf avec confiance. Il avait retenu ses chiens pour les empêcher de troubler les lapins qu'il voyait gambader — ces pauvres lapins que, séance tenante, les acquéreurs des lots auraient exécutés.

Il pensa à Clara et Pauline Lebraux et à leur entreprise commerciale. Il avait horreur de leur voir faire ce métier, mais l'élevage des renards n'avait rien donné et il fallait qu'elles gagnent leur vie. Peut-être, si Wake réussissait avec son garage et son dépôt d'essence, pourrait-on abandonner ce salon de thé dans quelque temps. Dieu! quelle déception de voir cet intelligent petit Wake adonné à un métier aussi sale, plutôt qu'à une profession quelconque ou, mieux encore, s'occupant de la ferme et des chevaux! Mais Wake ne pouvait pas travailler avec Piers, le second frère, et inutile d'espérer les voir jamais s'entendre. Après les quelques premiers mois d'essai à la ferme, pendant lesquels Wake avait décidé de se maîtriser, de se soumettre et d'obéir à Piers comme un esclave, les scènes avaient commencé d'éclater. Et puis, Wake n'était pas assez fort pour ce travail. Son nouveau métier lui convenait parfaitement... Comme il était devenu pieux! C'était embarrassant cette manie qu'il avait d'essayer toujours de convertir quelqu'un.

Renny pensa à Meg, sa sœur, et aux temps difficiles qu'elle et son mari avaient traversés. Ils avaient pris des hôtes payants, ce printemps, et paraissaient s'y faire. Pourtant il lui répugnait de penser qu'une Whiteoak en venait là. Il y avait de quoi faire retourner sa grand'mère dans sa tombe.

Il pensa à sa femme et à sa fille, mais elles prenaient à peine leur position privilégiée dans son esprit, quand un klaxon l'obligea à surveiller ses chiens. C'était son frère Piers qui était dans l'auto. Il s'arrêta.

— Bonjour. Tu veux monter?

Biddy, le terrier à poils ras de Piers, était sur le siège à côté de son maître. Hors de lui, excité par la vue des épagneuls qui étaient de vieux amis et par celle du terrier qu'il détestait visiblement, il se dressa au-dessus du dossier et se mit à hurler en voyant Renny et ses chiens se caser sur la banquette arrière. *Merlin* leva son museau et lâcha un aboiement d'ennui.

Par-dessus son épaule, Piers demanda:

— Où veux-tu aller?

— Où vas-tu?

— A la maison. Puis à la ferme. Il faut que je voie ce que font les hommes dans les champs. Je viens de vendre ces vaches de Jersey à Crockford.

— Parfait. Il a payé?

Piers grogna et sortit quelques billets de sa poche. Il les tendit à son frère sans se retourner et Renny les empocha d'un air satisfait. Puis, se rappelant qu'il devait à Piers l'argent du foin et de l'avoine, il prit un air dégagé et taquina *Biddy* qu'il mit en fureur. L'auto démarra brusquement.

La grande différence d'âge qui existait entre les deux frères semblait plus faible qu'elle ne l'était en réalité, car Piers, carré solidement au volant, avait un air de maturité plein de confiance en soi, tandis que le regard vif de Renny, ses mouvements rapides mais circonspects et sa maigreur, lui donnaient l'air plus jeune que son âge. Pourtant, malgré l'air mâle et plein de vitalité de Piers, on pouvait deviner que Renny, avec ses traits osseux, sa tête sculptée et sa bouche arrogante était celui des deux qui commandait.

Il n'y avait qu'une courte distance jusqu'à la maison de Piers située dans un jardin à l'ancienne mode, qui commençait juste à fleurir. Les murs de torchis prenaient des tons chauds sous le soleil, et toutes les fenêtres étaient ouvertes. Dans l'une des embrasures, Pheasant, la femme de Piers, apparut avec son enfant d'un an dans les bras. Saisissant la petite main du bébé, elle l'agita dans la direction des deux hommes en prenant une petite voix flûtée.

— Bonjour, papa! Bonjour, oncle Renny!

Du coin de l'œil Piers lança à Renny un regard d'orgueil.

— Pas mal, ni l'un ni l'autre, hein? murmura-t-il.

— Magnifiques tous les deux, dit Renny qui cria: Bonjour, petit Philip! J'ai un cadeau pour ta mère. Viens voir!

— Un cadeau? s'écria Pheasant. Il y a longtemps que je n'ai pas vu de cadeau! Vite, vite, montrez!

— Ne vous affolez pas, dit Renny en la voyant courir dans l'allée pour venir leur ouvrir la barrière. Ce ne sont que des bonbons fabrication « Narcisses ».

Mais Pheasant ne s'attendait à rien de plus extraordinaire. Elle prit la boîte d'une main en serrant son enfant contre elle.

— Oh! merci! Qu'ils sont jolis! Pauline fait des merveilles.

— Que deviennent-elles avec ce salon de thé? demanda Piers.

Un sillon se creusa entre les sourcils de Renny.

— Eh bien! La saison ne fait que commencer. C'est difficile de savoir comment cela tournera. Il est venu deux personnes pendant que Wake et moi étions là.

Il appuyait à dessein sur le fait que Wakefield était avec lui aux Narcisses. Au-dessus de ses yeux, ses épais sourcils de bronze bougeaient. Pheasant pensa: « Si j'étais Alayne, je surveillerais cela; mais elle ne s'en occupe pas. Absolument pas. Elle ne l'a jamais réellement bien compris, quoiqu'elle l'aime à la folie. J'ai de la chance que Piers ne soit pas aussi séduisant et n'attire pas autant les femmes. » Son regard vola vers le visage de Piers.

— Vous entrez? demanda-t-elle.

— Non. J'ai à faire. Où est Mooey?

— Il a mal à la tête, Piers. Je crois qu'il travaille trop à l'école. Il est tellement attentif et il veut tellement s'instruire! Il se fatigue!

— Bon Dieu! Il se fatigue! Un garçon de huit ans, dans une petite école de campagne!

Son visage s'assombrit.

— Ces migraines du samedi, cela ne prend plus. La vérité est qu'il tremble de venir à Jalna pour monter à cheval. Il tremble parce qu'il a ramassé une ou deux bûches. Et je suis là avec une belle paire de poneys à faire concourir et pour lesquels il faut nécessairement un enfant!...

— Promets-lui un cadeau s'ils gagnent un prix au concours, dit Renny.

— Je lui promets surtout une fameuse raclée s'il ne l'emporte pas haut la main. Où est-il?

— Je l'ai envoyé se promener. Je pensais que cela lui ferait du bien.

Piers eut un air de mépris.

— Ma parole! Sur mes trois enfants le seul Whiteoak c'est celui-là, il n'y a pas d'erreur.

Il caressa l'enfant qui lui ressemblait évidemment de façon frappante.

— Et, de la famille, je suis le seul qui tienne de papa, lequel était le portrait craché de son père. Le type authentique d'une lignée de quatre générations, le voilà!

Renny passa un coup d'œil narquois du père au fils puis, dressant un sourcil, il dit:

— Un comme Piers, cela suffit, hein, Pheasant?

— Oui, dit-elle avec son air d'enfant sage. Je trouve que Piers devrait être plus indulgent pour Mooey et Nooky. Ce n'est pas leur faute s'ils ne tiennent pas de lui. Sachant ce que je sais de l'élevage des chevaux, je crois que c'est uniquement sa faute.

Renny sourit d'un air moqueur en regardant Piers.

— Mauvais étalon, en somme!

Piers parut aussi gêné qu'il lui était possible de l'être.

— Allons, je n'ai pas de temps à perdre, dit-il d'un ton bourru.

Et il mit le moteur en marche.

Au même instant, le bébé saisit le collier de corail de Pheasant et fit craquer le fil. Les grains roulèrent dans toutes les directions.

— Oh! mon beau collier! gémit Pheasant.

Elle déposa le bébé par terre et se mit à la recherche des grains.

Soudain la voix de Nooky appela d'une des fenêtres:

— Maman! Il est en train d'en manger une!

Pheasant attrapa l'enfant, lui mit la tête en bas et extirpa le grain qu'il avait dans la bouche. Instantanément le petit reprit son air naturel, comme s'il ne s'était rien passé.

— Il s'en est fallu d'un cheveu, s'écria Renny.

Mais Piers avait vu deux têtes à la fenêtre. Il rougit et lâcha un juron énergique.

— Mooey, descends ici tout de suite!

Il arrêta le moteur.

— Non, Piers! implora Pheasant.

Il se tourna vers elle.

— Pourquoi m'as-tu dit qu'il était dehors?

— Je le croyais. Il doit juste être rentré à l'instant. Ne sois pas brutal avec lui, je t'en prie.

Maurice apparut sur le seuil et s'approcha lentement, suivi, comme par une ombre, du petit Nooky.

C'était exact que ni l'un ni l'autre n'avaient la moindre ressemblance avec Piers; mais ils ne flattaient pas pour cela davantage leur mère, quoique tous deux eussent son charme rêveur, et l'air, comme elle, de créatures des bois, sensitives, capables de se défendre et pourtant vulnérables. Mooey, mince et pâle, était trop grand pour son âge. Ses cheveux bruns tombaient en mèches épaisses sur son front, lui donnant un air de bohémien. Physiquement craintif, il avait cependant une force de volonté au-dessus de son âge. Nooky avait surtout l'aspect fragile, un teint délicat, des cheveux blonds fluides et des yeux noisette dont l'un louchait légèrement.

Piers dévisagea son fils aîné.

— Alors, dit-il d'un ton sarcastique, j'espère que tu es guéri de ta migraine!

Mooey répondit avec dignité:

— Oui, merci, papa.

— J'espère que tu te sens capable de venir à Jalna pour dresser les poneys.

— Oui.

Il restait piqué, hésitant s'il allait monter devant avec son père et *Biddy,* ou derrière avec son oncle et les épagneuls. Renny trancha la question en ouvrant la porte de côté.

— Monte ici, dit-il, et tâche qu'on dise que tu as monté proprement, tout à l'heure.

Piers regarda son bracelet-montre et fulmina en voyant l'heure. L'auto démarra d'un bond. Pheasant et Nooky furent abandonnés à la recherche des perles rouges, dans l'herbe.

Du coin des lèvres, Renny murmura en montrant les boîtes de bonbons:

— Si tu t'en tires bien, Mooey, je laisserai un de ces paquets dans la sellerie, sur la planche, sous les rênes.

Mooey sourit piteusement et acquiesça, puis il regarda droit devant lui, les yeux fixés sur le dos athlétique de son père.

Piers arrêta l'auto devant la barrière de la maison basse et croulante qu'habitait sa sœur. Renny et ses chiens sautèrent. Un airedale vint à leur rencontre, et les accueillit en amis. Une femme âgée, installée sur une chaise longue au milieu de la prairie, le héla:

— Bonjour, Mr Whiteoak. Venez donc faire un brin de causette!

Renny fit un petit salut hargneux, et gagna à grandes enjambées la porte de la maison. Là, il dut s'effacer devant un homme qui avait incroyablement mauvaise mine et qui sortait. L'homme le dévisagea d'un air agressif. Suivi des chiens, il alla droit au salon de sa sœur et l'y trouva seule.

L'aînée de la famille, alors âgée de quarante-neuf ans et approchant de ses cinquante, avait le teint clair et frais de Piers, en plus pâle, dans les yeux gris-bleu une expression de candeur innocente et, sur ses lèvres roses et boudeuses, un air de petite fille doucement entêtée. Seuls ses cheveux grisonnants, sa taille épaisse et son double menton attestaient son âge. Elle accueillit son frère en roucoulant, lui mit les deux bras autour du cou et attira cette figure battue par les intempéries et fortement colorée contre la sienne.

— Mon chéri, chéri! Une éternité que je ne t'ai pas vu! Qu'es-tu devenu pendant tout ce temps-là?

— Qui diable sont ces gens-là? gronda-t-il contre la joue de sa sœur.

— Mes pensionnaires, voyons! Tu as déjà été présenté à la vieille dame, Mrs Binkley-Toogood. J'espère que tu n'as pas été aussi désagréable avec elle que la première fois! Cet homme blafard est une nouvelle recrue.

Il se redressa et la regarda de travers.

— Meggie, comment peux-tu te résigner à héberger ces gens-là chez toi?

Elle croisa ses bras sur sa poitrine rebondie et lui dit d'un air de reproche:

— Que veux-tu que je fasse? Avec les valeurs de Maurice qui baissent de plus en plus et ma fille qui grandit... Je t'assure, Renny, que ces pensionnaires nous sauvent la vie. Et ils sont charmants, en plus. Je suis ravie de les avoir. Mrs Binkley-Toogood a voyagé dans l'Est et ce gentleman que tu as rencontré dans la porte a eu les maladies les plus intéressantes. Cela élargit l'horizon. Je voudrais que vous essayiez la même chose, toi et Alayne, à Jalna. Il me semble que cela vaudrait mieux que d'hypothéquer et que d'être tellement à court.

— Alayne et moi? A Jalna?

Ses sourcils, ses narines, tous ses traits depuis son nez jusqu'au coin de sa bouche se contractèrent d'horreur à cette perspective.

— Sûrement, répondit sa sœur. Sûrement Alayne ne se considère pas tellement au-dessus de moi...

Il l'interrompit.

— Ce n'est pas cela. C'est la pensée d'avoir des pensionnaires, des hôtes payants comme tu dis, à Jalna. J'aimerais mieux crever de faim.

— Eh bien! Je trouve cela idiot.

— Voyons, Meggie. Tu ne me vois pas faisant une chose pareille! Mais Gran se retournerait dans sa tombe!

— Je crois bien que oui. Elle est exactement de cette sorte de morts qui se retournent dans leur tombe. Pourtant elle finirait bien par s'habituer au nouvel ordre des choses, comme nous le faisons nous-mêmes.

Il avait la riposte sur les lèvres, mais une douleur cuisante à l'épaule le fit tressaillir.

— Qu'as-tu? demanda-t-elle.

— J'ai soulevé le porche du salon de thé, cela m'a donné une crampe à l'épaule.

— Pauvre vieux!

— Rien de grave.

— J'ai horreur de te voir souffrir. Comment Mrs Lebraux se débrouille-t-elle?

— Pas trop mal. C'est très accueillant chez elle.

— N'est-ce pas? Et quel thé délicieux! Je passais par là, l'autre jour, elle m'a appelée pour en prendre une tasse, et elle s'est refusée à ce que je paie.

— Comme si elle allait te laisser payer! Elle t'aime beaucoup, Meggie, et tu as toujours été aimable pour elle. Elle a eu la vie dure depuis la mort de son mari — et avant... Dieu sait!

— Je l'admire, dit Meg avec ferveur.

Avec d'autant plus de ferveur que la femme de Renny avait toujours été très froide envers Mrs Lebraux.

Il montra les boîtes de bonbons.

— Je t'ai apporté cela pour toi et pour ta fille. Une pour chacune. Ces narcisses sont jolis, n'est-ce pas?

— Charmants!

Meg ouvrit la boîte, les yeux pétillants. Elle n'avait pas les idées modernes sur « la ligne » et mordit avidement dans un sucre d'orge.

— Je n'ai jamais manqué de bonbons depuis l'ouverture de ce thé et, comme je ne mange presque rien à table, cela me fait vraiment du bien. Ah! Voilà Patience. Viens, chérie, et regarde ce que l'oncle Renny nous a apporté!

Patience entra par la fenêtre, qui était presque au niveau du sol, enjambant le rebord avec ses mollets nus et bruns. C'était une charmante enfant, qui avait les grands yeux gris de son père et le doux sourire boudeur de sa mère. Elle savait exactement ce qu'elle voulait et s'arrangeait presque toujours pour l'obtenir. Ses joues se couvrirent de fossettes quand son oncle favori mit le cadeau entre ses mains. Elle étreignit la boîte.

— Oh! s'écria-t-elle. Tout ce que j'aime! Et une autre boîte pour maman! Vous êtes un chou!

— Fais attention en embrassant ton oncle, dit Meg. Il s'est fait mal à l'épaule.

— Comment?

— En soulevant une maison, grimaça-t-il en souriant.

— Quel taquin!

Elle se jeta sur lui.

Entre ces deux-là, il était heureux. Il s'installa dans un fauteuil tendu de chintz et alluma une cigarette, avec Patience sur ses genoux. Tout d'un coup, il se sentit extraordinairement privilégié. Il pensa à Clara et à Pauline Lebraux, à son ancienne amitié, à la protection dont il aimait les entourer. Il pensa au jeune Wake pour lequel il avait été un père et une mère. Bientôt le mariage de Wake avec Pauline resserrerait ce lien. Il pensa à Piers et Pheasant et à leurs trois fils. La vision de ses deux vieux oncles dans leur maison du Devon s'imposa un moment à ses yeux. Ces chers vieux! Il espérait qu'ils pourraient venir faire un séjour cet été. Il pensa à son frère Finch, marié depuis six mois, vivant avec sa femme à Paris, réussissant bien dans sa carrière musicale — pour tout le reste plutôt incapable et maladroit, mais tellement affectueux! Sa pensée atteignait ces évocations lointaines et dessinait avec une force obscure les images de sa propre chair et de son sang en les rapprochant de lui. Alors, il pensa à Jalna, à sa femme, à sa fille. Il pensa à Alayne et à leur existence troublée, pleine de passion, comme un printemps surgissant de la terre noire et incapable de porter le reflet paisible de ce qui l'entourait. Alors, la figure de sa fille effaça celle-là: pleine de vie, les yeux noirs, les lèvres rouges. Et ses propres lèvres s'adoucirent de tendresse.

Meg et Patience ne l'avaient pas quitté des yeux.

— Deux sous pour savoir à quoi tu penses, dit Meg.

— Vous êtes un vieux rigolo que j'adore, s'écria Patience.

Il l'attira de son bras valide et l'embrassa.

— Je pensais à mon dîner, dit-il.

Tout le temps du retour, traversant les champs et descendant par le ravin, sa pensée ne quitta pas sa femme et sa fille. Tel un ancêtre des temps primitifs, il accéléra le pas, comme s'il avait pu leur arriver malheur en son absence. Il ne s'arrêta qu'une fois pour examiner le tronc d'un grand sapin dont on avait coupé une branche à l'automne. De cette entaille, la résine — la vie de l'arbre — avait coulé, s'était coagulée, couleur d'ambre et, à un certain endroit, avait formé une longue traînée qui atteignait presque le sol. Renny pencha la tête et aspira l'odeur musquée. Il passa sa main sur le tronc de l'arbre.

CHAPITRE II

Père, mère et fille

Alayne, la femme de Renny, arrangeait quelques branches de cerisier sauvage dans un grand vase noir du salon. Après la longue désolation de l'hiver, il lui semblait voir l'âme même du printemps s'épanouir dans cette blancheur exquise. Elle maniait les tiges avec tendresse, de peur d'écraser les pétales et, quand une fleur tombait à terre, elle la posait avec précaution sur l'eau où elle flottait comme un nénuphar minuscule. Elle avait des mains ravissantes. Elle maniait les branches fleuries avec adresse et, quand elle les avait arrangées à son goût, elle se reculait d'un pas pour juger de l'effet. Mais elle n'était pas satisfaite. La pièce, avec ses lourdes tentures de damas et son tapis trop riche de tons, ne faisait pas valoir les fleurs et, moins que toute autre, cette floraison fragile de merisiers. Elle aimait les lignes pures du mobilier de Chippendale, et s'amusait parfois à imaginer le cadre qu'elle donnerait à ces meubles si on lui laissait les mains libres. Mais Renny trouvait que tout était parfait comme cela. Là où leurs goûts différaient le plus, c'était quant au papier de tenture, avec ses entortillements massifs et dorés, qui avait couvert ces murs pendant quatre-vingts ans et semblait devoir y rester quatre-vingts ans encore.

Alayne frissonna. Elle avait mis une robe légère et il faisait froid dans la pièce — une robe à fleurs gris-bleu, en foulard, avec des petits ruchés. En se voyant dans la glace elle pensa que la couleur et la forme lui allaient bien.

Elle avait mis à la petite Adeline aussi une robe plus légère et elle se demandait si ce n'était pas un peu prématuré. Le vent devait être frais sous le porche où jouait sa fille. Inutile de chercher où elle était, à chaque instant elle poussait en jouant un cri aigu. Alayne alla jusqu'à la porte pour surveiller sa fille.

Adeline avait trouvé une selle qui avait appartenu à son arrière-grand-mère, une selle d'amazone de forme archaïque, et elle était campée dessus dans une attitude pleine à la fois de grâce et de vigueur. Elle serrait dans sa petite main une cravache avec laquelle elle labourait les flancs d'une monture imaginaire qui, apparemment, se dérobait devant l'obstacle.

Alayne s'arrêta sans que sa fille la vît, enchantée par tant de force et de vivacité. Pourtant cette force, cette animation, c'était ce qui se dressait entre elles deux. Adeline était si différente de ce qu'elle avait été elle-même à cet âge! Elle avait des souvenirs d'enfance plus précis que la plupart des gens, parce qu'elle avait beaucoup vécu seule avec ses parents, et que tous ses « mots » avaient marqué. On les conservait précieusement pour les lui répéter, comme on gardait ses vêtements à mesure qu'ils devenaient trop petits pour elle. Presque tous les ans on l'emmenait chez le photographe et il y avait d'elle toute une série de bons portraits: la petite Alayne à deux ans, avec un chapeau monumental attaché par un grand nœud sous le menton et assise dans une pose solennelle sur une chaise capitonnée; la petite Alayne à quatre ans, debout dans l'embrasure d'une porte avec un nœud papillon sur ses cheveux blonds; puis à sept ans avec des fleurs dans les bras et montrant un profil qui n'était déjà plus celui d'un enfant. Dans toutes ces photos il y avait une note dominante de douce gravité et d'avidité précoce à comprendre. C'était un plaisir — ses parents le lui avaient dit souvent — de l'emmener chez le photographe, et le choix entre les épreuves était difficile car elles étaient toutes excellentes.

Quelle différence avec la séance qu'elle s'était offerte avec Renny pour faire photographier Adeline à l'âge de deux ans! Il avait été littéralement impossible de la faire tenir tranquille le temps d'une pose. On n'avait pas pu l'empêcher de fourrer son nez partout dans le studio. Quand ils avaient voulu la retenir, elle s'était mise à hurler, et quand le photographe, découragé, lui avait apporté ce qu'il avait de mieux comme joujou pour la distraire, la joie l'avait affolée, elle avait ri si fort qu'on voyait jusqu'à son palais, ri au point de se mouiller, et Alayne, humiliée, avait dû l'emmener pour la changer. Là, une idée lui était venue. Renny pourrait tenir l'enfant sur ses genoux pendant qu'on ferait la photo. Il avait accepté avec empressement, mais Adeline était d'une excitation telle qu'elle avait grimpé sur lui, l'étreignant, l'embrassant, poussant des hurlements de joie. Dans la quantité d'épreuves, pas une n'avait été assez bonne pour être tirée, bien qu'il y ait eu une pose vraiment excellente de Renny. Et Alayne en avait âprement voulu au grotesque petit paquet qui, posé sur son genou, avait l'air d'une caricature. A cause d'elle la photo était gâtée. L'unique résultat de cette matinée infernale était là, dans un cadre d'argent, sur la table du salon: un enfant avec une tête tragique, un nez beaucoup trop grand et une ressemblance presque effrayante avec son arrière-grand-mère.

En regardant sa fille, Alayne pensa que seul un peintre pourrait rendre cette beauté, ce teint crémeux, délicat comme un pétale de fleur, ces cheveux d'un roux tellement ardent qu'on ne pouvait le comparer qu'à la couleur d'une châtaigne fraîchement sortie de son écorce. Ses cheveux tombaient en boucles épaisses sur ses tempes et sa nuque et, à eux seuls, exprimaient son humeur car ils se dressaient et frémissaient quand elle était en rage. Alayne se rappelait grand-mère Whiteoak s'écriant:

« Ha! Ma chevelure était ma couronne de gloire quand j'étais jeune. »

Ce devaient être des cheveux comme ceux-là. Elle revit la vieille dame montrant ses quelques mèches couleur rouille — perruque ou cheveux teints, Alayne n'avait jamais résolu la question — sous son inoubliable bonnet de dentelle.

Adeline brandissait la cravache et criait:

— Allez, vas-y! Vas-y, mon petit! Saute! Voyons, voyons, saute!

Elle serrait sa petite bouche et raidissait ses jambes et son dos; mais, encore une fois, le coursier imaginaire refusa l'obstacle. Ses traits se crispèrent et elle lança d'une voix tonitruante:

— Le diable t'emporte, oh! fils de...

Alayne ne la laissa pas finir son horrible juron. Elle courut enlever Adeline de sa selle et lui donna une petite tape.

— Bébé, bébé, il ne faut pas...

Mais elle se rappela que le mieux qu'elle avait à faire était de négliger le gros mot et elle s'arrêta.

— Faut pas quoi? demanda Adeline, la figure pleine de curiosité.

Un sourire moqueur courait sur ses lèvres fines.

« Elle lit à travers moi, pensa Alayne, mais elle n'aura pas le dernier mot. » Elle répondit:

— Il ne faut pas sauter et crier ainsi. Tu te mettrais en nage. Tu vas te fatiguer.

Adeline lui tourna le dos d'un air fanfaron et lança une jambe par-dessus la selle. Elle avait le pouvoir d'éveiller la contradiction dans le cœur de sa mère. Un geste comme celui-là faisait battre le cœur d'Alayne plus vite, lui faisait même désirer une bonne scène: mais elle parla d'une voix mesurée.

— Il faut venir maintenant. On va te laver les mains. C'est l'heure de ton dîner.

— Non, répliqua Adeline crûment. (Elle se dressa et retomba sur son assise replète, comme soulevée par un confortable petit trot.) J'peux pas l'arrêter, dit-elle.

Wragge, le majordome, apparut et tendit un plateau d'argent sur lequel s'étalait un papier qui avait l'air inquiétant. C'était la note du marchand de poissons. Alayne la trouva exorbitante, comme toujours. Elle demanda s'il attendait.

— Non, madame. Je lui ai dit que ce n'était pas la peine.

Pour la millième fois, le respect mêlé d'impudence de ses manières horripila Alayne. Les joues en feu elle lui tourna le dos et enleva Adeline.

La physionomie de sa mère ou la pensée de son dîner incitèrent l'enfant à obéir, mais elle refusa d'abandonner sa selle.

— Je vais la monter dans ma chambre.

— Wragge, dit Alayne, emportez cette selle. Je ne sais pas d'où elle vient.

— Du placard sous l'escalier, madame. C'est là que la vieille Madame la rangeait. Elle l'aimait bien, elle aussi. Combien de fois me l'a-t-elle fait apporter dans sa chambre! Elle tapait dessus et elle reniflait le cuir. Ç'avait été une fameuse amazone dans son temps, pas d'erreur.

Wragge parlait comme s'il avait connu la vieille Mrs Whiteoak dans la force de l'âge, mais en réalité il ne l'avait jamais vue que passé quatre-vingt-dix ans puisque Renny l'avait ramené après la guerre. (Rags avait été son ordonnance). Mais c'était, pensa Alayne, sa manière de lui montrer qu'il était au courant de toutes les affaires de la famille et de lui faire sentir qu'elle était une étrangère. — Elle qui avait été la femme de deux Whiteoak et qui avait connu le ciel et l'enfer dans cette vieille maison moisie! Elle dit sèchement:

— Eh bien! Emportez-la.

Glissant un regard de provocation à Adeline, il saisit la selle pour l'enlever. Mais la petite leva sa cravache d'un air menaçant et le regarda en plein visage.

Il recula, craignant de recevoir un coup.

Alayne eut peine à empêcher sa colère d'éclater contre eux deux. Elle arracha la cravache des mains d'Adeline, et la posa dans celles de Wragge. Elle aurait voulu le battre.

— Emportez ceci et la selle, dit-elle sévèrement.

Alors Adeline se jeta la figure contre la selle, l'agrippant de ses bras, de ses jambes, de tout son petit corps vigoureux, et elle remplit l'air de cris de rage. On aurait dit qu'on l'étranglait. Un instant, Alayne et Wragge la regardèrent, consternés tous les deux. Mais un pas rapide crissa sur le gravier et Renny se précipita. Il avait l'air inquiet.

— Eh bien! Qu'est-ce qui se passe? demanda-t-il.

— Une petite colère, répondit Wragge en coupant la parole à Alayne.

Elle lui fit un signe péremptoire et il se retira à contrecœur. Alayne était sûre qu'il allait tournicoter dans le hall.

L'épagneul aveugle leva son museau et hurla, mais le petit terrier écossais se précipita sur Adeline et se mit à renifler avec extase sa figure et sa chevelure embroussaillée. Les cris de l'enfant s'arrêtèrent comme par magie, elle glissa hors de la selle et planta son regard dans celui de son père. Elle plissa ses yeux noyés de larmes; sa bouche, grand four carré il y a un instant, changea comme par miracle et devint exactement la source même du rire. Sa robe était remontée jusqu'à ses aisselles. Le petit chien s'empara d'une de ses jambes de pantalon et tira dessus. Elle lui donna un coup de pied d'un air enthousiasmé. Elle étouffait de rire.

— Je ne peux réellement rien faire d'elle, dit Alayne. Tout ce qu'elle fait me met à bout de nerfs. Les fleurs ne m'intéressent plus, tout est empoisonné par elle. Regardez-moi cette robe qui était propre il y a une heure! J'ai mal à la tête. La note du mareyeur est arrivée. Prenez donc votre fille: dès que je la touche elle pousse des hurlements.

Renny enleva Adeline dans ses bras d'un air sérieux, mais il ne put empêcher la tendresse de lui monter aux yeux quand il la regarda. Et rien n'échappait à la petite fille. Elle mit ses deux bras autour du cou de son père et, lui plantant ses lèvres sur la bouche, lui donna un long baiser qui sentait bon. Alayne lança un regard de rancune à ce petit paquet moelleux, ramassa la selle et rentra. Sa fille la suivit d'un œil placide et doux et glissa un regard de côté à son père. Il lui dit:

— Pauvre petite maman! Tu la fais enrager. Pourquoi es-tu tellement méchante?

Adeline frotta son index sur le nez arqué de son père.

— Est-ce que je suis gentille avec toi? demanda-t-elle.

— Cela n'a rien à voir. Je te demande pourquoi tu es méchante pour maman.

— Toi aussi, tu es méchant pour elle.

Il éclata de rire, et riait encore quand Alayne reparut.

— Je n'y peux rien, dit-il d'un air d'excuse. Elle me dit des choses tellement extraordinaires!

— Quoi! par exemple? demanda Alayne froidement.

— Eh bien! Elle dit que je suis méchant avec vous, moi aussi.

— Elle a le don de me faire de la peine. C'est un instinct chez elle.

— Quelle folie!

— Non. C'est très vrai.

— Voyons, ce n'est qu'un bébé. Elle n'a que quatre ans!

— Cela ne fait rien. Elle sait comment me blesser... et elle sait comment faire de vous son complice.

— Je ne suis pas son complice.

— Mais si. Sans cela, vous n'éprouveriez pas de tels transports de joie devant sa précocité.

— Transports de joie! Vous êtes dure.

— C'est pourtant ce que semble exprimer votre façon de rire.

Il la regarda d'un air déconcerté, puis tourna brusquement les talons, sa fille dans ses bras. Il n'avait pas su quoi répondre.

« J'ai été odieuse, pensa-t-elle, mais je n'y peux rien. Il ne sait pas à quel point Adeline m'exaspère. Il ne comprendrait pas. Ah! Si elle m'aimait autant qu'elle l'aime!... Mais je suis comme une ennemie pour elle. »

Alma Patch, la fille anémique qui venait à la journée pour s'occuper d'Adeline, apparut.

— Le dîner de bébé est prêt, annonça-t-elle dans un souffle.

La présence de Renny l'épouvantait toujours. Elle resta sur place, ses pâles paupières battantes, le regard fixé sur ses souliers. Il mit sa fille à terre. Elle courut jeter ses petits poings blancs dans les mains couvertes de taches de rousseur d'Alma, puis elle la quitta brusquement et, se précipitant vers sa mère, lui étreignit les genoux de ses deux bras.

Quand Alayne fut seule avec Renny, elle se laissa aller contre son épaule et glissa une main sous sa veste. Elle sentit la rondeur musclée de sa poitrine et les battements de son cœur vigoureux. Ses lèvres se mirent à trembler.

— Je suis une mère si maladroite... Je n'ai pas le magnétisme animal, ou ce je-ne-sais-quoi, qui vous fait naturellement aimer de ce qui est né de soi.

— Adeline vous adore. Vous avez vu comme elle s'est jetée sur vous?

— Oui... je sais...

Mais l'image de l'enfant s'évanouissait en elle, la proximité de Renny, l'odeur de ses vêtements, de sa chair, les battements de son cœur qu'elle sentait si près d'elle la dominaient. Il appuya son visage contre les bandeaux pâles et doux de ses cheveux. Brusquement, il s'écarta.

— Qu'y a-t-il? demanda-t-elle.

— Vos cheveux! J'en vois un blanc, juste sur le dessus!

— Je sais. Il y a longtemps que je l'ai vu.

Il était soudain comme égaré.

— Mais vous n'allez pas devenir toute blanche, n'est-ce pas? A trente-huit ans!

Elle rit.

— Quelle catastrophe! Mais non, je ne pense pas. Ma mère avait des cheveux gris à vingt ans.

Il eut l'air délivré d'une angoisse.

— Laissez-moi l'arracher.

Le puritanisme bien marqué d'Alayne et propre aux citoyens de la Nouvelle-Angleterre s'opposait à ce qu'elle laissât arracher ce cheveu gris. Elle évita la main volontaire.

— Non, non. Laissez-le. Pourquoi voudriez-vous l'enlever?

— Parce que je ne l'aime pas.

— Moi, j'y tiens.

En réalité elle détestait les cheveux blancs, mais l'agitation de Renny l'avait horripilée.

— Vous aimez cela parce que votre mère en a eu à vingt ans. Je vois très bien votre père disant:

» — Vraiment, ma chère, voilà un phénomène de capillarité du plus haut intérêt. Il faut immédiatement que je fasse une thèse éminemment absconse là-dessus.

Elle répondit vertement:

— Vous devriez comprendre la vénération des ancêtres, vous qui citez éternellement votre grand-mère et votre tante.

Montrant les dents, il fonça sur elle, la serra contre lui et arracha le cheveu. Elle poussa un petit cri.

Il brandit son trophée en triomphe.

— Vous êtes épouvantable! s'écria-t-elle.

Mais en son for intérieur elle était contente de n'avoir plus ce cheveu blanc, comme si un peu de sa colère avait été déracinée avec lui. Elle fronçait les sourcils, mais souriait:

— Jetez-le, dit-elle.

Il la regarda, scandalisé.

— Pour les oiseaux? Pour qu'ils en fassent leur nid? Ne savez-vous pas que cela porte malheur?

— Ne me dites pas que vous avez cette superstition ridicule!

— Gran disait toujours...

— Ah! Voilà. « Gran... »

— Elle disait que c'était signe de mort.

Alayne éclata de rire.

— Eh bien! Je vais penser aux gens dont je voudrais jeter les cheveux aux oiseaux.

— Moi, je ne courrais pas ce risque...

Il fit craquer une allumette et la mit sous le cheveu blanc. Elle le regarda d'un air gai, et pourtant avec un sentiment ridicule de tristesse, en voyant qu'une molécule d'elle-même se recroquevillait ainsi et devenait un grain de cendre. Elle dit tout à coup:

— Vous m'aimez, n'est-ce pas?

— Quelle question!

— Mais vous m'aimez vraiment? (Ses yeux se remplirent de larmes.) Je veux que vous me le disiez.

— Si je ne vous aimais pas, j'aurais pu jeter votre cheveu aux oiseaux.

Il la prit dans ses bras, mais poussa un gémissement de douleur.

— Je crois qu'il faudra que j'aille voir le docteur, dit-il. Je me suis fait mal.

Les sourcils d'Alayne se froncèrent d'inquiétude.

— Mais quand? Où? Pourquoi ne me l'avez-vous pas dit?

— C'est à l'épaule. J'ai voulu soulever quelque chose.

Elle poussa un soupir de soulagement. Une épaule malade, ce n'était pas grave. Et ce fut avec plus de nervosité que de sympathie qu'elle dit:

— Je n'ai jamais vu personne se faire mal aussi souvent que vous. Vous êtes trop violent, vraiment. Vous avez une façon de vous jeter sur les choses... Qu'est-ce que vous vouliez soulever?

D'un air sombre il répondit:

— Je ne me jette jamais sur les choses. Ce n'est rien de sérieux. Je vais demander à Piers de me conduire chez le docteur.

— Mais pas avant le déjeuner.

Ils déjeunaient à une heure, et il accepta d'attendre car Alayne n'aimait pas changer les heures de repas, mais il eut peu d'appétit. Il revint de chez le docteur avec le bras en écharpe. Il s'était cassé la clavicule.

CHAPITRE III

Coup de tonnerre

Ce soir-là, Clara Lebraux, après avoir enlevé le tablier aux narcisses, était assise sur un siège rustique plutôt inconfortable devant la porte de sa maison et aspirait avec un plaisir profond la fumée d'une cigarette russe. La sensation de plaisir qu'elle tirait de cette cigarette était d'autant plus aiguë qu'elle se sentait plus malheureuse. Elle regardait le crépuscule entre les arbres, au-delà de son petit jardin, et elle passait en revue son existence. Trois parts l'avaient divisée: son enfance à Terre-Neuve, sa vie de femme à Québec, et les années qui s'étaient écoulées depuis son arrivée dans le voisinage de Jalna. Son père avait fait fortune dans les pêcheries; lui et sa famille avaient mené une vie extravagante. Clara s'était mariée jeune et avait connu pendant douze ans une vie de bonheur mitigé, s'accrochant de plus en plus à son enfant à mesure qu'elle s'éloignait de son mari. Elle avait eu la vie au grand air qui lui convenait, faisant du toboggan et du ski en hiver, du yachting sur le Saint-Laurent en été; puis, quand Pauline avait été une grande perche de quatorze ans, le père de Clara avait perdu sa fortune et, la même année, Antoine Lebraux avait vu se développer une maladie qui s'était révélée fatale. Depuis lors, Clara n'avait jamais su ce que c'était que vivre sans angoisses ni soucis. Son frère était parti pour Ontario; elle l'avait suivi avec Lebraux et leur fille et ils avaient acheté une petite ferme pour y élever des renards argentés. Pendant la longue maladie et la mort de son mari, Clara avait trouvé un ami en la personne de Renny Whiteoak. Il avait été un ami, une protection pour Pauline et pour elle. Clara se rappelait comment, durant la terrible maladie de son mari elle s'était attachée de plus en plus à Renny, et comment, après la mort d'Antoine, l'amour l'avait envahie. Mais sans prendre la place de l'amitié. Ils étaient toujours restés bons amis, jamais Renny n'avait deviné qu'elle l'aimait — jusqu'à cette soirée de septembre dernier quand, dans ce bois obscur qui s'ouvrait maintenant sous son regard, ils étaient devenus amants. Ils avaient connu ensemble la camaraderie et la passion. La lune des moissons brûlait dans le ciel sombre au-dessus de leurs têtes. Elle le désirait, elle l'avait désiré pendant des années en cachant son désir. Elle avait exulté en se donnant à lui. Tous deux s'étaient sentis petits sous la grande lune d'été — petits, mais non pas insignifiants, et leur amour avait pris une signification exaltante sous le ciel de nuit. Tout l'automne ils s'étaient rencontrés, mais jamais plus depuis lors. Elle comprenait que sa possession ne lui était plus nécessaire, et elle y consentait. Elle était plus primitive que passionnée; rien ne pourrait lui enlever ce qu'elle avait eu. Et maintenant que les beaux jours étaient revenus, elle fumait chaque soir, le regard perdu dans le bois, se demandant s'il lui reviendrait un jour.

Pauline, toute vêtue de blanc, sortit de la maison et vint s'appuyer au dossier du banc. Elle était pâle.

— Ces premiers jours de chaleur me mettent à plat, dit-elle de sa voix grave qui avait gardé un peu de l'accent français de son père.

Clara tendit la main vers celles de sa fille.

— C'est vrai, chérie? Mais cela fait plaisir, après cet hiver terrible, non?

— J'aime l'hiver. Je ne souffre jamais du froid.

— Je sais. A moi, le froid m'est très pénible, bien que j'aie été élevée à Terre-Neuve. Ecoute, Pauline.

— Oui, maman.

Elle répondait comme un enfant, mais son regard scrutait d'un regard de femme cette figure aux traits rudes, rutilante de santé, ces cheveux coupés sans élégance, cette poitrine sur laquelle se découpait un triangle rouge, brûlé par le soleil. Pauline suspectait les relations de sa mère et de Renny, et ce soupçon empoisonnait sa vie. Elle aimait Renny de toute sa jeune âme passionnée, d'un amour cuisant, sans espoir. Et elle allait épouser Wakefield! Par moments elle sentait qu'elle avait tort de l'épouser, mais elle avait une profonde affection pour lui et elle ne pouvait pas gâcher sa vie à aimer un homme qui ne se souciait nullement d'elle en tant que femme, et ne voyait en elle qu'une jeune amie. Elle avait parlé de son indécision à son confesseur; le prêtre lui avait conseillé d'ouvrir son cœur avec confiance à Wakefield. Il était sûr qu'ils seraient heureux ensemble. Il fallait qu'elle chassât Renny de son esprit. L'amour qu'elle avait pour lui était un péché.

— Je suis en train de réfléchir, dit Clara.

— Oui?

Cela n'intéressait guère Pauline. Sa mère devait penser sûrement à la maison de thé et elles en avaient parlé si souvent!

— Je pensais, reprit Clara, qu'il allait falloir que je parte.

— Que vous partiez? Mais où? Et pourquoi?

C'était presque un cri qu'avait poussé Pauline. Elle ne pouvait en croire ses oreilles. Sa mère, partir!

Clara continua paisiblement:

— Oui. Depuis la mort de ta tante, ton oncle a besoin de quelqu'un pour tenir sa maison.

— Il n'a pas besoin de vous! dit Pauline avec passion. Il n'a jamais été gentil pour vous. Je n'aime pas l'oncle Fred. Voyons, maman (sa voix se brisait) vous ne pouvez pas partir! C'est impossible!

— Vous serez beaucoup mieux seuls, Wakefield et toi. Tous les jeunes ménages s'entendent mieux quand ils vivent seuls.

— Nous ne voulons pas que vous partiez. Nous ne voulons pas être seuls.

Mais quelque chose dans sa voix démentait ses paroles, et leur ôtait toute conviction. Clara ressentit une douleur cruelle. Et cependant, quoi de plus naturel que ce garçon et cette fille désirassent être seuls dans la maison?

Pourtant, ce n'était pas à Wakefield que pensait Pauline. Une aube d'allégresse pointait dans son esprit: si sa mère partait, finie la torture de la voir avec Renny, de les voir parler d'un ton aussi intime sur les sujets les plus familiers.

— Je suis tout à fait décidée, dit Clara. Naturellement, je viendrai souvent te voir et je t'écrirai une ou deux fois par semaine.

Elle parlait d'un ton absolument naturel. Pauline la dévisagea avec curiosité. Qu'y avait-il derrière cette face blonde et impassible? Pourquoi avait-elle pris cette décision? Pauline eut envie tout à coup de se jeter au cou de Clara, de pleurer sur sa poitrine. Le crépuscule de ce soir de printemps, l'étrange impression que lui faisait son prochain mariage, la pensée de se séparer de sa mère lui donnaient un sentiment de panique. Néanmoins elle parla calmement.

— Bien sûr, si vous voulez vous en aller, maman!... Mais vous savez ce que j'en pense. Réfléchissez, je n'ai jamais passé une nuit loin de vous. De toute ma vie. Ce serait horrible!

Clara se mit à rire d'un air taquin.

— Horrible? Avec Wake? C'est heureux qu'il ne puisse pas t'entendre.

— Il comprendrait.

— Est-ce qu'il doit venir ce soir?

— Non. Il est allé en ville, à la retraite des hommes: la retraite du Père Paulist. Wakefield devient plus catholique que moi; il connaît vraiment bien sa religion. Il est extraordinaire; et il en apprécie tellement la beauté!

— Tant mieux, dit Clara d'un air rêveur, mais je regrette qu'il ne soit pas venu te voir: c'est une soirée pour amoureux. Sens-tu cette douceur de l'air?

— Oui, je sens quelque chose, mais je ne sais pas ce que c'est. Je suis parfaitement heureuse avec vous. Si nous allions faire un tour?

Clara avait mal aux pieds d'être restée debout toute la journée, mais elle n'était jamais trop fatiguée pour aller se promener avec Pauline. Elle vivait tellement avec la pensée de sa fille qu'un souhait émis par elle devenait immédiatement le sien. Elle se leva et passa son bras autour de la taille de Pauline.

— Où allons-nous? demanda-t-elle.

— Traversons le bois, descendons au ravin.

— Ne crois-tu pas qu'il fera humide par là?

— Cela m'est égal.

Cette réponse d'enfant égoïste rendait toute objection impossible de la part de Clara. Enlacées, elles traversèrent leur petite pelouse rasée et, de là, trouvèrent l'étroit sentier qui, à travers champs, menait à un taillis de chênes. Le sentier descendait à pic sur le ravin d'où montait le murmure pressé du torrent.

Leur entrée dans le bois fit lever un corbeau caché dans l'épais feuillage et, troublé par leurs pas, l'oiseau lança son dernier sifflement plaintif avant d'aller chercher un coin plus reculé pour y passer la nuit. Puis il y eut le bruissement précipité d'une chauve-souris, qui, sans avoir l'air de les craindre, les entoura de son vol velouté tandis qu'elles avançaient l'une derrière l'autre, pour gagner le petit pont qui enjambait la rivière.

Elles étaient sur les terres de Jalna et, de l'autre côté de l'eau, un autre sentier montait vers la maison. Elles entendirent bientôt quelqu'un qui marchait. La jeune fougère foulée par les pas du promeneur ajoutait son parfum à l'air déjà tout embaumé, et un point brillant, dessinant un arc lumineux, leur montra que ce promeneur fumait.

La mère et la fille eurent en même temps la certitude que la silhouette qui descendait était celle de Renny, et chacune d'elles éprouva un égal pincement de regret de ne pas être seule avec lui. Aucun regret n'assombrissait, en revanche, la joie qu'il eut, lui, à leur dire bonjour. C'était le premier été qu'elles passaient dans leur nouvelle demeure, et il éprouvait une surprise agréable de les trouver toutes deux sur ce pont, par ce premier soir de chaleur.

Clara remarqua avant Pauline qu'il avait le bras en écharpe. Elle poussa une exclamation consternée et demanda:

— Qu'est-ce qui vous est arrivé?

— Rien, dit-il en riant. Honnêtement, rien.

— Allons! Vous me prenez pour une idiote! dit-elle d'un air de reproche.

— Mais qu'est-ce que c'est? demanda Pauline.

Elle s'approcha tout près de lui, essayant de voir ses traits, mais elle ne put distinguer que l'éclat de ses yeux et la courbe de ses lèvres serrant la cigarette.

— Je me suis battu avec une certaine maison dénommée « Narcisses », et je l'ai remise à sa place.

— Quelle honte! s'écria Clara. J'en suis malade. Avez-vous quelque chose de cassé?

— La clavicule.

— Et vous devez monter en concours dans quelques semaines! C'est terrible!

— Ce n'est qu'une fêlure. Je serai retapé, d'ici là.

Clara avança une main et la posa doucement sur l'épaule de Renny.

— J'aurais préféré voir cette bicoque s'effondrer, dit-elle.

Elle laissait sa main là où elle était, parce qu'elle ne pouvait pas la retirer. Comme si l'épaule blessée était un aimant qui attirait irrésistiblement sa main. S'il avait reculé pour s'éloigner d'elle, elle l'aurait suivi aussi inconsciemment que le fer suit l'aimant. Dans la pénombre Pauline sentit cette attraction invincible de sa mère, et elle en éprouva une rage violente. « Quand elle sera partie, pensa-t-elle, je ne serai plus jamais torturée ainsi. Je serai autrement plus heureuse!... »

— Je crois, dit-elle, que je vais rentrer. Wakefield peut venir.

Sans tourner la tête, Clara répondit:

— Mais tu disais qu'il était allé à la mission.

— Il n'y est peut-être pas resté. Il a dit qu'il viendrait peut-être assez tard.

— Oh! Très bien.

Clara parlait sans presque se rendre compte que les mots quittaient sa bouche, mais, un instant plus tard, elle fit un grand effort et dit à Renny:

— Je vais m'en aller tenir la maison de mon frère. Cela vaudra mieux pour Pauline et Wakefield d'être seuls ensemble.

— Vous? Partir? répéta-t-il. Impossible! C'est absolument idiot! Ils n'ont pas besoin d'être seuls ensemble. Je n'ai jamais entendu une chose pareille! Pourquoi voudraient-ils vivre seuls?

— Cela vaut mieux pour les jeunes ménages. Ils sont plus heureux.

Il répliqua avec emportement:

— Aucun de nous n'a été seul en jeune ménage. Ni Eden et Alayne, ni Piers et Pheasant, ni Alayne et moi.

Elle fit entendre un petit rire.

— Et cela vous-a-t-il tellement bien réussi?

— Mon oncle Nicolas et sa femme ont vécu seuls, et ils en sont arrivés à se détester mutuellement.

— J'ai une autre raison.

Un frémissement dans sa voix fit que Renny essaya de voir son visage.

— Laquelle, Clara? demanda-t-il.

— Je sens qu'il n'est pas prudent pour moi de vivre près de vous.

— Vous n'avez rien à craindre de moi.

— Vous me l'avez prouvé, mais je ne peux pas me fier à moi-même. Il faut que j'éloigne mon haïssable personnage.

Sa voix se brisa en éclats:

— Clara! Mais j'ai besoin de vous! Je ne peux pas vous laisser partir! Je veux que vous restiez près de moi.

Il mit son bras valide autour d'elle et l'attira vers lui, jusqu'à ce que leurs poitrines se touchassent. Elle ne répondit pas, mais, dans un effort suprême, essaya d'extraire jusqu'à la moindre parcelle tout le bonheur divin de cette étreinte, pour en faire plus tard un trésor de consolation. Cependant elle ne se laissait pas ébranler.

Pauline était dans le haut du sentier, mais pas encore rentrée dans la maison, quand elle entendit s'élever la voix de Renny. Dans l'extrême immobilité du soir, cette voix résonna comme un cri d'angoisse. Un éblouissement de jalousie la pétrifia.

Elle n'était pas la seule à avoir entendu ces mots passionnés. Renny était à ce moment-là dans l'exacte position de l'homme qui tient dans ses bras la femme qui l'aime, cependant que deux autres femmes, qui l'aiment également, écoutent ce qu'il dit, invisibles et incapables de voir les principaux acteurs du drame.

Alayne, ayant aperçu Renny partir vers le ravin, avait eu l'envie soudaine de le rejoindre. Peu de temps auparavant elle avait regardé la rivière gelée et le pont qui l'enjambait couvert de neige; elle voulait y retourner et y rester avec lui pour écouter le murmure de l'eau courante. Une tendresse passionnée pour la vie la troublait et l'émouvait, elle sentait la force du renouveau printanier; elle avait la sensation d'y participer de tout son corps et, sous ce poids d'émotion, elle avançait lentement. Elle ouvrit sans bruit la porte à claire-voie. Elle était en haut du sentier quand elle entendit l'exclamation de Renny:

— Clara! J'ai besoin de vous! Je vous veux près de moi! Je ne peux pas vous laisser partir!

Elle ne s'arrêta pas, mais continua de descendre avec lenteur, comme poussée par une volonté qui n'était pas la sienne. Le sentier semblait couler sous ses pieds, et pourtant elle était capable d'avancer en équilibre. C'était son cerveau qu'elle sentait fléchir, s'abîmer éperdument dans les ténèbres. Et en même temps elle éprouvait une sorte de fierté et d'orgueil à la pensée qu'elle était capable de marcher aussi fermement après avoir entendu de telles paroles. Elle posait bien à plat ses pieds, l'un devant l'autre, au milieu des grandes feuilles vertes enroulées des fougères. Elle tenait à la main une lampe électrique qu'elle n'avait pas allumée; mais, lorsqu'elle atteignit le pont, elle fit jaillir un trait aveuglant qu'elle dirigea, comme si c'était une arme, sur l'homme et la femme qui se séparèrent, consternés.

Elle braqua le jet de lumière sur les traits figés de Renny, puis brusquement, en pleine figure, sur Clara qui montrait moins de honte et de remords que de fureur maussade. Elle cligna des yeux, fixa le visage d'Alayne dans l'ombre et dit brièvement:

— Ce sont des adieux que vous interrompez, Mrs Whiteoak. Aucune raison de dramatiser.

Alayne répondit d'une voix qu'elle ne se connaissait pas:

— Eh bien! Que ces adieux soient définitifs! Que ces adieux soient définitifs!

— Renny vous expliquera.

— Je ne demande aucune explication, répondit Alayne amèrement comme si elle leur enfonçait sans le connaître leur secret dans la bouche.

Clara quitta le pont et monta rapidement le sentier, vers le bois où Pauline écoutait. Elle n'éprouva aucune surprise que sa fille fût encore là, n'accorda qu'un regard à cette silhouette vague, et passa en fonçant dans l'ombre. Pauline resta figée sur place.

Dans le ravin, le crépuscule s'était approfondi; il

faisait presque nuit. La première luciole esquissait le dessin que ses sœurs achèveraient en leur temps. Un crapaud jetait sa note liquide. La lampe tomba de la main d'Alayne et roula. Elle saisit la balustrade du pont, et se pencha, comme si elle allait être malade. Elle sentit sur son visage le souffle glacé de l'eau.

Renny vint près d'elle et posa une main sur son dos, mais elle pressa son sein plus fort contre la balustrade comme pour éviter qu'il ne la touchât.

— Depuis quand cette femme est-elle votre maîtresse? demanda-t-elle.

— Alayne... Je vous en prie!

— Je vous demande depuis quand.

Il répondit férocement:

— Elle n'est pas ma maîtresse.

Avec l'insistance et la creuse sonorité d'une cloche elle répéta sa question. La luciole traçait une arabesque plus compliquée dans le noir.

— Voyons, Alayne, dit Renny, reprenez-vous! Pas de nervosité! Ce n'est pas la première fois qu'un homme qui aime sa femme...

— Pas de ce mot-là pour moi, dit-elle durement. Qui aime! Oui, je pense que vous m'aimez comme on aime son fauteuil au coin du feu, son vieux costume... Tout ce que je veux savoir est: depuis combien de temps?

— Rentrons à la maison. Il monte un froid glacé de cette eau.

— Un froid glacé? répéta-t-elle avec ironie. Je ne sens pas le froid: je sens une fièvre de chaleur...

Il la prit avec autorité par la main et dit tranquillement:

— Il faut que vous rentriez.

Elle se raidit et se laissa emmener, comme une aveugle, dans le sentier. Il ramassa la lampe électrique et la mit dans sa poche.

Il conduisit ainsi Alayne jusqu'à la salle à manger, fit de la lumière, ferma les portes et dit, d'un ton presque naturel:

— Maintenant je vais vous donner quelque chose à boire.

Il était ému par sa pâleur et par son air outragé et haineux.

— Oui, dit-elle âprement. J'ai besoin d'être soignée, remontée. Si vous trouvez quelque chose qui me fasse oublier tout cela...

Il versa du brandy dans un verre et le lui offrit. Mais elle repoussa le verre d'une main violente, et l'envoya se briser à terre.

Elle regardait Renny comme si elle le voyait pour la première fois, détestant chacune des rides si profondément mordues de sa rude figure. Il jeta un regard furieux sur le brandy répandu:

— J'espère que vous n'allez pas continuer comme cela!

— Je comprends que vous l'espériez! Je suis insupportable, n'est-ce pas? Je ne suis pas du tout la femme qu'il vous fallait.

Elle le regarda un instant, puis éclata en sanglots. La pensée que les domestiques étaient sortis ce soir-là le soulagea: ils étaient seuls avec leur enfant qui dormait. Malgré son teint si haut en couleur, il était maintenant presque aussi pâle qu'elle. Il resta immobile tant que le bruit de ses pleurs persista, puis il répéta:

— Clara n'est pas ma maîtresse.

— Oh! Pourquoi me mentez-vous? s'écria-t-elle avec éclat.

Il resta silencieux un instant avant de dire d'une voix sourde:

— Je ne nie pas que nous n'ayons eu une certaine intimité à un moment donné.

— Quand?

— L'automne dernier. Mais je nie qu'il y ait eu quelque chose entre nous depuis.

Elle dit d'une voix entrecoupée:

— Vous ne pourriez pas m'expliquer votre cri de détresse sur le pont!

— Je tiens beaucoup à son amitié.

— Son amitié! L'amitié de cette femme-là! De cette femelle personnifiée!

— A ce point de vue-là, permettez-moi de vous dire qu'elle est plus froide que vous.

Ces mots la clouèrent un moment, puis elle reprit avec violence:

— Qu'on ne me parle jamais d'elle! Je ne veux plus entendre prononcer son nom.

— Vous ne l'entendrez jamais prononcer par moi.

Elle étendit sa main gauche devant lui.

— Regardez cette main. Elle a porté l'alliance de deux Whiteoak et tous les deux ont été aussi perfides, aussi infidèles que, je suppose, vos précieux ancêtres l'ont été avant vous.

Renny leva les yeux vers le portrait de son grand-père en tenue de hussard.

— Lui et Gran se sont querellés bien des fois, mais il lui était fidèle. Du moins, elle le croyait.

Il avait parlé avec orgueil de la fidélité de son grand-père. De quoi était-il donc fait, ce Renny? Elle le regarda, avec son étroite tête rousse, son nez en bec d'oiseau, son dos et ses épaules de cavalier, et elle détesta jusqu'à la moindre fibre de son être. Elle le détesta, du sommet de ces cheveux roux jusqu'à ses vieux souliers usés. Un ricanement glacial entrouvrit ses lèvres serrées:

— Dommage que vous n'ayez pas pris modèle sur lui plutôt que sur le vieux Renny Court qui, à ce qu'on m'a dit, était le satyre du pays!

Piqué, il s'écria:

— Est-ce que l'amour est une affaire de morale?

— Pas pour vous, en tout cas.

La bouche d'Alayne était devenue positivement hideuse de mépris en disant cela, pensa Renny.

— Pas plus que pour Eden. Ni l'un ni l'autre n'avez le moindre sens moral.

De pâle qu'il était, une rougeur inaccoutumée enflamma le visage de Renny.

— Vous feriez mieux de ne pas mêler Eden à cette histoire, dit-il d'une voix dure. Il est mort et, s'il vous a été infidèle, il savait bougrement bien que vous ne l'aimiez plus... Que vous pensiez à moi.

— Comment pouvait-il le savoir?

— Comment pouvait-il l'ignorer? L'oncle Nicolas m'a dit, depuis, que tout le monde le savait dans la maison. On attendait seulement de voir ce qui se passerait.

— Alors vous m'épluchiez en famille!

Il dédaigna de répondre, et poursuivit:

— Et laissez-moi vous dire, Alayne, que vous étiez bien plus coquette et provocante pour moi à ce moment-là que Clara ne l'a jamais été.

C'était comme s'il l'avait battue; mais elle se domina et dit amèrement:

— Pourtant vous avez pu me résister, à moi!

Il répondit avec dignité:

— Vous étiez la femme de mon frère!

— Vous me rendez folle! Le fait que je sois la femme de votre frère vous retenait, mais que je sois la vôtre... non!

— Vous ne savez pas combien j'ai lutté contre moi-même, répondit-il gravement. Et puis, les choses étaient différentes pour moi à cette époque-là. J'étais un homme heureux. Je n'avais pas les mêmes aspirations, les mêmes exigences. L'automne dernier, j'étais... vous savez ce qu'il y avait entre nous.

— Je sais que l'automne dernier vous avez hypothéqué ce domaine, et que l'argent, qui devait servir à autre chose, vous l'avez employé à monter cette ignoble maison sur vos terres pour y installer Clara Lebraux. Maintenant je comprends pourquoi.

— Alayne! s'écria-t-il. Je n'avais aucunement cette pensée quand j'ai amené Clara et Pauline pour vivre sur la propriété. Elles traversaient de terribles difficultés et j'avais été le meilleur ami de Lebraux!

— Ça va bien! répondit-elle avec un geste définitif,

je ne veux plus en entendre parler. Plus un mot!

Renny se mit à ramasser les morceaux de verre brisé; gauchement, à cause de son bras en écharpe.

Alayne regardait les épais cheveux roux de son mari: « Je serai blanche avant lui », pensa-t-elle. Puis elle regarda les rides qui creusaient son front. Une satisfaction cruelle l'envahit.

Renny sortit son mouchoir, épongea la petite mare de brandy, puis il se redressa et pressa l'étoffe humide sur son front. Il demeura presque impassible quand elle quitta la pièce, mais, dès qu'il l'entendit pleurer dans sa chambre, il bondit dans l'escalier, ouvrit la porte avec violence, se précipita vers elle, le visage convulsé comme celui d'un enfant.

— Ne pleurez pas! s'écria-t-il d'une voix entrecoupée.

Il tenta de la prendre dans ses bras, mais elle étendit les mains pour le repousser.

— Chérie, vous savez que je n'ai jamais aimé que vous!

— Voulez-vous vous en aller! Je ne pourrais pas supporter que vous me touchiez.

Elle s'écarta, se jeta sur le lit. Elle se sentait complètement désemparée, perdue comme un bateau qui sombre, les jambes alourdies comme par des lianes marines qui l'entraînaient vers les profondeurs.

La petite Adeline remua dans son berceau, et soupira. Renny s'approcha d'elle. Elle fixa sur lui des yeux brillants, hagards, impersonnels, comme un petit animal dans son terrier. Ses cheveux ressemblaient à une fourrure fauve.

Alayne s'assit sur le bord de son lit.

— Demandez à votre enfant — à notre enfant — de vous pardonner, dit-elle. C'est notre enfant. Je l'ai porté... J'aurais mieux fait de mourir à ce moment-là.

Il se pencha sur la figure d'Adeline, mais elle n'était qu'à moitié éveillée. Elle le regardait toujours, d'un regard qui n'était pas le sien, comme si elle ne le voyait pas. Il lui remonta ses couvertures sous son menton et s'en alla.

CHAPITRE IV

Une longue nuit

Pas une bribe de sommeil ne vint aider Alayne à passer ces longues heures. Montant, montant jusqu'à minuit, déclinant, s'amenuisant vers l'aurore, les heures lui apportaient leur charge de misère. Dans son imagination, elle les voyait déposer chacune son fardeau dans le couloir, entre sa porte et celle de Renny, jusqu'à ce qu'un grand tas noir se fût formé, qui les séparait l'un de l'autre pour toujours.

Pendant les premières heures, elle ne put penser à rien d'autre qu'au fait que Clara Lebraux avait été dans «ses» bras comme elle l'avait été elle-même. Indéfiniment, elle se représentait les détails amoureux de leur rendez-vous. Avait-il menti quand il avait dit qu'ils n'avaient pas été amants depuis l'automne? Cela n'avait pas d'importance, pas d'importance: ils avaient été amants. Elle entendait leurs murmures dans les bois, leurs murmures qui venaient jusqu'à elle comme des clameurs. La figure de Clara était rivée à la nuit, et criait sa passion.

Alayne se haïssait d'avoir de telles pensées. Avec toute la force qui était en elle, elle les chassa, laissa son esprit vide et sec. Elle envisagea froidement sa situation dans la maison. Dix ans auparavant elle était arrivée à Jalna en tant que femme d'Eden — jeune femme combien posée, soigneusement préservée, conventionnelle, dépourvue d'expérience, et cependant d'esprit libre, originale et pleine d'expérience à côté de ces Whiteoak empêtrés dans leur propre univers, prisonniers de leurs traditions de famille, de leur religion extérieure, de leur vieille croyance à la supériorité du mâle, bien qu'ils fussent dominés par la vieille grand-mère! Venue d'une grande métropole, elle avait eu de l'indulgence pour leur insociabilité; mais, sondant leurs eaux profondes, sous leur attitude victorienne, quelle somme d'émotions, de terreurs, de haines et d'angoisses elle avait découverte! Deux mariages avec des Whiteoak, et tous deux l'avaient trompée.

Alors les paroles de Renny lui revinrent comme un coup de fouet:

— Si Eden vous a été infidèle, il savait bougrement que vous ne l'aimiez plus... que vous pensiez à moi.

Eden l'avait-il su? Non, il n'avait pas pu le savoir. C'était impossible! Elle avait gardé son secret. L'amour d'Eden pour elle avait été un flot léger, peu profond, trop tumultueux seulement pour devenir un courant paisible. Et ces autres paroles, si cruelles, que Renny avait prononcées:

— Permettez-moi de vous dire que vous étiez autrement provocante et coquette envers moi, à cette époque-là, que Clara ne l'a jamais été.

Qu'avait-elle donc dit et fait? Impossible de se le

rappeler, mais elle se souvenait que la fièvre de son amour pour lui ne lui avait laissé aucune paix. Si l'amour d'Eden avait été un cours d'eau sans profondeur, elle-même ne lui avait donné rien de plus; tandis que, pour Renny, elle avait ouvert toutes grandes les portes de son âme la plus secrète et la plus passionnée: elle avait créé pour lui une nouvelle Alayne, une femme remplie de désirs, abandonnée sans paix ni trêve à son amour.

— Vous êtes une femme beaucoup plus ardente que Clara.

Elle roula sa tête sur l'oreiller, et des larmes coulèrent sur ses joues.

Oh! La naissance de cette haine nouvelle pour lui! C'était bien plus atroce que la naissance d'un enfant. Cela lui déchirait les organes, avec une nausée qui l'écœurait jusqu'à l'âme. Un horrible goût de métal lui vint à la bouche; ses cheveux étaient trempés de sueur. Elle se sentait comme au bord de la folie.

Alayne se leva, alla jusqu'à la fenêtre. Il faisait nuit noire — une nuit extraordinairement froide pour la saison. Pas l'ombre de vent, pas un bruit, pas un souffle de vie, nulle promesse. L'air touchait sa joue comme une main froide. Ni étoile, ni lune: le soleil pourrait aussi oublier de revenir dans un monde pareil.

Dans le noir, Adeline appela.

— Maman!

— Oui, chérie.

— J'ai soif.

— Très bien. Je vais te donner à boire.

— Non. Je veux que ce soit papa.

— Il est dans sa chambre.

— Appelle-le!

Alayne s'approcha au bord du berceau.

— Bébé, tu ne dois pas appeler papa. Tu vas boire avec moi, ou bien tu ne boiras pas du tout... Veux-tu boire avec moi?

— Oui.

La petite voix se dominait.

Adeline s'assit et but avidement. Elle vida le verre et en demanda un autre, les yeux plongés avec un air de défi dans ceux d'Alayne.

— Non, tu n'en auras pas plus.

— Pourquoi?

— Parce que tu en as eu assez.

— Pourquoi?

— Si tu bois trop, tu mouilleras ton lit.

— Pourquoi?

Alayne mit sa main sur la poitrine d'Adeline et appuya pour la recoucher. D'un rien elle pouvait susciter tout ce qu'il y avait d'hostile dans la nature orgueilleuse d'Adeline. La petite se raidit et serra les poings au-dessus de sa tête en donnant des coups de pieds dans ses draps.

Comme une source chaude et magnétique, la haine qu'Alayne éprouvait pour Renny jaillit et se mit à bouillonner jusqu'au point d'engloutir son enfant. Elle dut tourner le dos, et aller regarder par la fenêtre. Adeline se mit à crier, s'abandonnant à sa colère comme s'il était midi au lieu de minuit. Alayne la laissa crier.

Renny apparut dans l'embrasure de la porte.

— Est-ce qu'elle vous dérange? demanda-t-il. Voulez-vous que je la prenne?

— Vous feriez bien. Je ne peux rien obtenir d'elle, dit Alayne sans se retourner.

Il entra sur la pointe des pieds, avec des chaussures à fortes semelles. « Pourquoi marche-t-il comme cela? pensa Alayne. On dirait qu'il y a quelqu'un de mort. »

Adeline s'agrippa au cou de Renny et un sourire radieux découvrit toutes ses dents. Installée dans les bras de son père, drapée dans son petit couvre-pieds de soie bleu pâle, elle tourna des yeux triomphants vers sa mère.

— Je peux la garder toute la nuit.

— Merci.

— Savez-vous pourquoi elle pleurait? Elle avait peut-être faim.

— Elle réclamait de l'eau, et elle venait d'en boire très suffisamment.

Alayne était au point de ne plus pouvoir les supporter tous les deux dans sa chambre. Dès qu'ils furent sortis, elle ferma sa porte à clé et se mit à se déshabiller. Le froid la transperçait. Elle tira les couvertures au-dessus de sa tête.

Dans cet abri noir, une suite d'images de Renny se mit à défiler. Elle le vit, les manches relevées, abattant un arbre, le jour où elle avait découvert pour la première fois qu'elle l'aimait. Elle le vit, avec elle-même si heureuse à son côté, galopant autour du lac, dans le vent d'automne. Puis, sous l'éclat de la lumière électrique, sautant des barrières au Concours hippique dans une tempête d'applaudissements. Puis, agenouillé près du lit où elle était, le jour de la naissance de leur fille. Les yeux humides de larmes de tendresse pour elle.

Comme elle l'avait aimé! Oui, comme elle l'avait aimé! L'amour qu'elle avait pour lui avait fait d'elle une autre femme — pas assez différente cependant pour l'accepter tel qu'il était. Elle avait voulu le changer, l'obliger par la force à se conformer, à s'adapter à sa personnalité, même à l'époque où leur tendresse, heurtée jusqu'au désaccord, exaspérait leur passion.

Les heures passaient. Elle parcourait indéfiniment l'échelle de leurs relations, aboutissant toujours au choc de la rude découverte. A la longue, son cerveau refusa toute cohérence. Comme un mécanisme usé, il ne fonctionna plus que par à-coups, désaxé, affaibli. Pourtant elle ne pouvait toujours pas dormir.

Vers l'aube, un chatouillement énervant lui irrita la gorge. Par moments une toux sèche la secouait, qu'elle essayait en vain d'étouffer. Quand elle eut compris qu'elle n'y pouvait rien, elle renonça à se retenir.

Le bouton de la porte tourna et elle entendit la voix de Renny:

— Alayne, je vous apporte de mes pastilles de réglisse. Ouvrez la porte.

— Non, murmura-t-elle en haletant. Je ne veux rien.

Et elle laissa une quinte lui érailler la gorge. Elle savait que, depuis la mort d'Eden, le bruit de la toux le mettait au supplice.

— Je pose les pastilles là, par terre, dit-il.

Elle entendit le bruit de la petite boîte sur le

plancher. Une faible lueur révélait le berceau vide d'Adeline.

Son esprit remonta vers le temps de son existence avec Eden, vers ce premier amour heureux, sans faille. Elle se souvint de sa joie devant les poèmes qu'il écrivait alors, comme si c'eût été des enfants qu'ils avaient créés ensemble. Que cela avait été bref! Tandis que son amour imparfait, troublé, torturé, pour Renny, comme il avait persisté! Pareil à un fil de couleur vive et solide, il avait dominé la trame de ses jours pendant dix longues années. Il avait tellement dominé sa vie que tout ce qui s'était passé auparavant lui faisait l'effet d'avoir été vécu par quelqu'un d'autre, et d'être presque dépourvu de sens pour elle. Mais elle allait changer la trame de sa vie, maintenant, dût-elle en faire un tissu terne et quelconque, pourvu que rien n'y subsistât de cet amour.

Sa toux s'apaisait et était sur le point de passer, quand elle se remit à pleurer. Elle renifla en se raclant la gorge.

Renny de nouveau était derrière la porte.

— Alayne, je vais descendre vous faire une boisson chaude. Il faut que vous preniez quelque chose. M'entendez-vous?

Il n'attendit pas la réponse. Son pas glissa dans le couloir avec ses pantoufles de feutre; mais il était toujours habillé.

— Elle boira, murmura-t-il en descendant l'escalier. Elle ne pourra pas refuser, il faut qu'elle boive.

Il prit l'escalier du sous-sol et descendit à la cuisine où le grand fourneau à charbon répandait une douce chaleur égale. Tout contre, les épagneuls étaient couchés sur une natte. Ils se levèrent, bâillant leur surprise à cette arrivée matinale. *Merlin* poussa l'aboiement profond et grave qui, depuis qu'il était aveugle, lui servait à exprimer son émotion facile. Renny les apaisa et s'approcha du fourneau. Heureusement il y avait de l'eau chaude dans la bouilloire. Il ranima le feu, activa le tirage. Le reflet du charbon incandescent mit une lueur rose sur sa figure hagarde.

Elle devait avoir faim, pensa-t-il. Il allait lui monter un peu de pain et de beurre avec du café. Elle aimait le café. Rien ne la désaltérait autant, disait-elle souvent. Il alla ouvrir le placard à provisions, et sortit la cafetière émaillée rouge avec l'image de Windsor Castle sur le couvercle. Le ronflement sonore de Mrs Wragge venait de la chambre d'en face, à travers l'étroit couloir sombre.

Renny était un peu embarrassé pour faire le café. Cela devait se faire à peu près comme du thé, mais en laissant infuser plus longtemps. Attendant que l'eau bouillît, il alla jusqu'au garde-manger. Le bruit d'un pas étouffé s'approcha. C'était Rags, vêtu d'un vieux pyjama taillé dans un des siens. Sa figure menue trahit la surprise qu'il éprouvait à voir le maître de Jalna entièrement habillé à cette heure-là, et en quête de quelque chose d'aussi innocent que des tartines.

— Puis-je vous aider, m'sieur? demanda-t-il. N'aimeriez-vous pas quelque chose de plus substantiel?

— Ce n'est pas pour moi.

— Oh! C'est pour Madame? Laissez-moi préparer

cela m'sieur. Je sais comme elle les aime minces. Plus minces que le couteau.

Et il se mit à couper le pain en tranches impalpables, cependant que Renny le regardait et que l'écho des ronflements de Mrs Wragge remplissait le sous-sol. Le spectacle de Rags faisant le cuisinier ramena les pensées de Renny vers la France. Il revit son ordonnance tirant des repas appétissants de vieilles boîtes de conserves abîmées. Rags fut traversé du même souvenir. Il cligna de l'œil:

— Ce n'était pas une si mauvaise période, m'sieur. Je crois que ça a été le meilleur temps de ma vie. Ce ne serait pas une catastrophe s'il y avait une autre guerre. Si j'étais encore votre ordonnance, m'sieur...

— Il y a des choses pires que la guerre, hein! Rags?

— Ah! Pour ça oui, m'sieur. Il y a de la bonne camaraderie dans la guerre. On est gentils les uns pour les autres. Il n'y a qu'un ennemi; et tout le monde sait qui c'est. Tandis qu'avec cette soi-disant paix, ma parole, on a des ennemis tout autour et, la moitié du temps, ils se posent en amis. Non, je n'aime pas beaucoup la paix, m'sieur.

Il arrangea le pain et le beurre sur une assiette, le petit doigt en l'air.

— Là, comme ça, ça donne envie, n'est-ce pas?

L'eau bouillante fut jetée sur le café, et Renny apporta le plateau à la porte d'Alayne. Il frappa et elle répondit:

— Entrez.

Elle avait enlevé le verrou pendant qu'il était en bas et s'était assise sur le bord du lit, une couverture autour des épaules. Quand la porte s'ouvrit, elle tourna la tête, fixa son regard sur lui d'un air d'étonnement presque impersonnel: « Regardons encore une fois son visage, pensait-elle, et voyons si ce qu'il a fait ne l'a pas marqué d'un signe. Il y a sûrement un changement quelconque sur ses traits. » Mais elle eut beau regarder, elle n'aperçut rien de différent. Elle lui trouvait le même air tracassé qu'il avait quand il était inquiet à propos d'une jument malade. Pas plus de sensualité dans sa bouche, pas plus de duplicité dans ses yeux: rien ne trahissait ces mois de double vie. « Il est de fer », pensa-t-elle.

Renny éprouvait une poignante compassion à la voir assise là, toute décoiffée, dans l'aube blafarde; et aussi de la colère contre l'invisible force du destin qui avait rendu possible l'inutile découverte qu'elle avait faite! Tout était fini entre lui et Clara, excepté leur amitié. Pourquoi leurs quelques rendez-vous d'amoureux n'étaient-ils pas restés secrets?

Il posa le plateau sur la table à côté du lit.

— Si vous vouliez seulement essayer de réfléchir sérieusement, dit-il, si vous vouliez seulement vous mettre dans la tête que vous êtes la seule femme...

— La seule femme! interrompit-elle d'une voix rauque. La seule femme! Je vous en prie, ne me demandez pas de croire une chose aussi grotesque. Ma pauvre tête a déjà bien du mal à conserver son équilibre.

Il éleva la voix:

— Vous êtes la seule au monde que je désire comme ma femme. Clara...

— Oui, je sais: une femme et une maîtresse.

— Pas une maîtresse! Pas une maîtresse! Vous n'avez pas le droit de l'appeler comme cela! Cette sorte de sentiment va et vient sans laisser de traces. Je vous donne ma parole, Alayne, que je vous ai été fidèle depuis notre mariage, à part cette unique exception — et vous savez qu'à cette époque nous... vous et moi... nous n'étions pas en très bons termes.

Elle se leva comme pour le regarder en face.

— Voulez-vous me laisser seule? Je suis à bout de forces.

Elle porta sa main à sa tête. Ses jambes de nouveau étaient lourdes, comme happées par des algues humides.

Renny eut une grimace de désespoir.

— Je vous en prie, prenez votre café avant que je m'en aille.

Il remplit une tasse de liquide fumant. Elle but une gorgée, puis repoussa la tasse avec une expression de dégoût.

— Impossible.

— Est-il si mal fait?

— Infect.

Elle s'allongea sur son lit et tourna la tête.

— Voulez-vous un peu de pain beurré?

— Je serais incapable de manger. Je vous en prie, laissez-moi.

Avec un regard découragé, il emporta le plateau dans sa chambre. Elle était exposée à l'est et, dans les premiers rayons tremblants du jour, Adeline roulée sur son lit dormait profondément. Elle avait un air de calme béat. Au pied du lit le corps grassouillet du petit terrier d'Ecosse était agité en rêve de soubresauts nerveux.

Renny but le café qu'Alayne avait laissé, et se versa une seconde tasse. Il mit l'une sur l'autre deux tranches de pain et les avala d'une bouchée. Il mourait de faim.

CHAPITRE V

Une longue journée

Renny était en train de se raser quand il se rappela que c'était dimanche et il resta, rasoir en l'air, à se demander si cela tombait mieux qu'un jour de semaine pour arranger la situation. Il conclut qu'au fond ce serait plutôt une complication, tant pour lui que pour Alayne. Ordinairement il était contraint le dimanche de passer plus de temps que d'habitude à la maison, et il ne lui était guère possible de prendre ses repas dehors. Piers et Pheasant venaient toujours déjeuner ce jour-là. Et puis, naturellement, il y avait le service religieux.

Il eut soudain le désir d'emmener la petite à l'église. Elle était certainement bien assez grande pour cela. Il se revoyait lui-même assis, pendant un sermon, sur les genoux de sa grand-mère, quand il était plus petit qu'Adeline. Il pensait que cela le distrairait de cette épouvantable nuit s'il la voyait assise au banc familial; ce serait amusant de constater là sa ressemblance avec la chère vieille Gran. Ce serait aussi une façon de débarrasser Alayne, car la nurse avait toujours congé le dimanche et Alayne ne serait certainement pas d'humeur à supporter cette enfant terrible après la nuit qu'elle venait de passer.

Paraîtrait-elle au petit déjeuner? Cela l'étonnerait. Renny se rasait avec difficulté à cause de son épaule malade. Adeline et le petit chien se roulaient ensemble sur le lit. Tout à coup elle se redressa et regarda son père.

— Pourquoi faites-vous cette drôle de tête?

— J'ai mal à l'épaule.

— Pourquoi?

— Je me suis cassé un os.

— Laissez-moi l'embrasser.

Il s'approcha du lit, une moitié de la figure couverte de savon, et il se pencha sur elle. Elle planta sa bouche sur le bras de son père.

— Est-ce que cela va mieux?

— Beaucoup mieux.

Il retourna à sa toilette. « C'est une chance que je sois un peu ambidextre », pensa-t-il.

Le petit chien glapit. Renny se retourna brusquement et vit Adeline qui l'embrassait avec passion.

— Qu'est-ce que tu lui as fait?

— J'embrasse son os abîmé.

— Hum! Enfin! Je vais te rendre à maman pour qu'elle t'habille.

Il se lava les mains et emmena sa fille à la porte d'Alayne.

— Appelle-la, dit-il.

— Maman! cria-t-elle. Adeline veut qu'on l'habille.

Il rentra dans sa chambre et entendit la porte d'Alayne s'ouvrir et se fermer. Elle serait volontiers restée au lit, mais il fallait qu'elle s'occupât de sa fille.

Adeline se mit à se pavaner dans la chambre sur ses

adorables petits pieds nus. Alayne était déjà habillée. Elle portait une robe bleue qui accentuait les ombres violettes sous ses yeux. Elle aspergea ses doigts d'eau de Cologne et s'en frotta les tempes.

— A moi! Moi aussi! cria Adeline en dressant sa figure rose comme une fleur.

Avec un sourire triste, Alayne mit quelques gouttes tendrement sur les petites boucles rousses. Ivre de joie, Adeline montrait ses dents.

— Encore! Encore!

— Non. Cela suffit. Il faut t'habiller.

Mais autant valait essayer de dompter une petite sauvage. Elle se tortillait de tous les côtés, frétillait, poussait des cris de joie. Lui passer chacun de ses petits vêtements était une véritable opération. La chambre tournait autour d'Alayne.

Quand Adeline fut habillée, elle s'approcha de la bouteille d'eau de Cologne et la vida sur le devant de sa robe jaune immaculée. Puis elle reprit sa parade triomphale en regardant sa mère par-dessus son épaule.

— Je me moque bien de vous, dit-elle.

Alors Alayne vit le méfait de sa fille. Elle l'enveloppa d'un regard glacial, puis la prit par la main et la descendit. Renny et Wakefield étaient dans la salle à manger et l'attendaient. Wakefield avait les paupières lourdes et l'air morose, comme si lui non plus n'avait pas dormi, et il semblait cultiver sa tristesse avec un parti pris de méfiance envers le soleil éclatant qui perçait entre les rideaux de velours jaune.

Renny esquissa un sourire conciliant:

— Oh! Cela sent bon! Le parfum du dimanche, hein?

Il s'adressait à l'espace qui était entre la mère et la fille.

Alayne commença de manger le demi-pamplemousse qui lui était réservé.

— Elle a vidé ma bouteille d'eau de Cologne sur sa robe!

Adeline fronça sa bouche en bouton de rose, roula des yeux tendres vers son père, et pencha la tête pour que Rags pût attacher la serviette sur sa petite nuque blanche. Le regard blême de Rags passa d'une tête à l'autre et, suivant son habitude quand il sentait venir le drame de famille, il redoubla de sollicitude pour Renny, lui approcha les plats plus près que d'habitude et susurra un message de Wright, le garçon d'écurie.

Tant qu'il fut là, une apparence de conversation demeura possible; mais, lorsqu'il eut quitté la pièce, les deux hommes et la femme ne purent trouver un mot à dire, et l'enfant s'absorba avec voracité dans son porridge.

D'exquises rumeurs de printemps entraient par la fenêtre ouverte: le bêlement de jeunes agneaux; les notes rivales de deux chants d'oiseaux; les doux mouvements d'une brise caressante. Renny lança un coup d'œil furtif à Alayne, et remarqua les reflets lisses de ses cheveux, l'ordre parfait de sa tenue. Il était à la fois rempli d'admiration qu'elle fût ainsi pareille à elle-même après une telle nuit, et irrité qu'elle pût demeurer méticuleuse sous le coup d'une émotion comme celle-là. Pourtant lui-même s'était habillé avec plus de soin que d'habitude, et si elle était arrivée à table échevelée il l'en aurait blâmée. « Que faire pour qu'elle me pardonne? » se demanda-t-il. Il se sentait désarmé devant le mur de sa désolation. Une flambée de rage l'envahit. Ils se tourna et regarda Wakefield dans les yeux en s'écriant:

— Eh bien! Qu'as-tu donc pour ne pas être fichu de dire un mot?

Sous le coup, une stupeur étonnée décomposa les traits assombris de Wakefield; mais il se reprit et répondit:

— Je ne savais pas qu'on me demandait de faire la conversation.

— On ne t'a pas demandé de prendre cette tête d'enterrement.

— Vous n'avez pas l'air à la noce non plus, ni l'un ni l'autre.

Il scruta leurs visages, et devina pourquoi Renny était furieux. Il lui dit alors d'un ton d'excuse:

— Si tu savais la nuit que j'ai passée, tu ne t'attendrais pas à me voir joyeux. Je suis à bout, je ne sais plus quoi faire.

— Pourquoi? Qu'y a-t-il, Wake?

La voix de Renny était devenue pleine d'inquiétude.

Wakefield émietta un morceau de toast dans son assiette et répondit dans un souffle:

— J'ai décidé que je ne me marierai pas. Je veux entrer au couvent.

Renny le regarda, abasourdi; Alayne, avec un sourire plein d'amertume.

— Vous avez absolument raison, lui dit-elle. Il vaut mieux se cloîtrer loin de la vie, et ne se donner à personne.

— Comment pouvez-vous dire cela? s'écria Renny avec éclat. Et Pauline? Tu vas lui briser le cœur! Comme à moi! Voyons, Wake, tu ne sais pas ce que tu dis! C'est une vie lugubre, une vie impossible pour un Whiteoak!

— Je ne pense qu'à cela depuis un mois.

— Mais hier encore vous aviez l'air heureux ensemble, toi et Pauline, aux Narcisses!

Alayne le transperça d'un regard glacé, accusateur. Ainsi, il était hier matin avec Clara!

— Je suppose que c'est là que vous vous êtes démis l'épaule!

Il rougit, mais répondit avec une grimace de défi:

— Oui, en soulevant le porche de la maison de thé.

Wakefield négligea la parenthèse.

— Le moment de parler n'était pas encore venu. Maintenant, il est venu.

Renny bondit hors de sa chaise et se mit à arpenter la pièce.

— Tu ne peux pas faire cela! cria-t-il. C'est impossible! C'est épouvantable! Je te le défends. Tu es trop jeune. J'irai voir ces sacrés curés.

Wakefield répondit avec le plus grand calme:

— Tu me ferais plaisir en y allant. Tu verras qu'ils ne m'ont pas influencé.

Renny plissa les lèvres avec mépris.

— Ils ne te l'auraient pas laissé voir. Ils sont bien trop sournois! Mais il faut que j'empêche cela. Bon

Dieu! Si Gran était là, la honte lui ferait soulever le toit de la maison.

— Tu oublies qu'une des raisons pour lesquelles grand-papa a quitté Québec est que Gran était attirée par la religion catholique.

— Idiot! Elle était jeune; elle était dans un pays étranger, et elle en est bravement venue à bout. C'est ce qu'il faut que tu fasses. Dieu! Quand je pense que tu voudrais verser dans la bigoterie quand les camarades tournent au paganisme!

Il sortit son mouchoir, s'essuya le front, se rassit résolument à table et but son thé en quelques gorgées.

— Nous n'allons pas discuter de cela maintenant, reprit-il, nous en reparlerons plus tard, Wake, quand nous serons tranquilles et de sang-froid.

— Je suis tranquille et de sang-froid, répondit Wake avec gravité. J'ai pris cette décision du fond de mon âme: c'est ce qui importe. Et Pauline comprendra. Je crois qu'elle se réjouira avec moi.

Renny était bouleversé jusqu'à la moelle de cette intervention de l'âme de Wakefield. Il se laissa aller, désemparé, contre le dossier de sa chaise, et contempla avec désespoir son déjeuner intact. Alayne le regardait avec une joie cruelle contre laquelle elle ne pouvait rien. Il l'avait fait souffrir: à son tour de souffrir dans son amour pour Wake, dans son orgueil, dans sa tendresse pour ces femelles Lebraux.

Adeline termina son petit déjeuner, douce et gentille, n'ayant rien remarqué d'anormal. Elle dégageait un violent parfum d'eau de Cologne; cela l'enchantait et elle soulevait le devant de sa robe pour le renifler.

— Je suppose que tu as été à une messe matinale, demanda Renny à Wakefield.

— Oui. Maintenant je m'en vais voir Pauline.

Renny se tourna vers le jeune homme d'un air presque tragique:

— Wakefield, je veux que tu me promettes quelque chose. Je veux que tu promettes que tu ne parleras pas de cela à Pauline avant que j'aie vu ton directeur. Il faut que tu me le promettes!

Wakefield répondit nerveusement:

— Oh! je crois que je peux te le promettre, quoique cela me soit difficile. Et je peux même te promettre quelque chose d'autre: c'est que rien de ce que quiconque pourra me dire ne m'empêchera de faire ce que j'ai fermement décidé.

— Mais tu promets? Dis-moi, tu promets?

Wakefield grogna un vague acquiescement, et roula sa serviette de table méticuleusement. Il la glissa dans son rond fermé par une petite chèvre d'argent. Il avait toujours aimé cette petite chèvre. Machinalement, il lui fit une petite caresse.

Adeline la regardait avec envie.

— Je voudrais avoir une petite chèvre comme cela, dit-elle.

Wakefield eut pour elle son charmant sourire.

— Tu auras celle-là, Adeline. Je m'en vais bientôt, et je partagerai tout ce qui m'appartient. Toi, tu auras la petite chèvre.

Elle rit avec délices.

— Va-t'en aujourd'hui, je t'en prie.

— Je voudrais bien pouvoir.

A ces mots, à la pensée que Wakefield souhaitait quitter la maison aujourd'hui même, la bouche de Renny s'affaissa comme sous le coup d'une douleur physique. Il eut un bref petit rire nerveux et dit à Alayne:

— Je ne pense pas que vous veniez à l'église ce matin?

Elle secoua la tête, et baissa les yeux sur ses mains croisées.

— J'ai envie, continua-t-il, d'emmener Adeline avec moi. Il est temps qu'elle commence à aller à l'église et cela vous débarrassera pour la matinée. Je la confierai à Pheasant.

— Très bien... Quoique je la trouve beaucoup trop petite.

Elle ne pouvait cacher son soulagement à l'idée d'être libérée de l'enfant pendant une heure ou deux.

Mais elle garda Adeline jusqu'au moment de partir. Pour la première fois de l'année on entendit les cloches de l'église. Elle mit une robe propre à Adeline, son petit manteau fauve, son chapeau de paille neuf, et elle la conduisit sous le porche. Elle la fit asseoir et lui dit:

— Attends que papa arrive.

Puis, elle se pencha et l'embrassa distraitement. Elle se demandait tout à coup comment Renny arriverait à mettre son surplis, avec son bras en écharpe.

Renny avait envie de prendre le sentier à travers champs avec sa fille. Il ne pouvait pas conduire l'auto, et il avait envie de ne voir personne. Il se rappelait les départs en famille, autrefois, le dimanche matin:

le vieux phaéton mené par Hodge (qui était mort maintenant); grand-mère, les oncles et le petit Wakefield installés dedans; l'auto suivant avec lui, un ou deux des gamins et peut-être tante Augusta; et naturellement Pheasant... Finch parti tout seul à travers champs, comme lui aujourd'hui. Quelle tribu! Mais c'était la vraie vie: une seule chair et un seul sang sous le même toit de famille.

Adeline était au comble de la joie. Depuis quatre ans qu'elle était au monde, elle ne s'était jamais sentie si sage et si heureuse. Elle essaya d'exprimer cela dans sa façon de marcher, dans la manière dont elle serrait les doigts de son père. Chaque fois qu'il la regardait ou lui désignait quelque chose, elle lui souriait à l'extrême pointe de sa bonté. Elle ne demanda même pas à cueillir les petites orchidées sauvages qui poussaient dans l'herbe. Alayne, ne sachant pas qu'elle irait à pied, lui avait mis des petits souliers à semelles minces. Comme le sentier devenait humide, Renny fut obligé de la porter de son bras valide. Elle était plus lourde qu'il ne l'aurait cru, et il fut heureux d'arriver sur la route. Le dernier coup de cloche sonnait.

Il se sentit fier de sa fille en la conduisant dans la travée de l'église. Il vit les gens la regarder, surpris et charmés. Meg surgit du banc des Vaughan, les yeux ronds d'ahurissement. Renny mit Adeline dans le banc des Whiteoak, à côté de Piers, de Pheasant et de leurs fils. Piers adressa à Renny un sourire amusé, Pheasant et les enfants s'agitèrent beaucoup. Ils mirent un moment à décider de la meilleure place pour Adeline. Miss Pink se mit à jouer de l'orgue.

Au moment où le pasteur allait enfiler son surplis il vit qu'une grosse abeille était collée dessus. Il l'emporta, les ailes ouvertes sur la mousseline neigeuse et, devant une fenêtre ouverte, la projeta, d'une pichenette, dans le soleil. Quand il se retourna, il vit Renny qui luttait avec son surplis. Depuis la fondation de l'église, c'était toujours un Whiteoak qui avait lu la Bible.

— Eh bien! Mon cher enfant, que vous est-il arrivé? Votre bras... rien de sérieux, j'espère?

Mais, quoique son ton exprimât de la sollicitude, il n'éprouvait pas la moindre inquiétude. Il n'aurait pas pu se rappeler le nombre de fois que son acolyte était apparu avec des pansements, bandages ou boitillements. Ils passaient leur vie avec les chevaux; ils étaient des casse-cou; ils n'arrêtaient pas de se blesser. Et c'était une forte race! Il avait vu la vieille Mrs Whiteoak, plutôt que de manquer le baptême de l'un de ses petits-enfants (de Piers, croyait-il se rappeler) arriver au banc de famille soutenue par un cocher suant et un groom, une chute de cheval lui ayant fait il ne savait plus quoi au genou. Elle n'était jamais remontée à cheval depuis, mais elle devait avoir près de quatre-vingt-trois ans.

— La clavicule, répondit Renny. Cassée.

— Tsst! C'est très douloureux?

— Seulement quand je bouge.

Mr Fennell remarqua que Renny, ordinairement si coloré, était pâle et que ses yeux n'avaient pas leur éclat habituel.

— J'ai peur que cela ne vous ait fait passer une mauvaise nuit.

— Plutôt. Allons, il est temps de commencer.

Il n'avait qu'un bras passé dans son surplis; l'autre avait l'aspect de quelque paquet insolite. Contre le bois noir du chœur sa tête sculpturale se détachait avec vigueur. Dès l'hymne: *La Lutte est finie*, sa voix domina la chorale timide composée de quatre hommes et sept femmes qui, toujours couverts dans leurs répons par les voix vigoureuses des Whiteoak, se sentaient battus avant d'avoir ouvert la bouche.

Pendant la confession générale, s'abritant derrière ses mains, Renny regarda Adeline. Elle était sage. Il sentit son cœur se gonfler d'orgueil. C'était une enfant magnifique, et le portrait craché de la vieille Gran. Et c'était lui qui l'avait engendrée. Alayne l'avait portée. A eux deux ils avaient produit cette petite rose d'enfance. Alors la réminiscence de ce qui s'était passé la nuit dernière se présenta à lui comme un reproche. Il ne donna qu'une pensée brève à Clara, ce qui était tout à fait dans sa manière propre. Son esprit était concentré sur la façon dont Alayne l'avait repoussé; cela lui suggérait des réflexions lugubres, avec, projetée sur le tout, une scène de passion au cours de laquelle il maîtrisait violemment la rancune de sa femme... Mais il repoussa de lui cette image, et ses lèvres répétèrent machinalement les mots de la confession:

— « Nous avons erré et vagabondé loin de tes voies, comme des brebis perdues. Nous n'avons pas fait ce que nous avions le devoir de faire et nous avons fait ce que nous n'aurions pas dû faire... »

La figure d'Alayne était effacée, et à sa place se glissa l'image de Wakefield en robe de moine et la tête rasée. Wake, dont les fiançailles avec Pauline avaient semblé une telle promesse de bonheur! Wake, son fils! Il se rappelait son enfance délicate, les nuits qu'il avait passées debout près de lui, la crainte de ne pas l'élever, la crainte qu'il ne devînt un poète comme Eden... Puis son orgueil à voir Wakefield se fortifier, travailler avec énergie, se faire une place par lui-même. Certes, cela avait été une morsure pour son orgueil de voir le nom de Wakefield sur un poste d'essence, mais combien cela lui paraissait beau et enviable, maintenant que Wake voulait quitter son nom, et devenir Père Un tel ou Un tel! Enfin, il irait voir ce prêtre et il ferait l'impossible pour empêcher cette monstruosité. Une soudaine chaleur de colère l'envahit contre ce garnement. Le sacripant! Planter là Pauline pour un caprice! Il avait toujours eu des caprices. C'était un enfant gâté. Que disait donc Gran? « L'ingratitude de l'enfant gâté est plus mordante que la dent d'un étalon. » Il était tellement absorbé dans ses pensées qu'il resta à genoux, la figure toujours dans ses mains, alors que les autres s'étaient relevés. Il s'en aperçut tout à coup, et se dressa, imperturbable. Sa voix vigoureuse s'éleva.

— Gloire soit au Père, au Fils et au Saint-Esprit.

Adeline lâcha son sou, qui roula sous le banc.

Au moment de la première Leçon, Renny gravit les marches derrière l'aigle de cuivre. Meg le suivit d'un regard plein d'orgueil fraternel. Elle pensa: « Que son surplis est beau et blanc! Naturellement tout le linge a été établi pour Pâques. Cela change tout. Et les fleurs de Pâques sont ravissantes. J'aime voir des choses brillantes et gaies dans les églises: ce sont des endroits si déprimants! Qu'est-ce qu'il vient de lire?

— « Parle, toi qui montes ces ânes blancs, toi qui t'assois en jugement et marches sur la voie. Réveille-toi, réveille-toi, Déborah. Réveille-toi, chante ce cantique: lève-toi, Barak, et fais de ta captivité ta captive, toi, fils d'Abinoam. »

Elle pensa: « J'ai toujours aimé cette leçon, quoique je n'arrive pas à comprendre comment ces gens-là se débrouillaient dans ce qui leur arrivait... C'est inimaginable qu'Alayne le laisse aller seul à l'église, quand c'est le devoir d'une femme d'encourager son mari à pratiquer. Dire que Maurice est venu avec ce vieux pantalon étriqué! Il a des mollets ridicules. »

Maurice pensait de son côté: « Il a l'air minable, ce matin. Ce doit être à cause de son bras. Pour rien au monde il ne renoncerait. Non, même s'il avait les deux clavicules cassées! Ces séances à l'église m'embêtent de plus en plus. Si Meggie n'y tenait pas plus qu'Alayne!... Je serais si content de rester chez moi avec les journaux du dimanche! Chère petite Patience, comme elle boit chaque mot! Je me demande ce qu'elle comprend. »

— « Ils luttèrent pour gagner le Ciel, les étoiles dans leur course luttèrent contre Sisera. La rivière de Kishon les balaya tous, l'antique rivière de Kishon. O mon âme, tu as foulé aux pieds leur force. »

Maurice pensait: « Pourquoi Meggie regarde-t-elle ainsi mon pantalon? Ah! oui... c'est celui qui est trop étroit, mais il faut encore qu'il fasse son temps. »

Il s'efforçait de faire paraître ses mollets plus minces.

Patience pensait: « J'aime regarder la figure de l'oncle Renny quand il parle. Il a une façon de parler adorable, qui me donne envie de l'embrasser. Ce qu'il dit, cela m'est bien égal: ce que j'aime, c'est regarder sa figure. Je me demande ce qu'on sent quand on a une clavicule cassée. C'est très désagréable, je suppose. J'espère que je ne tomberai pas de mon poney et que je ne me casserai jamais quelque chose. Comme il y a des fleurs, ici! Quelles drôles d'oreilles a ce vieux monsieur, là, devant! Je trouve qu'on aurait dû mettre Adeline dans le même banc que moi. Pourquoi est-ce que maman regarde le pantalon de papa? »

Elle aussi se mit à le regarder.

La voix continuait sur un ton monotone:

— « Alors les sabots des chevaux se brisèrent à force de piaffer et ceux qui piaffaient étaient les puissants. »

Piers pensait: « Je ne vois pas comment cela peut se faire. J'ai vu des quantités de chevaux piaffer, mais je n'en ai jamais vu briser leurs sabots en le faisant. Je voudrais que Pheasant cesse de s'agiter à cause des enfants. Cela ne fait que les exciter davantage. Je serais d'avis de mettre Adeline au bout du banc. Dieu! J'espère qu'elle va dormir pendant le sermon. »

Il changea Adeline de place, et l'installa au bord de l'allée. Elle en fut enchantée et lui lança un regard illuminé de reconnaissance, puis elle se mit aussitôt à se pencher hors du banc pour voir ce qui se passait tout le long de la travée.

— « Bénie parmi les femmes soit Jaël, l'épouse d'Héber le Kénite. Bénie soit-elle parmi les femmes de sa tente. Il demanda de l'eau, elle lui donna du lait, elle apporta du beurre dans un plat seigneurial. Elle mit sa main sur le clou et sa main droite sur le marteau des travailleurs et, avec le marteau, elle écrasa Sisera. Elle écrasa sa tête, après lui avoir percé et troué les tempes. »

Pheasant pensait: « Curieuse époque! Si une femme n'aimait pas la façon dont un homme se conduisait, elle le frappait à la tête avec un marteau. On parle beaucoup de l'indépendance des femmes comme d'une chose nouvelle, mais je ne vois pas... Renny est presque beau ce matin. Cela lui va bien d'être pâle et fatigué. Il a une si belle structure de visage! Adeline n'en revient pas de le voir en surplis, mais elle est extraordinairement sage. J'ai assez envie d'avoir une fille. Peut-être la prochaine fois... Non, non, je ne veux plus repasser par là... Je vous en prie, mon Dieu, faites qu'il n'y en ait pas d'autre! J'aime pourtant bien tous mes petits enfants, mais je souffre tellement pour les avoir! Surtout le petit Philip qui était si robuste... Mooey a un drôle d'air; je me demande à quoi il pense. »

Mooey pensait: « Ce poney m'a fait faire une bonne culbute hier. J'ai de plus en plus mal quand je reste assis. J'ai de plus en plus peur du poney gris — et il le sait. Papa dit que c'est pour cela qu'il fait des galipettes avec moi. La prochaine fois que je le monterai, je serrerai les dents et je lui montrerai que je n'ai pas peur. Mais ce ne sera qu'une comédie — et il le saura. Je voudrais bien pouvoir éviter ce concours. »

La voix de son oncle pénétra jusqu'à sa conscience.

— « A ses pieds, il salua, il tomba et demeura par terre; à ses pieds il salua; là où il salua, il tomba mort par terre. »

Mooey pensa: « C'est drôle qu'il soit mort pour avoir salué. S'il avait fait la chute que j'ai faite, moi, il serait mort de quelque chose... J'aime l'oncle Renny. C'était délicieux, ces sucres d'orge qu'il m'a donnés. Je me demande s'il a aussi mal à l'épaule que moi au... »

Adeline, penchée hors du banc, pensait: « Quelle grande, grande maison! C'est la maison de Dieu, et, ça, c'est sa fête. Il faut être sage. Je suis sage. Je suis aussi sage que... Oh! Je vois les jambes de papa sous sa robe blanche. Papa, papa, maman, maman, je sais prier comme les grandes personnes. Bon Jésus! J'apprends des mots nouveaux tous les jours. Je ressemble à la chère vieille Gran. Bientôt j'aurai quatre ans. Je sais tous les mots que papa dit. L'oncle Piers me tient trop serrée. »

Papa lisait:

— « Que tes ennemis périssent, ô Dieu! Mais que ceux qui t'aiment soient comme le soleil quand il s'élève dans sa course. Et la terre se reposa quarante jours. »

Il s'arrêta alors et dit:

— Ici finit la première Leçon.

Adeline bâilla, découvrant largement son gentil petit palais. Elle aussi avait passé une mauvaise nuit. Piers la prit sur ses genoux, et elle appuya sa tête contre son épaule.

Elle resta sage pendant tout le service, même quand Piers la reposa pour aller quêter avec Maurice. Cette quête la troubla un peu, jusqu'à ce que Mooey lui eût murmuré:

— Prépare ton sou.

Elle serra la pièce dans sa main en suivant les allées et venues de ses oncles. Enfin Piers lui tendit le plateau à offrandes. Ce tas de pièces d'argent et de cuivre la fascina; elle plaça son sou au milieu et s'apprêtait à prendre une pièce d'argent en échange, mais Piers retira le plateau.

Lui et Maurice restèrent épaule contre épaule au pied du chœur pendant que Mr Fennell s'avançait pour les y accueillir et miss Pink tira des notes triomphantes de l'orgue. Renny, qui était marguillier, évalua d'un coup d'œil le résultat de la collecte.

Le service avait paru long, ce matin. L'air qui entrait par la fenêtre était si prometteur, si rempli de l'espérance des beaux jours à venir que la chair et le sang Whiteoak aspiraient passionnément à sortir pour le respirer. Les vivants se groupèrent autour de l'enceinte verte des morts pour se congratuler, comme d'habitude, pendant que le reste de l'assistance se dispersait. Les fleurs de Pâques sur les tombes étaient encore relativement fraîches. C'était Meggie qui les avait apportées là; toutes les tombes avaient des couronnes, mais proportionnées à l'importance des disparus, depuis celles qu'elle avait mises à ses grands-parents, à ses parents, à Eden, jusqu'au petit bouquet de narcisses qui marquait celles de sa belle-mère et de ses demi-frères et sœurs morts en bas âge.

Renny arriva en dernier dans le groupe. Elle l'accueillit avec effusion.

— Chéri, comme je suis contente que tu aies pu sortir ce matin! Mais tu as mauvaise mine. Comme Adeline a été mignonne!

— Dimanche prochain, dit Piers, tu n'auras qu'à la prendre dans ton banc.

— Oh! Piers! s'écria Pheasant. Elle ne nous a pas du tout dérangés. Nous étions contents de l'avoir, n'est-ce pas, Nooky?

Nooky sourit d'un air dubitatif. Il avait un peu peur d'Adeline. Les enfants se mirent à courir autour de la grille de fer qui encerclait les tombes familiales. Ils jouissaient du printemps, de l'herbe nouvelle, de leur liberté après cette immobilité forcée.

Renny regarda tour à tour la figure de Meg, puis celle de Maurice, celle de Piers et celle de Pheasant. En le voyant froncer les sourcils ils se rapprochèrent tous les uns des autres et l'interrogèrent du regard. Enfin il parla.

— Voilà. J'ai une fameuse nouvelle à vous communiquer. Je n'ai jamais vu de ma vie une chose pareille! j'en suis malade.

Maurice enleva son chapeau et passa sa main sur ses cheveux grisonnants; la bouche de Meg forma un « O » d'anxiété; le regard de Piers devint fixe et il gonfla ses joues; quant à Pheasant, elle s'écria:

— Cela ne m'étonne pas! Je sentais venir un malheur. Je suis passée sous une échelle à l'écurie, hier, voilà trois fois que je vais au cinéma et que j'ai le fauteuil N° 13, la nuit dernière j'ai rêvé d'animaux sauvages, et au petit déjeuner Piers a renversé la salière.

Meg lui dit vertement:

— Drôles de choses à dire pour une chrétienne qui sort de l'église!

Renny leur jeta un regard enflammé.

— Avez-vous fini? Voici ce que j'ai à vous dire: Wakefield m'a annoncé qu'il allait entrer au couvent... qu'il allait se faire moine, envoyer promener Pauline et se faire moine! Qu'est-ce que vous dites de cela?

C'était si différent de ce à quoi elle s'attendait que Meg ne sut pas comment prendre cette nouvelle. Si cela avait été une fois de plus une perte d'argent, elle aurait maugréé; s'il s'était agi de mauvaises nouvelles des chers absents, elle aurait pleuré; mais à cela, elle n'était vraiment pas du tout préparée. Elle ferma les yeux et dit:

— Je crois que je vais m'évanouir.

Avec le scepticisme conjugal, Maurice murmura:

— Non, je ne crois pas. Calmez-vous.

Mais Renny la saisit de son bras valide et cria, hors de lui:

— Cours à la pompe, Piers, et apporte-moi de l'eau. Elle est en train de s'évanouir; dans un instant elle aura perdu connaissance.

Piers courut entre les tombes jusqu'à la vieille pompe située derrière l'église, et les enfants, qui n'avaient rien senti d'anormal, coururent joyeusement derrière lui. Pheasant entreprit d'éventer Meg avec son livre de prières, et on la soutint sur la rampe de fer en attendant que Piers rapportât de l'eau dans un gobelet d'étain. Meg gardait les yeux fermés, mais, quand elle sentit qu'il s'approchait d'elle, craignant qu'il ne lui jetât de l'eau à la figure, elle les rouvrit, et se redressa toute seule.

— Juste une gorgée, dit-elle. Cela me remontera.

Les enfants firent cercle autour d'elle pour la regarder.

— Je savais que cela lui ferait de la peine, dit Renny.

— Inutile de nous affoler, dit Piers. Il n'y a qu'à l'en empêcher. Il n'a pas l'âge. Il ne peut pas le faire.

— Crois-tu qu'il était sérieux en te parlant? demanda Maurice.

— Absolument. Il y a un mois qu'il y pense, dit-il. Il affirme qu'il est décidé en son âme et conscience.

Ils retournèrent ces mots dans tous les sens, chacun dans son for intérieur. Meg but une gorgée d'eau au gobelet rouillé, et Piers le tendit à Mooey pour le reporter à la pompe. Les autres enfants le suivirent.

— Tout cela, dit Piers, vient d'avoir permis ses fiançailles avec Pauline. J'ai toujours pensé que c'était une erreur, qu'il ne savait pas vraiment ce qu'il voulait. Maintenant, c'est tout simplement la nouveauté qui l'attire; mais il faut qu'on l'arrête avant qu'il soit trop tard.

— J'irai le voir, s'écria Meg. A genoux s'il le faut. J'irai lui dire ce que ce sera pour la famille s'il nous quitte. Oh! quelle idée! Et dire qu'il ne m'a fait aucune confidence, à moi qui ai été une mère pour lui, qui me suis éreintée à le soigner quand il était un bébé tellement chétif! Quels yeux et quels cheveux noirs il avait! Est-ce que vous croyez qu'on lui raserait les cheveux? Cela, je ne pourrais pas le supporter. Je vais le voir tout de suite.

Maurice l'arrêta.

— C'est impossible, Meggie. Rappelez-vous que c'est dimanche. Pensez au déjeuner de nos pensionnaires! Vous tenez toujours à y être.

Meg se leva.

— Oui, il faut que je rentre chez moi; mais, cet après-midi, nous irons prendre le thé à Jalna. Mon enfant le suppliera de ne pas commettre cette monstruosité.

Elle se rasséréna en imaginant la scène, avec les figures pleines de déférence des hommes de sa famille.

— A nous tous, s'écria Piers, nous arriverons bien à le retenir. Sacré gosse! Mais rappelez-vous Finch! Celui-là aussi a certainement quelque chose d'anormal.

Ils pensèrent à l'originalité déroutante de Finch. Ils pensèrent à Eden. Meg abaissa un œil presque accusateur et tendit un doigt ganté de suède vers la tombe de sa belle-mère.

— Là, dit-elle, est la source de tout.

Piers parut gêné.

— Oh! Je ne sais pas... les Court ont eu bien des idées extravagantes.

— Mais aucune comparable à celle de Wake, cria Meg. As-tu jamais entendu parler d'une Court entrant au couvent? As-tu jamais entendu parler d'un Court faisant les excentricités de Finch? Non, Piers, tu ne peux pas nier que ta mère n'ait été bizarre. Tu peux t'agenouiller sur les tombes des chers nôtres et remercier Dieu d'être un Whiteoak — cela ne t'empêche pas de respecter la mémoire de ta mère.

Piers eut l'air ébranlé et remercia le Ciel incontinent.

Les quatre enfants arrivaient en troupe. Adeline se glissa sous la rampe de fer de laquelle pendaient des chaînes, des boules et des piques de métal, comme pour mieux retenir les morts chacun dans sa case, et elle enfourcha la tombe de sa grand-mère. Elle fit mine de prendre le trot, comme si elle était à cheval, claquant de la langue et tapant sur sa monture de pierre.

— Petite malheureuse!

— Oh! Adeline!

— Vous la voyez?

— Qu'on l'enlève de cette tombe!

— Oh! vilaine! vilaine!

— Ha! Ha! Ha!

C'était Renny qui riait.

— Je ne vois pas comment tu peux rire de cela, dit Piers sévèrement. C'est un horrible manque de respect pour Gran.

— Gran rirait aussi si elle était là. Elle aurait dit:

« Vas-y, luronne! J'aime la marmaille autour de moi! »

— Renny! dit Meg. Je t'ordonne d'enlever ta fille de là. Si tu veux la laisser se conduire ainsi, Piers et moi nous nous opposons à ce qu'un tel scandale soit donné en exemple à nos enfants.

— Parfaitement, dit Piers.

— Adeline, dit Renny. Viens avec papa.

Adeline sauta de son coursier imaginaire en découvrant dans un éclair ses petites cuisses blanches, et elle alla enfourcher un petit tumulus marqué par une pierre portant ces mots: « Gwynneth, 13 avril 1898, âgée de 5 mois. » Piers, indigné, s'écria:

— La voilà sur la tombe de ma petite sœur! Cela ne se passera pas ainsi!

Il attrapa Adeline par le bras et la fit passer brutalement par-dessus la chaîne. Elle le défia d'un sourire.

— On dirait, dit Renny avec le même emportement, que tu étais le seul frère de Gwynneth. Qu'est-ce qui te prend?

— Mais ce n'était que ta demi-sœur!

Renny éclata.

— Est-ce que je te jette à la figure que tu n'es que mon demi-frère? Je vénère la mémoire de Gwynneth autant que toi. D'ailleurs, tu ne l'as jamais connue.

— C'est vrai, appuya Meg toujours prête à sauter dans les discussions fraternelles, Gwynneth n'aurait jamais une fleur si elle n'avait que toi, Piers! C'est moi, sa demi-sœur, qui m'en occupe.

Elle regarda complaisamment les trois narcisses et le brin de saule fleuri.

Piers ne sut plus quoi dire, et considéra ses souliers d'un air boudeur.

Maurice regarda son bracelet-montre.

— Nos pensionnaires sont en train de crever de faim, Meg.

Elle poussa un gémissement désespéré. La moindre allusion à ces hôtes payants était un supplice pour Renny.

— C'est toi qui tournes les sauces et Maurice fait le tour de la table avec les plats? dit-il d'un air sarcastique.

— Tu trouves bien admirable que Mrs Lebraux tienne un salon de thé, dit Meg.

— Oui, dit Piers. Il va même jusqu'à se casser le cou pour l'assister.

— Oh! quelle honte! Et tu laisses Wakefield tenir un poste d'essence!

Renny répliqua, exaspéré:

— Ne vous en faites pas. Mrs Lebraux va partir vivre avec son frère et Wake entre au couvent.

Avant que Meg ait pu répondre, elle fut entraînée par Maurice qui prenait profondément à cœur le souci de ses hôtes. Patience les suivit en courant. Renny et sa fille, Piers, Pheasant et leurs fils s'empilèrent dans l'auto.

La terre qui pesait sur le cercueil de la vieille Adeline avait dû trembler dans toute son épaisseur au moment où le groupe s'était disloqué, et elle avait dû s'écrier: « Qu'est-ce que vous fabriquez? Je n'admets pas qu'on me cache quelque chose! »

Alayne les attendait dans le salon. Elle trouvait en

général assommant que ses beaux-frères viennent déjeuner tous les dimanches à Jalna. Aujourd'hui, ils étaient les bienvenus.

Elle se sentait déprimée, désemparée, absente, et la pensée de faire la conversation lui enlevait ses dernières forces. Elle laisserait les autres faire des frais. Les Whiteoak avaient un sujet passionnant, dont l'intérêt ne faiblissait jamais: les chevaux, l'élevage et l'entraînement. Malgré toutes ses connaissances agricoles, Piers n'arrivait pas à faire fructifier les terres; aussi lui et Renny s'étaient-ils cantonnés dans l'élevage des chevaux, poneys de polo et chevaux de selle pour les enfants. C'était curieux que le petit Maurice n'eût pas hérité de l'amour de ses parents pour les chevaux. Il aimait les bruits et les odeurs des champs et des bois, mais il n'avait pas besoin d'étriers entre la terre et lui. Sentir sous lui une créature fantasque, toujours prête à bondir, le remplissait d'appréhension. Pheasant elle-même ne mesurait pas les profondeurs de cette nervosité. Elle usait, malgré cela, de tout son pouvoir pour le protéger des expériences trop rudes. Mooey menait en somme une double vie, feignant un intérêt, qui ne lui était pas naturel, pour le cheval et disparaissant, dès qu'il le pouvait, au plus profond des bois, ou se cachant dans sa chambre mansardée pour se plonger dans les vieux livres que les misses Lacey avaient laissés pour lui.

Alayne aimait bien Mooey, elle le comprenait et éprouvait une grande pitié pour lui, mais c'était Nooky son favori. C'était le genre d'enfant qu'elle aurait voulu avoir. Il était sensible, timide, réservé, lent à donner son affection, mais sûr quand il l'avait donnée. Entre Alayne et lui s'était établie une curieuse compréhension. Il accourut vers elle et serra une de ses mains contre lui. Elle s'assit et le prit sur ses genoux. Elle et Pheasant restèrent dans le salon, cependant que les deux hommes, avec Adeline entre eux, allèrent faire un tour aux écuries avant le déjeuner. Mooey hésita dans le hall, se demandant s'il fallait ou non qu'il suivît son père.

Pheasant coula un regard scrutateur vers Alayne. Elle vit ses paupières lourdes, et les rides de sa bouche. Il y avait eu du grabuge, pensa-t-elle, quelque chose de plus qu'une dispute ordinaire. Alayne paraissait malade, elle était verdâtre.

— Ce que les hommes peuvent nous faire souffrir! lâcha Pheasant étourdiment.

Puis elle se reprit dans un souffle.

— Oh! Alayne, je regrette ce que j'ai dit.

Alayne faisait couler les cheveux de Nooky entre ses doigts.

— Cela n'a aucune importance. Je sais bien que j'ai une tête impossible: je n'ai pas fermé l'œil de la nuit.

— Tant qu'on s'aime, s'écria Pheasant, c'est idiot de se torturer l'esprit au point de passer des nuits sans dormir. Il vaut mieux se réconcilier, à n'importe quel prix. Tant pis pour la dignité, tant pis pour l'idéal... Pourtant je sais que vous ne manquez ni de l'un ni de l'autre!

Alayne eut un petit sourire crispé et répondit d'un ton détaché. Elle était incapable de soutenir une discussion sérieuse sur sa vie conjugale.

— Nous nous tourmentons évidemment, dit-elle, à cause de Wakefield.

Pheasant ne se laissa pas convaincre. Elle ne pouvait pas croire que la décision de Wake pût émouvoir Alayne au point de lui donner cet air-là.

— Rien de ce qu'invente ce jeune homme ne pourrait me surprendre, dit-elle. Je le plains si Renny et Piers se liguent contre lui; mais je ne m'attendais pas à ce que cela vous fasse tellement d'effet.

— Cela m'est égal, répondit Alayne avec un peu d'irritation: ce sont des choses que chacun décide avec sa conscience; mais cela bouleverse Renny et ce sera dur pour Pauline.

— Pas aussi dur, j'imagine, que ne l'aurait été son mariage. C'est Mrs Lebraux qui va être terriblement déçue. Ce doit être pénible, quand on croit avoir casé sa fille, de voir tout remis en question. Comme je n'ai pas de fille, c'est une chose que je ne connaîtrai jamais.

Le nom de Clara Lebraux fit frémir les nerfs d'Alayne comme un coup de gong. Elle se leva brusquement et emmena Nooky à la fenêtre.

— Allons voir, dit-elle, si les lilas bourgeonnent.

« Elle se défile toujours », pensa Pheasant. Et elle se résigna à parler des enfants: le petit Philip avait eu une dent, Adeline avait été d'une sagesse exemplaire à l'église. Alayne resta à la fenêtre jusqu'à ce qu'elle vît Renny et Piers qui revenaient vers la maison.

Elle se rappela que la première fois qu'elle avait vu Renny c'était d'une fenêtre. Un peu affaissé sur sa selle, comme toujours, il ne savait pas qu'elle le regardait. De cet instant-là, son image s'était imprimée dans les replis les plus sensibles de son esprit, et jamais rien ne pourrait l'en effacer. Aujourd'hui il s'avançait vers elle, après dix années, et combien peu il avait changé; et c'était comme si elle le voyait pour la première fois, incompréhensible, mystérieux, inquiétant... Cependant elle n'avait plus rien à craindre: elle avait connu le pire, il ne pouvait plus maintenant la faire souffrir. Un sentiment de répulsion pour lui, allant jusqu'à la nausée, s'élevait en elle. Elle tourna le dos à la fenêtre.

Au lieu d'entrer avec Piers, Renny parla de la porte:

— Pouvez-vous venir un instant, Alayne? On a besoin de vous.

Elle déposa Nooky par terre et alla dans le hall. Renny était dans l'embrasure de la porte de sa grand-mère.

— Venez ici. J'ai quelque chose à vous dire.

Il parlait à voix basse.

— Non, répondit-elle, oppressée.

Il la prit par le bras et l'entraîna dans la chambre. A cause de Piers et de Pheasant qui étaient là, elle ne résista pas. Il ferma la porte derrière lui.

Quoique la fenêtre fût ouverte, la chambre sentait le renfermé et l'air était imprégné par les odeurs des tapis et des tentures d'Orient, par celles des robes, des dolmans et des manteaux fabuleux toujours pendus dans le placard. Alayne eut l'impression qu'elle étoufferait si elle restait là plus d'un instant. Elle dévisagea Renny, sa haine tremblant comme une flamme dans ses yeux, et elle mit ses mains derrière elle sur le bouton de la porte.

Il lui dit, avec un imperceptible frémissement dans la voix:

— Alayne, je vous ai amenée dans cette chambre exprès; dans cette chambre qui a appartenu à une femme qui comprenait la vie comme personne. Elle connaissait les hommes, elle connaissait les femmes et la faiblesse humaine...

— Que voulez-vous que cela me fasse? s'écria-t-elle passionnément. Pourquoi me dire cela aujourd'hui?

— Mais écoutez...

— Je n'écouterai rien du tout.

Elle tourna le bouton de la porte d'un geste véhément.

Les traits de Renny s'amollirent de tendresse et ses yeux se brouillèrent de larmes.

— Vous savez que je n'aime que vous, que je n'ai jamais aimé et que je n'aimerai jamais aucune autre femme que vous.

Elle désigna le lit avec sa couverture de couleurs vives.

— C'est à elle que vous auriez pu dire cela: elle vous aurait cru. Elle pardonnait peut-être ce genre de choses à son mari; mais vous ne ferez pas de moi une Whiteoak, vous ne ferez pas de moi une Court — même au bout de dix ans de mariage! Je suis la fille de mes parents. Croyez-vous que, si ma mère avait trouvé mon père avec une autre femme dans les bois... et si elle avait deviné leur intimité... Oh! je ne devrais même pas mêler leurs noms à un sujet pareil! C'est horrible! Je n'aurais jamais dû prononcer le nom de mon père en l'associant à des pensées aussi abominables! Mais c'est fait et je vous affirme, Renny Whiteoak, qu'elle ne lui aurait jamais pardonné. Elle ne lui aurait jamais plus permis de la toucher. Et je suis sa fille!

— Est-ce que cela veut dire (une expression de timidité et d'embarras flottait sur le visage de Renny) que vous ne coucherez plus jamais avec moi?

— Exactement.

Elle ouvrit la porte et resta sur le seuil. Elle le vit poser ses mains sur le pied du lit, et regarder comme s'il voyait encore sa grand-mère couchée là. Il remua les lèvres, mais elle n'entendit pas ce qu'il disait. Elle se retourna et entra d'un pas vif dans le hall, juste à l'instant où Rags sonnait le gong du déjeuner.

La tête penchée sur l'instrument, Rags la regarda cauteleusement, sous ses sourcils filasse. Elle avait la sensation que cet homme savait tout ce qui se passait dans la maison, et qu'il devinait tout, rien qu'avec un mot surpris par-ci par-là. Il était là, pensait-elle, comme un dieu étrange, toujours debout devant le gong, battant les entrées et les sorties du drame futile qu'étaient leurs vies.

Dans le salon ils attendirent Renny, et Piers parla avec un entrain exagéré, conscient de quelque orage autre que celui apporté par Wake.

Adeline était déchaînée. Elle secouait la tête et riait à gorge déployée, montrant ses dents qui étaient extraordinairement blanches, même pour un enfant. Elle ne voulait pas lâcher Nooky et il n'essayait même pas de cacher qu'il mourait de peur. A voir la timidité de son fils, Piers rougissait de honte. Mooey souffrait pour Nooky, assez satisfait pourtant de constater qu'il n'était pas le seul à ne pas répondre à l'idéal que son père se faisait d'un garçon.

Quand Renny entra, Piers lui dit:

— Tu verras que celui-là aussi ira dans un couvent. Je crois quę ce sera le seul refuge qui lui convienne: Adeline le terrorise d'un regard.

Renny regarda les enfants sans avoir l'air de les voir.

— N'a-t-on pas sonné le gong? demanda-t-il.

— Si, répondit Pheasant, mais ce n'est pas gentil de dire cela du pauvre petit Nooky. Adeline a certainement quelque chose de très intimidant. Vous ne trouvez pas, Alayne?

— Elle m'intimide moi-même, dit Alayne.

Elle prit Nooky par la main et l'emmena dans la salle à manger.

— Elle ressemble un peu plus à Gran tous les jours, dit Piers avec satisfaction.

Adeline s'était accrochée à sa veste, et dansait à côté de lui en allant à table. Derrière eux Pheasant demanda à Renny:

— Quand attendez-vous les oncles? Ils doivent venir vous voir, n'est-ce pas?

— Je m'attends tous les jours à apprendre qu'ils sont en route. Ils vont avoir une belle réception, avec cette histoire-là!

Il avait l'air si sombre, si dur, que Pheasant eut soudain pitié de Wakefield.

— Tout sera peut-être arrangé avant qu'ils arrivent, dit-elle.

Renny soupira profondément.

— Ah! Je le voudrais bien! murmura-t-il.

Son regard ne quittait pas Alayne qui lui faisait vis-à-vis.

Wakefield arriva en retard, non pas tant qu'il redoutât une attaque concertée de la famille, mais parce qu'il attachait un sens dramatique à son entrée. Il fut déçu de voir que Meg et Maurice n'étaient pas là. Avec un petit sourire à Pheasant et un petit signe de tête à Piers, il se glissa sur sa chaise.

Au lieu de protester, comme d'habitude, contre le retard de Wakefield, Rags lui passa le plat d'un air cérémonieux; mais ce fut vers Renny qu'il se pencha avec sollicitude.

L'habitude, le dimanche, était d'avoir du vin rouge ou de la bière sur la table; mais au grand désappointement de Piers il n'y avait ce jour-là ni l'un ni l'autre. Il manifesta sa déception en repoussant son verre d'eau et en lançant à Rags un regard d'interrogation mécontente. Rags le reçut avec un malin plaisir, parce qu'il sentait bien que le refus pervers de son maître de faire servir autre chose que de l'eau était le signe d'une atmosphère particulièrement tendue.

Il y avait du caneton rôti. Renny donna les pilons aux enfants. Le concours de grignotage qui suivit fit cruellement souffrir Alayne. Adeline s'en rendit compte et jeta à sa mère des coups d'œil hardis, du coin de ses yeux luisants de gourmandise.

Quand le dernier morceau fut englouti et que les immenses serviettes de table eurent essuyé les petites mains poisseuses et les petites bouches, quand Renny eut intimé tout haut à Rags la défense de donner les os de canard aux chiens, ce fut Piers qui rompit l'atmosphère de plus en plus lourde en disant à Wakefield:

— Est-ce que c'est sérieux, cette affaire, ou cherches-tu seulement à nous épater?

Un frisson passa sur la figure du jeune homme. Il ramassa des miettes de pain autour de son assiette et en fit une petite boule, puis il se tourna vers Renny.

— Trouves-tu que ce soit élégant de me poser une telle question?

— Je ne doute pas de ta sincérité.

— Merci. Alors si, toi, tu ne doutes pas de ma sincérité et si je vous dis, à vous tous, que j'ai lutté de toute mon âme avec moi-même et que ma détermination est irrévocable, je crois qu'il n'y a plus rien à ajouter.

— Mais, Wakefield, s'écria Pheasant, tu ne te rends pas compte de ce que tu fais! Tu rejettes toutes les bonnes choses de la vie pour une existence lamentable dans une affreuse cellule...

Wakefield lui sourit d'un air condescendant.

— Cela prouve à quel point tu ignores ce qui se passe dans les couvents. Je m'attends à travailler aussi durement que je l'ai déjà fait, quoique d'une façon différente. Et n'imagine pas, Pheasant, que je n'aie pas réfléchi aux bonnes choses de la vie auxquelles il faut que je renonce. J'ai pesé le charme de chacune d'elles, et je n'ai pas peur d'avouer que c'est amer d'y renoncer. Mais ce serait encore plus amer de renoncer aux bonnes qui constituent la vie de l'âme.

— Qu'est-ce qui t'empêche d'avoir les deux?

— Ce serait contraire à ma nature, répondit-il gravement.

— Et Pauline? dit Piers. Tu n'hésites pas à la priver de tout ce qui devait être sa vie? Non que je considère qu'une vie appuyée sur la tienne soit vraiment désirable...

— Je ne crois pas que ce soit une grande surprise pour Pauline, dit Wake. Je crois qu'elle a déjà deviné. Les gens qui m'aiment n'ont pas pu ignorer que je traversais la plus grande crise de ma vie.

— Les gens qui te connaissent, répliqua Piers, n'ont pas pu ignorer que tu es un comédien consommé et que tu l'as été toute ta vie. Je parie que cette histoire de couvent va durer un mois: juste le temps de rompre tes fiançailles avec une fille qui est fichtrement trop bien pour toi.

Wakefield eut un sourire de crucifié.

— Il faut que j'apprenne, dit-il d'une voix ferme, à supporter de pareilles observations et même à les accepter avec joie. Il faut que je sois prêt à traverser le feu pour atteindre...

— Tais-toi, cria Piers. Je ne veux pas entendre ces idioties-là. Ce que je voudrais te...

— Ce n'est pas la manière de le prendre, Piers, dit Renny. Il faut lui montrer calmement qu'il n'est pas fait pour la vie de couvent, que ce n'est pas une vie pour un Whiteoak. Pense un peu, Wake... (il appuya son regard pénétrant sur son jeune frère) ... que tu seras privé pour toujours de tout ce qui a fait les délices de notre famille: de la vie au grand air, de la liberté de parler...

— Oh! s'écria Wakefield, tu m'amuses...

— Je répète: la liberté de parler. En famille on dit ce qu'on pense, même s'il vous en cuit ensuite.

— Le vœu de silence est une liberté, comparé à ça!

— Bon Dieu! s'exclama Piers.

Et il renversa son verre sur la table.

— Oh! le vilain, le vilain, cria Adeline.

Pheasant se mit à éponger l'eau avec sa serviette.

— Tu es jeune, reprit Renny. Tu es encore plus jeune que ton âge...

— A peine à ton premier vagissement, dit Piers.

Renny se tourna vers lui farouchement.

— Veux-tu me laisser continuer? Maintenant, Wake, que penses-tu que tes oncles vont dire de cela? Qu'en diraient ton père, ta grand-mère s'ils étaient vivants? Ils penseraient que tu cherches une chose impossible: parce que tout le monde sait qu'un Whiteoak ne peut pas vivre sans femme.

La portée désastreuse de ces derniers mots, dans la crise personnelle qu'il traversait, le frappèrent de stupeur dès qu'il les eut prononcés. Il se tut. Wakefield, Piers, Pheasant et les enfants disparurent de sa vue; il était seul avec Alayne, et transpercé par le reproche amer qu'il voyait dans ses yeux et sur ses lèvres méprisantes. Il restait comme fasciné par elle. Les muscles de ses joues et de sa mâchoire se crispaient et se détendaient alternativement; son front était plissé de consternation.

Alayne le tint sous son regard, ne se souciant pas, pour la première fois, de l'opinion des autres. Il fallut l'entrée de Rags, qui plaça devant Renny une volumineuse tarte à la rhubarbe avec un bol de crème fouettée, pour rompre la tension.

— La rhubarbe est tellement parfumée en cette saison! dit Pheasant, pressant le pied de Piers sous la table.

— Oui, ajouta celui-ci, et la crème monte toute seule.

— A moi! cria Adeline. Je veux de la tarte! Avec de la crème! Beaucoup de crème!

Son père se retourna vivement vers elle et lui donna une tape sur la main du dos de la cuiller avec laquelle il allait servir la tarte.

— Tiens-toi bien, dit-il sévèrement.

Elle retira sa main et la cacha sous la table. Elle avança la lèvre inférieure et jeta à son père un vif regard où l'étonnement se mêlait au défi.

Il servit la tarte et, levant les yeux sur la gorge battante d'Alayne, demanda:

— Vous, Alayne?

— Non, merci.

Il y eut un silence pendant lequel la pâtisserie floconneuse de Mrs Wragge disparut. Le chaud soleil qui filtrait entre les lourds rideaux jaunes ne faisait pas seulement éclater la richesse de l'acajou et de l'argenterie, mais l'usure du tapis, du papier de tenture et du veston de Rags. Autour de la table, chacun était replié sur soi-même, absorbé par sa propre nervosité. Alayne était ivre de triomphe après son dialogue muet avec Renny. Elle l'avait dominé comme il ne l'avait sûrement jamais été et elle éprouvait une joie mordante à la pensée qu'il pouvait connaître la honte. Le seul qui lui semblât près d'elle à ce moment était le petit Nooky qui était assis à sa gauche. Elle lui prit la main, et l'aida à manger sa tarte.

Pheasant avait vu le regard échangé entre elle et Renny et elle était folle de curiosité. Sa sympathie était du côté d'Alayne, mais elle avait souffert de voir l'expression qu'avaient reflétée les traits énergiques du maître de Jalna.

Piers était furieux contre lui-même de constater que la contrariété l'empêchait d'apprécier un bon repas. Il ne se rappelait pas que les scènes de famille eussent une seule fois brouillé son appétit quand il n'était pas lui-même le centre du drame; mais il fallait bien reconnaître que, ni le caneton rôti, ni les petits pois, ni la rhubarbe n'avaient leur saveur habituelle. Alors, apercevant la tache mouillée près de son assiette, il comprit que c'était pour n'avoir eu que de l'eau à boire qu'il avait perdu toute finesse de palais. Il fit la lippe, et se mit à chipoter la pâtisserie. Renny lui jeta un coup d'œil de biais.

— Tu n'aimes pas cette tarte?

— Oh! Elle doit être très bonne.

— Pourquoi ne la manges-tu pas, alors?

— Je crois que je n'en ai pas envie.

— Je serais désolé, dit Wakefield, que ma crise de conscience compromît l'appétit de quelqu'un, et par-dessus tout le tien, Piers. La maison ne serait plus la maison si...

Il sourit ironiquement.

Piers tourna vers lui le feu de ses yeux clairs.

— La perte de mon appétit n'a absolument rien à voir avec toi et tes projets, dit-il rudement.

— La vérité, dit Pheasant, est que Piers est de mauvaise humeur parce qu'il n'a pas d'alcool à ingurgiter aujourd'hui.

— Nous faisons des économies, dit Renny sèchement, mais si tu trouves impossible de manger sans boire, si tu ne prends de l'eau que pour la renverser et si tu dois faire la tête tout le long du repas, je peux envoyer Rags chercher quelque chose. De quoi as-tu envie?

Piers répondit carrément:

— Maintenant, la seule chose qui me plairait, ce serait un whisky et soda.

— Whisky et soda, Rags.

Rags ouvrit une des portes du placard, et sortit à regret un flacon à moitié plein de whisky et un siphon de soda.

— Un peu de vin, Pheasant? Alayne? demanda Renny, les yeux fixés dans le fond de son assiette.

Toutes deux refusèrent, et Alayne dit:

— Wragge, apportez le café dans le salon. Si nous y allions, Pheasant?

Elles se levèrent, et emmenèrent les enfants. Au

moment où elles passaient la porte, Renny regarda furtivement Alayne. Elle avait l'air triste et résignée. Il ramena son regard sur la table, et se versa à boire.

Wakefield, assis entre ses frères, alluma une cigarette. Puis il se leva et dit:

— Je crois que je vais aller retrouver les femmes. Je n'ai aucune raison de rester ici: ma décision est irrévocable.

— Rappelle-toi, dit Renny, que tu m'as promis de ne rien dire à Pauline avant que j'aie vu ton directeur.

— Je ne suis pas près de l'oublier: j'ai trop de hâte que tu voies le Père Connelly et que tu te rendes compte du peu d'encouragement que j'ai trouvé chez lui.

— Assieds-toi donc, dit Renny avec tendresse, et parlons-en tranquillement, maintenant que les femmes sont parties. Prends donc un verre avec Piers et moi.

— Non, merci, Renny. Toutes ces choses-là sont finies pour moi. Je me suis oublié en allumant cette cigarette.

Il la rejeta sur l'assiette devant lui, et quitta la pièce.

Il rencontra Alayne au pied de l'escalier. Elle descendait un grand sac de cretonne dans lequel Adeline rangeait un méli-mélo de petits joujoux. Les trois enfants l'avaient suivie au grenier, et leurs figures brillaient comme s'ils n'avaient jamais vu ce que contenait le sac. Wakefield alla avec eux jusqu'au porche, et assista au déballage des jouets. Timidement, Nooky s'empara d'un oiseau mécanique déplumé.

— C'est à moi! s'écria Adeline, et elle le lui arracha des mains. Il s'appelle *Boney*. Il savait parler, mais maintenant il ne sait plus. Il savait dire: « *Haramzada! Haramzada! Chore! Chore!* »

Elle était triomphante de prononcer ces mots hindous.

— Maintenant, dit Alayne d'un ton neutre, vous allez vous amuser tout seuls pendant que nous prenons le café. Adeline, il faut partager tes joujoux avec Nooky. Mooey, veux-tu t'amuser avec eux, s'il te plaît?

Adeline, les cheveux rutilant au soleil, se mit à genoux au milieu de ses trésors, et poussa ses jouets avec arrogance vers Nooky qui lorgnait tristement son oiseau. Mooey se mit à genoux par terre à côté d'eux, et s'attaqua languissamment à un puzzle.

Comme Alayne versait le café, Pheasant demanda à Wake:

— As-tu des nouvelles fraîches de Finch et de Sarah? Est-il question qu'ils viennent passer quelque temps cet été?

— Oui, mais je ne sais pas au juste quand. Finch donnera des concerts ici, à l'automne. Il a eu beaucoup de succès à Paris.

— Je sais. J'ai vu les comptes rendus de presse qu'il a envoyés. Ils avaient l'air flatteurs — quoique Piers et moi nous n'ayons pas compris tous les termes techniques. Nous sommes aussi rouillés pour le français que brillants dans notre conversation courante!

Elle était nerveuse devant Wakefield. Elle ne savait pas quoi lui dire. Et elle pensait lui voir une auréole autour de la tête, comme si déjà il eût été presque un saint. Elle croyait autant à sa sincérité que Piers y croyait peu.

— Je me demande, dit-il en mettant quatre morceaux de sucre dans son café et en en prenant trois autres qu'il déposa dans sa soucoupe, s'il est heureux avec Sarah, je veux dire tranquillement heureux.

— Je ne vois pas comment il pourrait l'être. Ils me semblent si mal assortis! Finch est tellement ouvert, tellement désireux de plaire, et Sarah si renfermée; elle se moque tellement de ce qu'on pense d'elle!

— Cela me paraît une bonne association, dit-il avec cynisme.

Ses yeux brillants ne quittaient pas Alayne.

— Sarah et Finch, dit celle-ci, ont un goût commun: l'amour de la musique. Et pas seulement cela; ils aiment tout ce qui est beau. Je crois qu'ils sont parfaitement assortis l'un à l'autre.

— Rien ne vous empêche de le croire, répondit Pheasant sentencieusement. Mais, si j'étais un homme, j'aimerais mieux faire ce que Wake va faire que de m'enchaîner à Sarah.

— J'attends beaucoup de compréhension de Finch dans la nouvelle vie que j'embrasse, dit Wake. Il s'est beaucoup intéressé, et très gentiment, à ma conversion. Il a, lui aussi, un sentiment religieux que les autres ne possèdent pas du tout.

Pheasant le regarda avec envie.

— Je regrette de ne pas l'avoir! Mais je n'ai pas plus de religion qu'une bohémienne. Je suis bourrée de superstitions païennes.

Wakefield lui répondit gravement:

— Cela prouve que vous n'êtes pas morte spirituellement, Pheasant. Tout peut donc s'arranger encore pour vous.

Alayne fut de nouveau écœurée. Ces deux êtres-là, en face d'elle, n'étaient pas plus réels que les ombres d'un rêve. Malgré ses efforts, elle n'arrivait pas à suivre clairement leur conversation. Elle avala son café d'un trait et se raidit les nerfs.

Mooey se coula dans la pièce.

— Ils jouent très sagement, dit-il. Adeline a fini par donner l'oiseau à Nooky et presque tous ses autres joujoux. Moi, je voudrais bien trouver quelque chose pour m'amuser.

Wakefield alla ouvrir la vitrine de bibelots indiens et prit un petit éléphant d'ivoire.

— Ma grand-mère me l'a donné quand j'étais un gosse comme toi, et je n'ai jamais rien autant aimé au monde, je crois. Il est tellement agréable à toucher et si délicatement sculpté! Je vais te le donner, Mooey, pour que tu gardes un souvenir de moi.

Il le mit entre les mains de l'enfant. Mooey avait toujours eu assez peur de Wakefield qui aimait le taquiner et qui lui en imposait par de grands mots. Débordant de plaisir, il rougit. Wake se pencha et l'embrassa sur le front.

— Dieu te bénisse, mon petit Maurice, dit-il.

Pheasant fondit en larmes.

— Oh! Wake! sanglota-t-elle. Tout ce que tu dis est tellement triste!

Alayne serra ses mains entre ses genoux et ferma les yeux.

Renny et Piers, restés seuls, demeurèrent un instant silencieux, puis Renny s'écria:

— Nous avons eu tort de l'attaquer tous ensemble. Je l'emmènerai à l'écurie, cet après-midi, et je lui parlerai seul à seul dans mon bureau. Peut-être arriverai-je à quelque chose.

— C'est un petit fou idiot.

— Mais non, je t'assure. Il a toujours été très réfléchi pour son âge. Sa santé délicate, quand il était petit, en a fait quelqu'un de très différent de nous; mais il est engagé à fond dans cette histoire-là et il ne faut pas être trop dur pour lui.

Piers fit la moue.

— Et nous ne devons pas être durs pour lui quand il va briser le cœur de Pauline! Elle est folle de lui.

Renny appuya sa tête sur sa main et se cacha les yeux. Il lui fallut un effort physique pour chasser la pensée que Pauline l'aimait et l'avait toujours aimé plus que Wakefield. Il bredouilla:

— Elle s'en sortira.

Piers se prépara un autre verre de whisky tout en épiant son frère. Cette tête penchée avait quelque chose de foncièrement sincère et perdu; ces mains maigres et effilées qui abritaient les yeux, cette bouche déprimée offraient une image misérable. Vraiment, la détresse et le chagrin pesaient sur lui comme s'ils étaient devenus palpables. Piers en était tout secoué. Grand Dieu, il ne fallait pas prendre le départ de Wake tellement au tragique! Il mit sa main sur le bras de Renny.

— Cela s'arrangera, dit-il. Ce n'est pas définitif.

Il n'est pas encore au monastère et, quand on l'aura gardé un mois ou deux, on le mettra probablement à la porte.

— Piers, murmura Renny, j'ai un ennui beaucoup plus grave. Je suis dans une impasse terrible, et... les portes se sont refermées sur moi. Je suis perdu.

Les doigts de Piers serrèrent le bras de son frère. Il pensait à l'hypothèque. Il n'y avait que la crainte de perdre Jalna qui pût bouleverser Renny à ce point-là. Il demanda d'une voix tremblante:

— Qu'y a-t-il donc, cher vieux?

Renny leva la tête et le regarda d'un air sombre.

— Tu sais que... Clara Lebraux et moi?

— Je l'avais deviné.

— Alayne a tout découvert.

Piers fut délivré d'un poids. Ce n'était pas Jalna! Mais c'était suffisant pour donner à Renny un masque de tragédie.

— Elle ne va pas te quitter?

— Me quitter? Dieu, non. Nous n'en sommes pas là; mais cela ne vaut guère mieux. Et, ce qu'il y a de pire, c'est que tout est fini entre Clara et moi. Tout est fini depuis des mois, et Clara va s'en aller. Elle était en train de me dire qu'elle s'en allait, là-bas, dans le ravin, quand Alayne nous a entendus.

Piers eut un regard aigu:

— Est-ce qu'il y avait quelque chose... dans la façon dont tu as pris la nouvelle qui...?

Renny l'interrompit d'une voix rauque.

— J'aime encore beaucoup Clara, comme amie. Cela m'était dur de penser que j'allais la perdre et il est certain que je n'aurais parlé à personne d'autre comme je lui ai parlé. C'est une parfaite camarade... Tu comprends ce que je veux dire.

— Quelle stupide histoire! dit Piers après un court silence, je suis content que Mrs Lebraux s'en aille. Peut-être les choses s'arrangeront-elles entre Alayne et toi quand elle sera partie.

— Jamais! Tu n'as pas idée de ce que peut être Alayne! C'est un coup épouvantable pour elle! Et elle me jette à la tête la conduite de son père... pas celle de mon père ou de mes oncles.

— Et ce vieux marin hollandais, son ancêtre? Etait-ce donc un modèle?

— Elle n'a connu que son père. Et elle sait ce que sa mère aurait fait à sa place. Ou du moins elle le dit.

Piers demanda tout à coup:

— Est-ce que tout cela s'est passé la nuit dernière? Je veux dire, votre scène de ménage?

— Oui, Piers. Mais pas un mot à Pheasant, n'est-ce pas! C'est une confidence sacrée.

— Pas un mot, mon vieux.

Il n'y avait pas besoin de le lui recommander: l'infidélité conjugale était un sujet que Piers et Pheasant évitaient exprès et qu'ils redoutaient même. Piers murmura:

— Pourtant ce n'est pas aussi pénible pour elle que cela le serait pour toi si c'était elle...

Renny éclata d'un rire discordant.

— Mon vieux, je lui aurais pardonné tout de suite. Plutôt deux fois qu'une...

Piers vit que ses lèvres tremblaient et qu'il avait

les yeux pleins de larmes. Pauvre diable, il prenait cela au sérieux! Quant à Alayne... Piers revint lentement en arrière. Il se rappela l'atmosphère de Jalna au temps qu'Alayne était la femme d'Eden, et qu'elle était incapable de cacher son amour pour Renny.

Il but encore un autre verre, et bredouilla:

— L'oncle Nick l'avait deviné. Moi aussi. J'aurais juré qu'Eden le savait également. Si tu avais... je me demande si elle aurait...

— Tu n'es pas soûl, non?

— Pas le moins du monde. Mais c'est difficile à dire... Voilà: Alayne était prête à tromper Eden avec toi.

L'esprit de Renny retourna lui aussi vers le passé, mais avec une intensité passionnée. Il se revit auprès d'un vieux pommier qu'il avait abattu, Alayne dans ses bras; et la surprise inoubliable de leur premier baiser... car elle lui avait rendu son baiser! Elle le lui avait rendu... Il n'oublierait jamais le goût de ses lèvres sur les siennes. Il se revit avec elle, sur le pas de la porte, un soir, avec le vent et la pluie qui les cinglaient et des feuilles mortes qui venaient se plaquer contre eux. Elle était debout, toute raidie; la pluie ruisselait sur ses joues comme des larmes. Il voyait le désir dans ses yeux, il sentait passer dans toutes ses fibres le grand désir sauvage qu'elle avait de lui, d'être serrée contre sa poitrine, le désir d'un nouveau baiser... Mais il s'était repris, dans un effort farouche, en se rappelant qu'elle était la femme d'un autre. Il lui avait caché qu'il lisait en elle. Et, cependant, si le jeune Finch n'était pas arrivé juste à ce moment-là, malgré toute sa résolution n'aurait-il pas faibli devant l'ardeur brûlante du regard d'Alayne? Une troisième image lui apparut: la nuit encore, et toujours la pluie. Cette fois ils étaient en auto, dans un endroit désert. Il la ramenait de la ville où ils avaient laissé Eden. Ils l'avaient laissé derrière eux et s'étaient élancés dans les ténèbres profondes et dans un monde de désir encore plus profond. Pendant tout le trajet ils n'avaient pensé à rien d'autre qu'à leur mutuelle proximité et à l'envie de rendre cette proximité absolue. Pourtant Eden les avait séparés, comme s'il avait tendu la main pour reprendre Alayne... Renny se rappelait les mots qu'il s'était arrachés à lui-même:

— Si vous n'étiez pas la femme d'Eden, je vous demanderais d'être ma maîtresse. Un homme peut faire cela à un autre homme, mais pas à son frère...

Une autre fois il lui avait rappelé qu'Eden était son frère, en plein soleil, au bord du lac; et elle lui avait dit, d'une voix étrange et triste, qu'Eden n'était que son demi-frère. Cela l'avait glacé. Il avait répondu:

— Je ne pense jamais à cela.

Il sentait encore maintenant l'odeur de bois brûlé venant d'un feu que ses frères avaient allumé sur la plage, mêlé au souvenir de ce bondissement qu'avait fait son cœur quand elle avait murmuré:

— Je ferai tout ce que vous me direz de faire.

Et quand ils s'étaient dit au revoir — c'était le soir du centenaire de Gran — il n'oublierait jamais comment elle s'était cramponnée à lui et, à demi pâmée sous ses baisers, avait murmuré:

— Encore! Encore!

Renny était tellement immobile et les traits si figés, que Piers n'osait pas lui parler et continuait à boire son whisky et soda à petits coups, en l'étudiant, les yeux braqués sur le profil de son visage. Mais tout à coup il ne put se contenir plus longtemps: il se pencha en avant et donna du bout des doigts un coup sur la table devant Renny en s'écriant:

— Libre à elle de dire le contraire: elle se serait donnée à toi si tu le lui avais demandé. Je vous ai vus vous embrasser le soir de l'anniversaire de Gran.

— Oui, je ne sais pas. Peut-être. Cela serait peut-être arrivé. Mais je sais que je ne pourrai jamais m'en servir comme d'un argument contre elle: notre amour était un grand amour. Elle aurait peut-être écarté tout obstacle: moi, je n'aurais pas pu écarter Eden. Cette histoire entre Clara et moi est toute différente. J'allais lui demander de me réconforter quand tout allait si mal chez moi, quand Alayne avait l'air complètement dégoûtée de moi. L'air qu'elle a aujourd'hui. J'ai peur d'avoir tout gâché et du diable si je sais comment j'ai fait cela. Quand j'avais dix-huit ans, une femme qui aurait pu être ma mère m'a prédit que j'aurais toutes les femmes rien qu'en le leur demandant... Je pense qu'elle voulait dire que je les attirerais physiquement; mais, si elle m'avait connu davantage, elle aurait pu ajouter que je ne séduirais ni leur âme ni leur cerveau.

— Tu as l'esprit bien compliqué, en tout cas, voilà ce qu'il y a de certain, dit Piers. Tu n'as pas plus de torts qu'elle. Tout ce que tu as fait, elle aurait pu le faire. Mais tu es prêt à prendre toute la faute, en lui laissant tous les droits. Elle s'est toujours mise sur un piédestal. Elle exagère!

Renny sourit de travers.

— Que ce soit ton dernier verre, dit-il. Je vais retrouver Wakefield.

Il hésita devant la porte du salon, invisible pour Alayne, mais Pheasant l'aperçut. Ils échangèrent un regard assez singulier, fait de complicité et de compréhension. Il alla sous le porche et regarda jouer les enfants. Son apparition remplissait toujours Adeline d'ivresse; elle jeta ses joujoux et courut à sa rencontre. Comme il se penchait sur elle, elle lui saisit les poignets et s'y suspendit de tout son poids. La blessure de son épaule lui fit pousser un cri de douleur. Il écarta sa fille, et s'adossa à un pilier en se frottant le bras. Pheasant et Alayne apparurent sur le seuil.

— Qu'est-ce qui se passe? demanda Pheasant avec un air d'angoisse toujours prêt à assombrir sa figure rayonnante de jeunesse.

Alayne fronça les sourcils, regardant son mari et son enfant d'un œil troublé par un nouvel écœurement. Elle ne dit pas un mot.

Renny eut un sourire d'excuse, le regard fixé au-delà des deux femmes, dans le hall vide, et il murmura:

— Cette jeune personne a tout à coup imaginé de prendre mon bras pour une balançoire.

— Oh! Elle est terrible! s'écria Pheasant. Pas étonnant que vous ayez hurlé, mais cela m'a fait peur. Pas à vous, Alayne?

Alayne esquissa un sourire froid et rentra. Renny

partit lentement dans l'allée, et Adeline courut derrière les deux belles-sœurs en demandant:

— Pourquoi papa a crié? Pourquoi il m'a chassée? Je ne veux pas qu'on me chasse. Je le chasserai la prochaine fois.

Mooey était troublé par les événements. Il y avait quelque chose d'étrange et d'anormal chez les grandes personnes aujourd'hui. Même dans la douce brise tiède qui soufflait sous le porche il y avait quelque chose de triste. Il vit un petit bouquet d'hypaticas, les premières fleurs du printemps, sur une table, dans le hall. C'était lui qui les avait cueillies avec Nooky dans le bois, ce matin, et qui les avait apportées à Alayne. Il resta en contemplation devant le bouquet. Il admirait les fleurs et sentait le petit éléphant tout chaud dans sa main — et pourtant il avait le cœur lourd. Il fallait qu'il aille dans la salle à manger, fouiner un peu dans un coin du placard où il y avait parfois des fruits confits.

Il fut surpris d'y trouver son père et s'apprêtait à faire demi-tour quand Piers, d'un signe de tête, lui désigna la chaise de Renny et lui dit:

— Assieds-toi et tiens-moi compagnie. Je suis de mauvaise humeur.

C'était la première fois qu'il traitait Mooey en égal, comme si c'était une grande personne, et le gamin se coula sur la chaise, fier et plein de curiosité. Il se demandait ce que son père attendait de lui.

Piers examina la figure de son fils avec attention, mais sans indulgence. Il aurait voulu que Mooey en grandissant devînt pour lui un camarade, et doutait beaucoup qu'il en fût ainsi. Le jeune Nooky ne comblerait pas ses vœux davantage. Mais il y avait le petit Philip — un rejeton de la vieille souche, celui-là. Il leva les yeux vers le portrait de son grand-père en uniforme, heureux comme toujours de penser qu'il lui ressemblait, et fier, en plus, de retrouver cette ressemblance chez son troisième fils. Lui-même était un troisième fils. Et son père, dont il tenait ce physique avantageux, avait été aussi un troisième fils. Il n'avait encore jamais pensé à cela: c'était un fait remarquable. Il y avait quelque chose de spécial dans les troisièmes fils — aucun doute là-dessus, et, dans les contes de fées de son enfance, c'était toujours le troisième fils qui arrivait au comble des honneurs. Très curieux. Il y réfléchissait d'un air solennel qui oppressait le pauvre Mooey, et il le regardait fixement, d'un œil halluciné.

Brusquement il lui demanda:

— Qu'est-ce qui se passait dehors, tout à l'heure?

Troublé par un bizarre embarras d'enfance, Mooey ne trouvait pas ses mots pour répondre. Il put tout juste regarder Piers avec un pâle sourire gêné.

— Pourquoi diable ne me réponds-tu pas? demanda Piers.

Mooey souriait toujours, mais ne se décidait toujours pas à parler. Piers se pencha et scruta attentivement ses traits, saisi aux entrailles par une crainte subite. Ce sourire, ce sourire gêné et lointain... mais... mais... Il n'y avait aucun doute! Il saisit Mooey par le menton et ses yeux hagards firent pâlir le petit visage. Mais le sourire persistait! Et c'était le sourire d'Eden! Pheasant avait... Oh! Dieu! C'était impossible. C'était trop horrible!

Un soulagement l'envahit comme une brise rafraîchissante: Eden était en Europe à l'époque où Mooey avait été conçu. Il était fou, il devait être à moitié ivre; sans cela, une pareille idée ne lui serait jamais venue. Il se rejeta en arrière avec un grand rire soulagé.

— Tu deviendras un bel homme, n'est-ce pas? dit-il. Tu vivras pour les chevaux, la ferme, la vie au grand air, et toutes ces affaires-là, hein?

— Oui, susurra Mooey les dents crispées, en se tordant les doigts sous la table.

Une autre pensée assaillit Piers: les juments et les chiennes reproduisaient quelquefois les caractéristiques de l'étalon qui avait précédé, et les transmettaient à leurs petits. Etait-il possible que le sourire un peu douloureux d'Eden se fût transmis à Mooey à cause de l'intimité qui avait existé entre Eden et Pheasant? Piers eut un sursaut de haine, à la fois contre Pheasant et contre Mooey, et sa vieille rancune contre Eden revint l'oppresser. Mais il respira tout à coup: Eden ressemblait à sa mère, laquelle était, évidemment, la grand-mère de Mooey. Rien d'étonnant à ce qu'un petit garçon ressemble à sa grand-mère: Renny était bien le portrait de Gran! Piers étendit la main, et ébouriffa les cheveux de Mooey en disant:

— Je veux que tu te couvres de gloire avec les poneys, cet été. Si cela marche, je te donnerai quelque chose de beau pour ton anniversaire. Compris?

Mooey redressa ses épaules et concentra tout son courage dans ses yeux.

— Oui, papa. Cela marchera.

Alors Piers oublia son fils et pensa à Alayne. Comme toujours quand il avait trop bu il ne pouvait rester assis. Il se leva et demeura debout sur ses jambes musclées, son verre à la main, et son front se couvrant d'une ombre.

— Tu vas aller au salon, dit-il, et tu vas dire à tante Alayne que je veux la voir seule. Pas ta maman, fais bien attention: tante Alayne.

En attendant Alayne, le visage de Piers, déjà sombre s'obscurcit davantage. Il avait les yeux embrasés de colère. Elle lui jeta en entrant un regard interrogateur, puis se mit sur la défensive — mais elle n'aurait jamais deviné ce qu'il s'apprêtait à lui dire.

— Alors? demanda-t-elle.

— Le souvenir d'Eden m'a toujours horripilé, dit-il. Le seul fait de penser à lui me rend fou furieux.

« Il a trop bu », pensa-t-elle, et elle lui demanda:

— Alors, pourquoi pensez-vous à lui?

Il regarda au fond de son verre vide.

— Parce que j'y suis obligé. Et, ce qui est bizarre, c'est que je commence à sympathiser avec lui à votre sujet. Que faire, pour un homme, sinon s'accrocher à une autre femme quand il voit la sienne se jeter à la tête d'un autre? Penser que cette autre femme a été la mienne a éteint tout sentiment en moi, sauf la rage.

Il sentit qu'il devenait éloquent et répéta:

— Oui, cela a tout éteint en moi, sauf la rage. Mais il est mort... Et je constate que vous avez recommencé avec votre second mari: vous l'avez lancé...

Alayne porta la main à sa gorge. Elle était pétrifiée, mais elle s'écria avec éclat:

— Il vous a parlé de moi?

Piers éleva la voix bruyamment:

— Et pourquoi pas? Il savait qu'il trouverait de la sympathie en moi, et la sympathie est une chose dont il a absolument manqué depuis son mariage. Vous l'en avez accablé avant, quand il n'en avait aucun besoin. Il n'avait pas besoin d'une sympathie masculine avant d'être acoquiné avec vous — ni d'une sympathie féminine, d'ailleurs.

Alayne recula jusqu'à la porte.

— Vous êtes abject! dit-elle. Je vous prie de vous en aller! Et, quant à vous deux, je vous défends, vous m'entendez bien, je vous défends, à l'un comme à l'autre, de m'adresser dorénavant la parole.

— Et moi, je vous conseille de méditer ce que je vous ai dit, et d'essayer de vous voir avec les yeux de la famille.

— La famille! Tout aurait été bien différent entre lui et moi s'il n'y avait pas toujours eu la famille.

Elle sortit et ferma la porte derrière elle. Elle ne retourna pas avec Pheasant: elle monta dans sa chambre et se jeta sur son lit, crispant ses mains sur les oreillers, enfonçant sa figure dans le trou noir entre eux. Il y avait un petit point bleuâtre qui scintillait sous l'une de ses paupières fermées. Elle se frotta l'œil, l'ouvrit et le referma plusieurs fois; mais le point brillant demeurait toujours là. Même les larmes ne pouvaient pas l'emporter.

Elle avait cru que sa colère contre Renny était allée déjà au maximum; mais la pensée qu'il s'était confié à Piers donnait un coup inattendu à son orgueil et les paroles de son beau-frère la remplissaient d'une honte amère. Elle avait toujours cru que ni Eden, ni personne de la famille, n'avait deviné son amour pour Renny! Toutes leurs figures se dressèrent devant elle, avec leurs traits fortement marqués et originaux, leurs grands nez, leurs yeux cruels. Elle les voyait comme des vautours en fête autour du cadavre de l'orgueil.

Elle maudit à ce moment-là le jour où elle avait fait leur connaissance; elle aurait voulu n'avoir jamais mis le pied dans l'enceinte étouffante de Jalna, n'avoir jamais passé une nuit sous ce toit, dans les bras d'aucun des deux frères — Eden, qui était apparu, brillant de jeunesse, et l'avait ravie, dans la musique de ses poésies, à la vie médiocre et terne de son bureau new-yorkais — Renny, qui avait porté au paroxysme la passion qu'Eden n'avait fait qu'éveiller à demi. Elle pensa au professeur, ami de son père, qui lui avait demandé sa main et qu'elle avait refusé. Là, sans doute, aurait été sa vraie place. Avec lui, elle aurait mené la vie pour laquelle la nature l'avait faite. Elle aurait eu un enfant qui eût été aussi bien le fruit de son ventre que celui de son cœur, au lieu d'un démon qui la regardait en riant de ses yeux fous, qui la tourmentait quand elle l'osait. Par-dessus tout, elle n'aurait jamais connu la détresse de l'heure qu'elle vivait à présent.

Elle redoutait le retour de Renny. Elle craignait son regard obscur et gêné, et son air de détermination intérieure qui lui était un mystère.

Elle se désintéressait complètement de sa fille, livrée à elle-même à un autre étage. Piers et les siens étaient partis depuis quelque temps. Un silence avait suivi, puis le rire d'Adeline, montant vers elle du sous-sol où les Wragge l'avaient recueillie. Inconsciemment, elle fut soulagée par ce rire et, le visage enfoui dans les oreillers, elle tomba dans un sommeil profond.

Renny ne rentra pas avant l'heure du dîner. Pour la première fois de ce printemps, ils prirent ce repas à la lumière du jour. Rags avait cueilli quelques branches de cerisier en fleur et les avait mises sur la table dans un vase qui n'était pas du tout fait pour elles. Alayne nota cette faute de goût avant même d'admirer les fleurs; mais elle les regarda avec attention, tout en faisant des compliments à Rags, qui attendait cela pour commencer à servir.

— Est-ce qu'Adeline dort? demanda Renny.

— Oui, Mrs Wragge lui a donné son bain et l'a couchée.

Rags débordait de reconnaissance en présentant à Alayne la salade. Renny était près du buffet, une fourchette à la main.

— C'est bien aimable à elle. Du bœuf froid, Alayne?

— Non merci, de la salade seulement.

Il lança un morceau aux épagneuls assis de chaque côté de lui, puis retourna à table et étendit de la moutarde sur sa tranche de bœuf. Il avait peur que Rags les laissât seuls et pourtant cela aurait peut-être mieux valu: le silence, une scène même seraient plus faciles à supporter que faire des frais de conversation.

— Ces fleurs sont jolies, dit-il en appuyant son regard sur elle. Qu'est-ce que c'est?

Rags ayant quitté la pièce, Alayne répondit:

— Vous connaissez les fleurs des arbres fruitiers mieux que moi.

Il était dérouté. Il essaya de parler à ses chiens mais ils étaient étendus, le museau entre les pattes, d'un air résigné. Il tenta un effort plus direct:

— Ah! dit-il. J'ai eu une longue conversation avec Wake, dans mon bureau. Cela ne s'est pas mal passé: nous sommes restés calmes tous les deux et je vais voir son directeur demain.

— Très bien, répondit-elle.

— Wake dîne avec lui, ce soir, et naturellement il le prépare à ma visite; mais je ne crois pas qu'on ait voulu l'influencer. Il a toujours été attiré par la religion, et sa conversion au catholicisme lui a tourné la tête, mais j'ai plus d'espoir que je n'en avais ce matin.

— Quel réconfort! dit Alayne en croquant un radis.

Il leva les yeux sur elle.

— Quel réconfort! répéta-t-il. Le réconfort, voilà ce dont nous avons besoin, n'est-ce pas, Alayne? Du réconfort pour nous faire oublier ce qui ne va pas entre nous. Oh! Ma chérie, si vous saviez combien je souffre de vous voir dans cet état! Voyons! Vous en êtes malade!

Il se leva et s'approcha d'elle.

— Il y a de quoi me rendre malade, dit-elle avec

véhémence. Si vous avez un nouvel espoir que vous n'aviez pas ce matin, moi, j'ai un nouveau désespoir.

— Quoi donc encore?

— Vous avez dit du mal de moi avec Piers.

Renny aurait préféré un torrent de reproches à ces quelques mots pleins d'amertume. Elle tremblait de tous ses membres et son cœur battait lourdement.

— Je n'ai pas dit du mal de vous avec Piers, s'écria-t-il. Je lui ai dit ce que j'avais fait et combien cela vous avait peinée. Voilà la vérité. Je ne sais même pas à quoi vous faites allusion.

Elle poussa un gémissement de mépris.

— Je vous en prie, ne me demandez pas de vous croire! Comme votre grand-mère, vous êtes rusé quand vous êtes pris au piège. Mais vous devriez choisir quelqu'un de moins idiotement candide que Piers pour vos confidences! Il m'a expliqué comment j'avais lancé Eden dans les bras de Pheasant, et vous dans ceux de Clara. Et comment je m'étais jetée à votre tête... Oh! Ce doit être exquis d'avoir un frère comme Piers pour partager ses petits ennuis!

Ils entendirent le pas de Wragge dans l'escalier. Renny regagna prestement sa chaise, Alayne croqua un autre radis et resta figée, la petite feuille verte à la main.

— On vient de me parler, s'écria Renny, d'une pouliche de deux ans que je pourrais avoir à un prix surprenant pour une fille de champion. Elle fera sûrement parler d'elle. Que diriez-vous si elle me faisait gagner une grande course? Il y a encore de l'argent à gagner avec les chevaux de concours, si on a un peu de chance.

— Je le crois volontiers.

Elle suivait les gestes de Renny, comme hypnotisée par l'épaisseur de moutarde qu'il mettait sur sa viande.

— Faut-il fermer la fenêtre, madame? demanda Wragge. Le fond de l'air est frais, ce soir.

Alayne fit signe que oui. D'en haut en entendit crier Adeline.

— Un cauchemar, dit Alayne en se levant.

Mais Renny fut debout avant elle.

Wragge demanda:

— Faut-il dire à ma femme de monter chez la jeune demoiselle, madame?

— Non, non, j'y vais.

Renny était déjà au milieu de l'escalier.

Alayne se rassit, les yeux fixés sur l'assiette intacte de Renny. Quoiqu'elle l'ait vu quitter la pièce, elle ne cessait de le voir avec la plus grande clarté, assis à la table en face d'elle. Elle voyait le soleil couchant sur ses cheveux roux et pensait: « Pas un cheveu gris! Il a l'air jeune! jeune! »

Adeline avait un grand chagrin. Elle était assise dans son lit, la figure contractée, sa chemise de nuit trempée de sueur. Elle s'accrocha à son père comme à une bouée de sauvetage. Il se pencha sur elle.

— Chérie à son papa! Petite fille chérie à son papa! Là, là, voilà... Qu'y a-t-il donc qui n'allait pas?

Elle le regarda avec des yeux noyés d'extase, le voyant mal, mais recevant du réconfort de la seule présence de sa personne; son odeur même était associée pour elle à toute idée de paix et de protection.

Elle se mit à rire à travers les larmes, ne sachant pas quoi lui dire car son rêve était complètement évanoui.

En tripotant un bouton de la veste de son père elle lui demanda:

— Pourquoi as-tu crié quand je me suis accrochée à ton bras?

— Tu me faisais mal.

— Oh! Pardon!

Elle prit la main qui sortait du pansement et y pressa ses lèvres, elle cajola cette main comme l'aurait fait un jeune chien, et la mordilla même de ses dents pointues. Mais, quand il la recoucha et la recouvrit, elle se laissa faire docilement et s'enfonça douillettement dans son nid chaud.

Renny regarda autour de lui, il regarda cette chambre et les objets personnels et raffinés d'Alayne, sa robe de chambre de soie légère, ses accessoires de toilette en écaille rangés sur la glace qu'elle venait de faire mettre sur sa coiffeuse. Il la vit cloîtrée là pour le reste de leur vie de ménage, séparée de lui par la haine qu'il avait vue dans ses yeux. Cette haine froide le bouleversait. C'était incroyable de penser qu'ils en étaient là! Si elle avait aimé Adeline, c'eût été un lien entre eux; mais elle ne l'aimait pas — il n'y avait pas à se le dissimuler. Elle était d'un froid de glace pour leur enfant. Peut-être si Adeline avait ressemblé davantage à sa mère, Alayne l'aurait-elle mieux comprise... Mais il n'arrivait pas à souhaiter que sa fille, sa fille à lui, la fille de son cœur fût différente!

La petite lui serrait encore les doigts. Il se pencha et lui embrassa la main avant de s'éloigner.

— Bonne nuit, murmura-t-il, et plus de vilains rêves.

Adeline arrondit les lèvres et ses cils firent une ombre sur ses joues.

Alayne était seule quand il rentra dans la salle à manger. Elle ne dit pas un mot. Après la figure, fraîche comme l'aube, de sa fille, celle de sa femme semblait plus égarée et plus malheureuse qu'auparavant. Elle vit qu'il avait de la difficulté à couper sa tranche de bœuf; il se battait avec son morceau, les lèvres pincées. Elle ne put se décider à l'aider. Quand, finalement, il lança en l'air sa tranche de viande que *Floss* attrapa au vol, elle se croisa les mains et se mordit la lèvre d'un air supplicié.

Renny éclata d'un gros rire.

— C'est trop drôle, dit-il. C'est trop ridicule!

Il mit en boule sa serviette de sa main valide. Alayne se leva.

— Je n'ai pas dormi la nuit dernière, dit-elle. Je crois qu'il vaut mieux que j'aille me coucher.

— Oui, oui, cela vaudra mieux! Vous avez besoin de vous reposer. Mais... (ses yeux désignaient l'assiette d'Alayne)... vous n'avez mangé qu'un radis?

— C'est bien suffisant.

Son ton tragique, la pensée de ce dîner composé d'un radis faillirent le mettre de nouveau hors de lui. Il grimaça un sourire et resta assis. Il ne pouvait pas plus l'accompagner à la porte qu'elle n'avait pu l'aider à couper sa viande.

Floss fit la belle, piquée par la moutarde, mais remuant quand même la queue pour en avoir d'autre.

Elle avait l'air joyeuse et stupide. Wragge remonta du sous-sol, Renny lui dit:

— Du bœuf, Rags, et coupez-le moi.

— Ah! oui, m'sieur. Cette épaule cassée, quel handicap pour vous!

Il ouvrait un œil rond sur l'assiette de Renny.

— C'est *Floss* qui l'a mangé, Rags.

Avec tendresse, Wragge prépara la nourriture de son maître; mais ni la salade, ni le bœuf froid n'avaient de saveur ce soir. L'une après l'autre, il donna les bouchées préparées à *Merlin*, son chien aveugle.

Il ne pouvait plus supporter d'être dans la maison, et, bien que les ténèbres fussent tombées tout à coup, il alla vers l'écurie. Il faisait aussi froid que noir et un vent fort soufflait du lac; mais ce vent passait sur le front de Renny comme une main apaisante. Il resta un instant devant l'écurie, regardant la masse sombre de la maison. Deux lumières seulement y brillaient.

Il se remémora l'époque où de brillantes rangées de fenêtres illuminées chassaient l'ombre qui, aujourd'hui, semblait pouvoir engloutir la maison. Et bientôt Wake l'aurait désertée, cette maison hors de laquelle il n'avait jamais passé une nuit! Il allait partir pour toujours! Renny, déprimé, voyait cet affreux malheur fondre sur lui, inexorable et imminent, et il ne pouvait rien pour l'empêcher. Il allait perdre Wakefield qu'il s'était imaginé garder près de lui toute sa vie! Et il avait perdu Alayne!

Il revit ses jours de liberté, quand il portait allégrement la légèreté heureuse de l'amour, comme un cavalier porte ses couleurs en course. Mais Alayne lui avait imposé l'amour comme une chaîne, et son âme rétive regimbait sous cette contrainte.

Il entra dans l'écurie et, sous une faible lumière, passa d'un box à l'autre. Les chevaux le connaissaient tous et penchèrent la tête pour le toucher, mendiant la caresse de cette main qui les comprenait si bien et savait si bien jouer de leurs nerfs. Quand il arriva devant sa favorite *Cora*, il mit ses bras autour d'elle et l'embrassa. Il sentit les naseaux de velours souffler contre sa joue et la paix primitive et apaisante de la bête passer dans tout son être.

CHAPITRE VI

Les célibataires

Le lendemain soir, Wakefield traversa le ravin pour apporter la nouvelle à Pauline. Il était dans un état de joie pensive, assez exalté, mais attendri par une tristesse qui rendait à ses yeux la nature plus belle et l'obligeait à s'arrêter pour goûter le charme des plus petites fleurs et le vert presque blanc des fougères. Sous peu il lui faudrait dire adieu à ce qui avait été le décor de toute son existence. Il avait eu souvent envie de voyager et de connaître des endroits qui lui semblaient pleins de magie dans les livres; mais maintenant il n'avait plus envie que d'un seul voyage, et c'était pour aller se cloîtrer dans un couvent où le merveilleux se réduisait au service incessant du Christ et de sa Mère. Les murailles du monastère s'ouvraient devant lui. En marchant il sentait déjà les plis doux de sa robe lui battre les jambes.

Il avait hâte d'annoncer sa décision à Pauline et, en même temps, il tremblait de la blesser dans son orgueil et son amour. Heureusement elle-même était pieuse et, même si le premier coup lui causait une souffrance insupportable, elle finirait par comprendre qu'en renonçant à lui elle atteindrait des sommets de joie spirituelle qu'elle n'aurait jamais connus en l'épousant. Elle se marierait — elle était faite pour le mariage et les maternités heureuses. Elle penserait dans l'avenir à leurs fiançailles comme à une période exquise, pure de toutes ces réalités charnelles de l'amour. Peut-être son plus jeune enfant s'appellerait-il comme lui. Il s'imaginait arrivant chez elle et son mari (un grand bel homme qui ressemblait vaguement à Piers) et prenant le petit Wakefield sur ses genoux, tandis que les autres enfants faisaient cercle autour de lui, émerveillés par sa maigreur ascétique et sa robe de moine. Il n'était pas bien sûr qu'une telle visite fût permise, mais il espérait que des circonstances spéciales la rendraient possible...

Pauline l'attendait. Il lui trouva mauvaise mine. Elle avait les yeux gonflés de quelqu'un qui n'a pas dormi, et elle paraissait repliée sur elle-même, comme en contemplation. Etait-ce possible qu'elle eût deviné ses projets? D'une voix tremblante, après l'avoir embrassée doucement, il lui dit:

— Vous avez l'air fatiguée, chérie. Avez-vous trop travaillé?

Elle fit signe que non, et lui serra les doigts étroitement. Ils allèrent prendre leur place habituelle sous la véranda. Wake mit son bras autour d'elle, puis le retira et plongea sa main dans sa poche. Allons, ce serait plus dur qu'il ne le pensait. Il aspirait à ce que tout fût fini, à se retrouver libre. Le monde autour de lui, l'océan pourpre du crépuscule n'avaient plus de sens hors de son immense désir.

— J'ai quelque chose à vous dire, commença-t-il.

Je suis convaincu que vous l'avez déjà deviné et que cela vous fait encore plus de peine que je ne le craignais.

Elle tourna vers lui son visage pâle et angoissé.

— Qu'y a-t-il? Est-il arrivé quelque chose à Jalna?

— Pauline, ne devinez-vous pas?

— Que voulez-vous dire? Je ne devine rien. Est-ce à propos de Renny? Alayne?...

— Non, non. A propos de moi. N'avez-vous rien remarqué de différent en moi, ces derniers temps?

Il la regardait jusqu'au fond des yeux. L'instant était venu pour eux. Wake se raidit pour lui parler. Elle eut un regard de bête blessée, comme si elle sentait déjà le choc. Elle répondit gravement:

— J'ai remarqué que vous aviez l'air très heureux et excessivement... religieux.

— Alors, vous devinez!

Elle le regarda sans comprendre.

— Non, je n'arrive pas à deviner.

— Eh bien! Je vais vous le dire.

Mais tout à coup, il lui répugna d'exprimer sa détermination avec des mots ordinaires, des mots de tous les jours.

— Il faut que je m'en aille, murmura-t-il d'une voix presque inintelligible. Devinez-vous pour où?

— Non, je ne devine rien.

Elle attendit, ses yeux noirs et impénétrables fixés sur ceux de Wake, et ses longues mains brunes croisées sur ses genoux.

Il sortit sa main de sa poche. Il avait la sensation

que cette main était morte et ne lui appartenait pas. Il la posa sur les mains croisées de Pauline, et serra sa bague de fiançailles.

— Pauline, je vais vous demander d'enlever cette bague que je vous ai donnée. Non. Pas exactement de l'enlever: je veux que vous la gardiez toujours, en souvenir du temps heureux que nous avons vécu ensemble. Mais je ne peux pas vous épouser! Je m'aperçois que je ne suis vraiment pas fait pour le mariage. Je suis fait pour quelque chose de très différent. Je vais entrer au couvent, Pauline.

Elle le regarda, incrédule.

— Oh! non, Wake! Ce n'est pas possible!

— Chérie, vous ne pouvez rien éprouver de plus cruel que ce que j'éprouve moi-même. Mais il vaut mieux que je découvre ma vocation maintenant qu'après notre mariage, n'est-ce pas?

Elle n'avait pas l'air de comprendre ce qu'il disait.

— Comment? Vous? Votre vocation? Mais ce n'est pas possible! Qu'est-ce que vous voulez dire, Wake?

— Je vous annonce, chérie, que je veux entrer au couvent. J'ai averti Renny hier soir. Je lui avais promis de ne pas vous en parler avant qu'il ait eu un entretien avec le Père Connelly. Il est allé le voir aujourd'hui. Vous ne pouvez pas vous imaginer à quel point le père a été magnanime, avec quelle clarté il a montré à Renny que j'avais le droit de disposer de ma vie spirituelle. Renny est rentré à la maison tout changé. Il prend sur lui et affecte de me laisser faire un essai, mais naturellement il est horriblement anxieux à votre sujet. Comme moi, d'ailleurs. Je me rends compte que c'est pour vous un coup terrible.

Elle dit à voix basse:

— Il s'inquiète pour moi?

— Oui. Terriblement. Mais il ne vous connaît pas comme je vous connais: il ne sait pas quelle force de caractère vous avez!

Elle eut un petit rire.

— En effet, il n'a pas besoin de le savoir.

Ce rire choqua Wake. Il retira sa main de celles de Pauline. Ses yeux brillaient dans l'ombre.

— Bien sûr, c'est affreux pour vous, dit-il avec une certaine morgue. Je le sais. J'en ai assez souffert! Mais il faut ce qu'il faut et la force qui me pousse vers le couvent est aussi inexorable que celle qui entraîne notre fleuve vers le lac; quels que soient les obstacles qui se dressent sur sa route, il va jusqu'au bout de son destin.

— Oh! oui, je comprends. Et je vous approuve plus que vous ne pouvez le savoir, maintenant que j'ai compris. Tout à l'heure, j'étais absolument ahurie: vous semblez le dernier des hommes qui soit fait pour cette existence.

— Je ne vois pas pourquoi! répondit-il avec arrogance. J'ai toujours eu un vif désir de solitude. Quand j'étais enfant, tout le monde parlait de mon air réfléchi. — Evidemment c'était surtout à ces moments-là que je préparais une bêtise... — Mais je crois que j'ai toujours été une nature contemplative.

— J'ai souvent pensé, dit-elle avec hésitation, que j'aimerais entrer au couvent.

— Pas pour prendre le voile? s'écria-t-il.

— Si, pour prendre le voile.

— Je n'ai jamais rien entendu de plus ridicule! Voyons! Vous êtes absolument faite pour le mariage et la maternité. Ne gardez pas d'idées pareilles, Pauline. Vous êtes dans l'erreur la plus complète. Vous rencontrerez un jour un garçon beaucoup plus digne de vous que je ne l'aurais été. Et vous l'aimerez. Et vous aurez des enfants. Et peut-être, ajouta-t-il avec un sourire tendre, peut-être donnerez-vous mon nom à un petit garçon. Cela me ferait plaisir d'apprendre cela dans ma cellule!

— Ce serait charmant, répondit-elle, mais je ne me marierai pas. Si vous entrez dans un monastère, moi j'entrerai au couvent. Je vous l'ai dit, j'ai souvent pensé que j'aimerais cela, et maintenant cela me paraît tout naturel.

Wakefield n'approuvait pas du tout cette solution. Il s'était attendu à consoler le cœur brisé de Pauline; mais la trouver calme, la voir prendre cette nouvelle sans plus que de l'étonnement, prête elle-même à renoncer au monde en un instant, cela diminuait la portée de son sacrifice. On lui volait son effet. Une déception d'enfant l'envahit et il cherchait ses mots pour exprimer en termes dignes sa désapprobation quand la porte s'ouvrit. Clara Lebraux vint jusqu'à la véranda. Elle apporta un plateau avec des verres de citronnade et une assiette de gâteaux.

— J'ai pensé que cela vous ferait plaisir, mes enfants, dit-elle en posant le plateau sur une table basse devant eux.

Elle s'écarta pour rattacher un store qui pendait, et Pauline en profita pour murmurer:

— Ne parlez pas de cela à maman. Je le lui dirai plutôt quand nous serons seules.

Wakefield acquiesça d'un air renfrogné. Il trouvait que la rupture de leurs relations méritait une fin plus dramatique que cette acceptation résignée. Pauline fit tourner la petite perle de sa bague et dit avec un sourire fugitif:

— Je me demande ce que je vais en faire. Les bonnes sœurs ne peuvent rien posséder. Pas plus que les moines.

Wackefield n'aurait jamais cru Pauline capable d'aussi mauvais goût. Il but sans rien dire sa citronnade qui était un peu trop acide. Clara pensait qu'ils s'étaient querellés, elle s'efforça de faire joyeusement des projets d'avenir. Elle avait déjà annoncé à Wakefield son intention d'aller habiter avec son frère et de quitter la maison de thé après ce court essai. Wakefield eut pitié d'elle quand elle parla de venir les voir après leur mariage. Pour la première fois de sa vie il éprouvait de la compassion pour autrui. Que serait la vie de Clara lorsque Pauline serait au couvent et lui dans un monastère? Au lieu de gagner un fils brillant et affectueux, elle allait perdre sa fille. Incapable de supporter longtemps cette comédie, après avoir marmotté une excuse et les avoir toutes deux embrassées sur le front, il partit. Tout avait tourné à l'envers de ce qu'il espérait. Pauline avait accepté qu'il disparût sans le moindre cri de chagrin; elle avait même semblé plus enthousiaste que lui. La tendresse émouvante de Clara pour tous deux l'oppressait jusqu'aux larmes. Il avait eu réellement les yeux humides en l'embrassant, et il avait senti qu'il s'arrachait d'elle, en tant que fils, plus douloureusement qu'il n'avait dit adieu à Pauline.

Les deux femmes regardèrent sa mince silhouette qui se fondit rapidement dans la nuit. Une lune embrumée parut au-dessus des arbres, et une odeur de terre mouillée s'éleva des champs.

Assise sur les marches, Clara alluma une cigarette, et la petite lueur révéla sur ses traits un peu lourds de blonde un air préoccupé et affectueux. Pauline se balançait doucement dans un hamac sous la véranda. Elle se replia sur elle-même et mit un bras sur ses yeux. Elle attendait que Clara commençât de parler.

Et Clara attaqua directement comme d'habitude.

— Tu as quelque chose, chérie? Quelque chose que tu peux me dire?

La réponse de Pauline la fit tressaillir.

— Oui, maman. Tant de choses, que je cherche par où commencer.

— Rien de grave, j'espère?

— J'ai peur que vous ne soyez pas très heureuse de les apprendre.

Clara Lebraux avait subi de telles vicissitudes qu'elle était toujours prête à la lutte. D'un ton voilé elle dit:

— Ne me fais pas languir, Pauline. Je suis prête à entendre n'importe quoi, tu le sais.

Pauline resta repliée sur elle-même, comme si elle

voulait se soustraire physiquement à l'inquiétude maternelle. Elle répondit, presque froidement:

— Wakefield et moi... Il est venu me dire qu'il désirait rompre nos fiançailles. Il veut entrer au monastère.

— Oh! ma chérie!

L'exclamation de Clara était à la fois pleine de colère pour Wakefield et de pitié farouche pour Pauline.

— Comment peut-il? Comment ose-t-il? Cette religion... Toute ma vie de femme... Il ne peut pas t'infliger une chose aussi cruelle. Pourquoi ne me l'as-tu pas dit pendant qu'il était là?

— Je voulais être seule avec vous.

Clara jeta sa cigarette et tendit la main pour chercher Pauline dans l'ombre. Pauline prit la main de sa mère dans les siennes.

— Tu sais que je ne lui aurais pas fait de scène! Je lui aurais parlé le langage du bon sens: c'est un jeune romantique; il est simplement attiré par la vision d'une existence moyenâgeuse. Mais te traiter comme cela! Je ne le supporterai pas.

Pauline l'interrompit.

— Cela a bien moins d'importance que vous ne le croyez.

— Moins d'importance? Voyons, chérie, qu'est-ce que tu dis?

Le corps de Pauline fut remué par le profond soupir qu'elle poussa.

— Maman, je n'ai jamais vraiment aimé Wakefield. J'ai essayé, et souvent pensé que j'avais réussi.

Et je l'aime bien, mais... pas de la façon dont on voudrait aimer l'homme qu'on va épouser. Il n'y a qu'une façon, n'est-ce pas?

Clara vint au bord du hamac et prit Pauline dans ses bras.

— Non, non. Il y en a plusieurs. Il y en a beaucoup. C'est ce qu'il y a d'extraordinaire et de merveilleux! Il y a plusieurs façons d'aimer.

— Il n'y a qu'une façon d'aimer, pour moi, affirma Pauline avec obstination, et je n'ai jamais aimé Wakefield de cette façon-là. Peut-être avais-je tort de vouloir l'épouser — car j'en avais envie!

Elle eut un étrange petit rire.

— J'étais contente de penser que je l'épouserais un jour; mais c'était une sorte de jeu, une comédie. Comme si je m'apprêtais à marier quelqu'un d'autre.

Clara frémit. Quelque chose dans la voix de sa fille lui faisait craindre qu'elle fût sur le point de dire elle ne savait quoi d'encore plus pénible.

Pauline était sans force devant le désir qu'elle avait de se confier totalement. Ce qu'elle avait si soigneusement caché, elle aspirait à le mettre en lumière, bien qu'elle sût ce qu'il leur en coûterait à toutes deux. Elle lança, dans une sorte de défi:

— Je ne crois pas que vous ayez pu deviner la vérité vraie. Vous ne vous doutez pas, n'est-ce pas, que j'ai réellement aimé un autre homme?

Malgré la pénombre elle vit que Clara blêmissait, que son hâle de femme bien portante disparaissait, la laissait pâle et défaite. Elles avaient vécu trop isolées ensemble, et il y avait trop de compréhension entre elles pour qu'il fût nécessaire de prononcer un nom. Clara se détourna et alla jusqu'au bord de la véranda. D'une voix sourde et brisée, elle demanda:

— Tu éprouves ce sentiment pour lui depuis longtemps, je pense.

— Depuis des années.

Clara continuait malgré elle:

— Le sait-il?

La jalousie que Pauline avait éprouvée pour Clara, jusque-là couvant sous la cendre, jaillit comme une flamme cruelle.

— Oui, murmura-t-elle.

Et elle tourna la tête.

— Et lui, quels sont ses sentiments? demanda Clara.

Une sueur froide lui mouilla les lèvres. Elle avait si peur de la réponse! Elle se sentait incapable de supporter le coup. Elle retourna s'asseoir sur les marches, et enfouit sa tête dans ses bras.

« Elle a peur, pensa Pauline. Elle a terriblement peur qu'il ne m'ait aimée moi aussi. Cela lui serait odieux de penser qu'il m'a embrassée. Ah! si j'avais quelque chose de pire à confesser, que je serais contente! Je crois que je ne pourrais pas m'empêcher de le lui dire. »

Mais elle répondit, presque humblement:

— Il m'aime comme une enfant. Rien de plus.

Clara avait la sensation que les battements de son cœur n'avaient d'autre raison que de la faire souffrir. Tout ce que disait Pauline, même cette dernière phrase qui aurait dû être un soulagement pour elle, la blessait cruellement.

— Tu as été malheureuse en amour, Pauline, lui dit-elle. C'est très triste pour toi, ma chérie. Je ne sais pas quoi te dire! C'est si pénible pour moi de te voir souffrir!

Pauline était subitement délivrée par sa confession. Elle eut un surcroît de pitié pour sa mère et, comme si déjà elle eût été cloîtrée, regarda le monde sur un plan différent. Elle ne se rendit pour ainsi dire pas compte de la portée que devaient avoir ses paroles, et elle dit, presque avec indifférence:

— Ce n'est pas la peine de vous affliger davantage pour moi, maman: je vais entrer au couvent. J'y suis tout à fait décidée, aussi ce serait inutile de me dire quoi que ce soit contre.

Clara tendit les mains en avant comme pour parer un coup. Elle ouvrit la bouche et regarda Pauline fixement, de ses yeux de jeune garçon.

— Tu ne parles pas sérieusement, gémit-elle. Tu ne sais pas ce que tu dis: tu es trop bouleversée! Mais il ne faut pas dire cela, chérie. Cela me fait trop peur!

— Je parle sérieusement! Je ne suis pas bouleversée. Je vous assure que je serai cent fois plus heureuse au couvent que mariée avec Wakefield.

Clara l'arrêta d'un air sévère.

— Si tu ne veux pas te marier, je serai la dernière à t'y obliger. Mais pourquoi entrer au couvent? Tu n'as pas la vocation; cela, j'en suis sûre. Et il y a tant de choses au monde que nous pouvons faire ensemble! Pense à moi, Pauline! Ne m'abandonne pas. Voyons, si je te perds...

Elle se mit à pleurer avec des sanglots rauques et déchirants. Elle se jeta sur Pauline pour l'embrasser, l'étouffant dans une étreinte véhémente, comme si elle croyait qu'elle pût ainsi la retenir.

Mais c'était inutile. L'enfant qui avait été si malléable entre ses mains était fermement résolue. Sa décision paraissait être le fruit de longs mois de réflexions, et non pas celui d'une volte-face subite.

Elles montèrent se coucher dans l'ombre grise, comme deux bateaux cherchant le port après une nuit de tempête.

Pauline dormit sans rêves, telle une enfant épuisée. Mais Clara resta éveillée, cherchant comment l'amour de Pauline pour Renny avait fleuri parallèlement au sien et sans qu'elle s'en doutât. Elle s'attrista désespérément de la brièveté de son propre amour. Tout l'abandonnait pour toujours: son enfant, son amant, sa raison de vivre.

CHAPITRE VII

Renny, Clara et Pauline

Il s'écoula plusieurs jours sans que Clara et Pauline aperçussent Renny. Wakefield leur écrivit à toutes deux de longues missives pleines de sentiments poignants, et teintées de tendres regrets pour le bonheur qu'ils avaient connu ensemble. Après avoir lu sa lettre, Pauline la jeta au feu; mais Clara mit la sienne de côté dans une boîte. Elle n'en voulait plus à Wakefield. Habituée à se résigner à l'inévitable, elle acceptait la nouvelle orientation de sa vie avec le plus grand sang-froid extérieur. Elle passait la plupart de son temps à la maison de thé et, le soir, fourbue, elle se couchait de bonne heure.

Un bon matin que les branches couvertes depuis peu de bourgeons étaient agitées par un vent frais où flottaient de ces infimes parcelles cotonneuses dont les oiseaux font leurs nids, Clara était restée chez elle pour vaquer à d'indispensables travaux ménagers. Elle était avec Pauline, et toutes deux parlaient en affectant l'entrain et l'insouciance, quand elles virent Renny descendre d'une jument rouanne, à la grille. Toutes deux s'immobilisèrent, comme si elles avaient été mues jusque-là par un ressort invisible qui était subitement arrêté. Elles regardèrent par la fenêtre l'homme et le cheval comme pour se pénétrer de cette image. Clara remarqua avec un plaisir sensuel l'harmonieux ensemble de la robe luisante du cheval, des bottes souples de Renny, de son costume couleur bruyère, des reflets roux de ses cheveux, de son visage hâlé par les intempéries. Pauline ne sentait que l'approche de cette forte et séduisante personnalité qui avait dominé sa jeunesse.

Il attacha son cheval à la barrière et frappa cérémonieusement comme il faisait toujours. Elles se regardèrent l'une l'autre, mais aucune ne bougea. Pauline jeta instinctivement un coup d'œil à la glace audessus de la commode, et leva la main pour arranger ses cheveux, ses cheveux rebelles et vigoureux qui avaient toujours entouré son visage d'un halo sombre... Elle eut un instant la vision redoutable de sa tête rasée, prise dans le suaire d'un voile noir.

Un sourire énigmatique l'illuminait tandis que Clara introduisait Renny. Elle comprit tout de suite, en le voyant profondément abattu, que Wakefield lui avait annoncé leurs projets et elle lui dit d'un ton alerte:

— Vous connaissez ma décision, n'est-ce pas?

Il lui prit la main, la serra dans les siennes, regardant les doigts minces aux ongles pâles et longs. Elle lui faisait déjà l'effet d'une main de religieuse.

— Je n'en reviens pas, dit-il d'une voix rauque. Tout cela me dépasse. J'ai lu des faits divers de gens qui se suicidaient ensemble. Mais cela dépasse n'importe quel suicide.

Pauline avait toujours son petit sourire.

— C'est peut-être un suicide aux yeux du monde, dit-elle. Mais c'est tout. Je crois que nous serons beaucoup plus heureux (moi du moins) là où nous allons. Je vous en prie, ne cherchez pas à me retenir, Renny! Maman et moi avons déjà tout dit; et je ne peux plus supporter qu'on en parle.

Renny lâcha la main de Pauline et se tourna vers Clara qui lui lança un regard stoïque.

— C'est absolument vrai, dit-elle. Il n'y a rien à faire pour la dissuader.

— Quand comptez-vous partir? demanda-t-il à Pauline. En tout cas, laissez-moi vous dire que je considère cela comme un simple essai, tant pour l'un que pour l'autre. C'est de la neurasthénie de votre part, et je suis convaincu qu'avant six mois vous serez rentrés tous les deux dans vos foyers.

Elle secoua la tête de droite à gauche, d'un air grave, et ses yeux se remplirent de larmes. Il pensait bien qu'il la verrait faiblir!

— N'avez-vous pas pitié de votre mère? s'écria-t-il aussitôt. Vous allez la laisser toute seule!

Pauline était incapable de parler. Elle s'enfuit, et ils l'entendirent sangloter en montant l'escalier.

Renny tourna un visage sceptique vers Clara.

— Je ne peux pas arriver à y croire, dit-il. Wakefield et Pauline! Ils étaient tellement faits pour s'entendre! J'en étais si heureux!

Il sentit quelque chose de nouveau dans l'attitude de Clara envers lui. Elle le dévisageait avec curiosité, cherchant à discerner le mâle que Pauline aimait.

Il y avait maintenant à ses yeux deux hommes en lui: cet homme inconnu et l'amant dont elle allait se séparer. Le fait de savoir qu'il ne pensait à Pauline que comme à une enfant était un si grand soulagement pour elle que cela lui donnait du courage. Elle était prête à affronter n'importe quel tourment. Si elle avait su que ces mains avaient étreint Pauline, que ces lèvres s'étaient posées sur les siennes — si naïf qu'ait été ce geste! — elle ne lui aurait jamais pardonné — non par jalousie, mais à cause du mal que cela avait fait à son enfant. Chez Clara, l'amour était à l'ombre de l'amour maternel; chez Alayne, la passion conjugale dominait la maternité; cependant qu'en Pheasant l'un et l'autre s'équilibraient avec harmonie.

— Où ira-t-elle? demanda Renny.

— Dans un couvent de Québec où elle a une tante du côté paternel qui est Mère supérieure, et qui sera très très bonne pour elle.

Il eut une grimace dégoûtée, et dit de son ton brusque:

— Ce prêtre, ami de Wakefield, est un excellent homme et très intelligent. Tellement compréhensif! Il est venu le lendemain visiter mes chevaux, et si vous aviez vu la tête de Wakefield quand il nous a trouvés tous deux dans un box, tenant de grandes palabres... et pas sur lui: sur une jument d'élevage!

— Comme c'est gentil! répondit Clara en le regardant avec attendrissement.

Puis, en s'efforçant de prendre l'air naturel, elle lui offrit une cigarette et son fauteuil habituel.

— C'est un mauvais moment à passer, ajouta-t-elle. J'espère que dans un an nous remuerons ces souvenirs le plus naturellement du monde. C'est quand on s'hypnotise sur les choses qu'elles sont aussi épouvantables.

Il regarda ce visage arrondi où la forme des os commençait à devenir visible, et où les ombres noires, sous les yeux, semblaient avoir été faites au marteau. Et il posa une main sur le genou de Clara.

— Je ne vous aurais jamais laissée partir: j'ai tellement besoin de votre amitié! Mais, maintenant, je crois que c'est la meilleure solution pour nous tous.

Il ne put réprimer un frisson qui passa sur sa figure. Clara l'interrompit avec amertume.

— Je porte malheur à tout le monde. Espérons que je serai un rayon de soleil dans la maison de mon frère!

— C'est stupide de dire cela! s'écria-t-il. Personne ne pourra jamais savoir ce que vous avez été pour moi... et combien j'aimais venir dans cette maison, et voir grandir Pauline...

Le sang-froid de Clara l'abandonna tout à coup.

— Pauline m'a tout dit.

Elle rougit.

Renny la regarda d'un air innocent.

— ... Vous a dit quoi?

Elle aurait donné cher pour retirer ses derniers mots. Au lieu de lui répondre, elle regarda le cuir luisant de ses bottes. Eperdument embarrassé, Renny murmura:

— C'est une enfant.

Il revoyait le jour d'orage où, dans cette même pièce, Pauline s'était jetée dans ses bras, et avait formé avec ses lèvres les mots: « Embrassez-moi! »

Torturé de pitié pour elle, il ajouta:

— Elle est trop sensible pour être heureuse. Peut-être sa nouvelle vie sera-t-elle meilleure pour elle.

Mais Clara lui dit:

— Il me semble qu'Alayne... que votre femme... était bouleversée. Pourtant je ne faisais que vous dire au revoir!

— Cela lui a donné un coup terrible, répondit-il avec rudesse. Je ne l'avais jamais vue si... Enfin, elle en est malade. Il n'y a qu'à la regarder pour s'en rendre compte.

— Vous n'auriez peut-être pas dû venir, ce matin.

— Elle ne peut absolument pas le savoir. Et puis il faut qu'elle comprenne que j'ai des questions d'affaires à traiter avec vous, et des dispositions à prendre pour ces deux garnements.

— Je vais mettre tout cela en vente, dit-elle.

Il regarda la pièce autour de lui: les rideaux qu'il avait aidé à suspendre, les gravures qu'il avait accrochées.

— Cela avait été si amusant de vous emménager!

— Oui, n'est-ce pas? Très amusant!

— Le temps a passé vite.

— Je ne peux pas le croire. Tant de choses sont arrivées!

— Oui. Il me semble que mes oncles sont partis hier pour l'Angleterre. Et nous les attendons dans une quinzaine. J'espère qu'il viendront passer tout l'été.

— Et Finch et sa femme, viendront-ils?

— Oui. Finch a besoin de se reposer. Il a trop travaillé, paraît-il, il se sent détraqué. Les nerfs, je pense.

— Est-ce que vous serez content d'avoir une maison pleine de nouveau?

Il la regarda d'un air presque pathétique.

— Je ne peux pas vous dire à quel point! Jalna est comme un tombeau, ces jours-ci. Je suis sûr que d'avoir du monde autour sera bon pour Alayne et moi.

Cette façon d'accoupler leurs noms fit sentir à Clara combien elle lui était étrangère.

— Je crois, dit-elle, que rien ne lui fera autant de bien que de me savoir à cent kilomètres d'ici.

Elle se mit à envisager courageusement l'avenir, à faire des plans pour la sous-location du salon de thé et pour la vente des meubles. Comme toujours, sa résignation calme le tranquillisa, et il s'anima, en lui souhaitant de tirer le maximum de ses affaires.

En haut, Pauline écoutait le flot paisible de leurs voix, folle de curiosité de ce qu'ils disaient. Quand elle entendit Renny quitter la maison, elle se précipita à la fenêtre pour les regarder. Elle vit avec une jalousie mortelle Clara l'accompagner à la barrière, donner de petites tapes sur le flanc luisant du cheval et effleurer presque d'un geste caressant l'un des étriers.

Elle rencontra Clara sur le seuil. Elles parurent stupéfaites de se voir, comme des amies longtemps séparées par une brouille. Clara, essoufflée, lui dit:

— Il reviendra te voir. Il veut te dire au revoir. Il n'en avait pas le courage aujourd'hui.

— Je ne veux pas le voir, cria Pauline avec passion. Je ne veux plus jamais le revoir. Je sais ce qui s'est passé entre vous. J'ai tout compris!

Elle remonta l'escalier en courant.

CHAPITRE VIII

Le retour des oncles

Renny découvrit qu'il avait une affaire à traiter à Montréal le jour de l'arrivée d'Ernest et de Nicolas. Pour la première fois de sa vie, il trouvait l'air de Jalna irrespirable. Une séparation de quelques jours, pensa-t-il, rendrait l'atmosphère plus légère et Alayne, débarrassée de lui, retrouverait sa tranquillité d'âme. Quand il serait hors de sa vue, la faiblesse physique à laquelle il avait cédé lui semblerait peut-être moins hideuse.

En effet, lorsqu'il parla de son projet, elle parut positivement soulagée d'un poids. Et Adeline facilita encore leur attitude à tous deux en réclamant un beau joujou tout neuf. Le départ de son père ne semblait pas compter pour elle, mais seulement ce qu'il lui rapporterait. Et que lui rapporteraient ses oncles, ces oncles dont elle n'avait aucun souvenir? Pour la centième fois, la jeune femme fut frappée par l'égoïsme et la cupidité de sa fille.

Alayne n'avait jamais pu se résigner à ces devoirs de bonne épouse qui consistent à faire les bagages d'un mari. Renny était si adroit et si peu exigeant pour lui-même qu'elle se serait sentie indiscrète.

Pourtant elle avait vu Pheasant s'affairer autour des valises de Piers pour une absence de deux jours, et il avait eu l'air touché de cette attention.

Il n'y avait donc rien d'extraordinaire à ce que Renny fît ses préparatifs seul; mais quand arriva le moment du départ, sous l'œil pénétrant de Wragge, elle dut faire appel à toute sa dignité et à tout son calme.

Elle accompagna son mari jusqu'à la porte. Wright attendait dans l'auto où Wragge avait installé le sac de voyage avec un soin jaloux.

D'un ton désinvolte, elle demanda:

— Quand pensez-vous rentrer?

— Dans la semaine, je pense.

— J'espère que les oncles auront fait bon voyage.

— Oui, je l'espère aussi.

— Qu'est-ce que vous croyez qu'ils m'apporteront? cria Adeline.

Renny l'enleva dans ses bras et l'embrassa.

— Petite coquine! Pourquoi t'apporteraient-ils quelque chose?

Elle le serra à l'étrangler, accrocha à lui ses petites jambes nues, collée comme une sangsue.

— Parce que je suis tellement gentille!

— Qui t'a dit cela?

— Le Bon Dieu. Il m'a dit à l'oreille: « Vous êtes la plus sage de tous les enfants. » Et vous aussi, vous l'êtes, n'est-ce pas, papa?

Il grimaça un sourire à Alayne, et remit l'enfant sur ses pieds.

— Embrassez-le! Embrassez-le, maman! cria Adeline.

Il se pencha, effleura des lèvres les cheveux de sa femme et s'en alla. Toutes deux regardèrent l'auto disparaître. Adeline tenait serrés les doigts de sa mère et sa petite figure était subitement devenue grave. Un soupir s'échappa de la poitrine d'Alayne; et elle trembla de joie. « Presque une semaine! pensa-t-elle. Maintenant que j'ai devant moi une semaine de solitude, je crois que je serai capable de tout supporter. »

Les jours suivants, Adeline parut se rendre compte qu'elle était seule avec sa mère, et que celle-ci avait quelque chose d'anormal. Jamais l'enfant n'avait été aussi démonstrative, aussi affectueuse. Elle accourait sans cesse vers Alayne, enlaçait ses genoux à deux bras et lui riait à la figure. Mais, pour Alayne, il y avait plus de flatterie que d'affection dans ces marques de tendresse et elle voyait dans les yeux de sa fille un regard qui quêtait les compliments, l'admiration. Et pourquoi Adeline parlait-elle aussi peu de son père? Quel instinct l'avertissait qu'il y avait quelque chose de brisé entre ses parents? La petite était déterminée à gagner ses cadeaux en étant sage: elle n'avait jamais été aussi calme et obéissante.

Wakefield n'était guère à la maison que pour la nuit. Chalk, le fils du maréchal-ferrant, se chargeait du poste d'essence et ils avaient à faire ensemble. Il passait une partie de ses journées à Vaughanlands ou avec Piers et Pheasant. Quoique sa famille ne le laissât pas en paix, il aimait ces longues conversations dans lesquelles on mettait tout son cœur à l'épreuve en essayant violemment de le faire changer d'avis. Plus Meg était suppliante, Piers moqueur et Pheasant portée sur les sages conseils que lui dictait sa longue expérience, plus Wakefield devenait inflexible et plus il se sentait heureux dans son austérité. Il se réjouissait d'être encore à Jalna quand ses oncles arriveraient: il attendait d'eux une scène pleine de dignité comme il n'en avait encore jamais vu. Il voulait subir toutes les épreuves possibles, pour être absolument sûr de lui avant d'entrer au monastère.

Ce fut par un jour embaumé de la fin mai que Nicolas et Ernest se retrouvèrent sous le toit de Jalna; une de ces journées radieuses où l'air semble une caresse.

— J'avais oublié, déclara Ernest, qu'il y avait d'aussi beaux jours, Nick. Cela n'existe nulle part ailleurs qu'ici.

Nicolas aspira une profonde bouffée d'air parfumé de trèfle et s'écria:

— Comme c'est bon de rentrer chez soi! Au fond, il n'y a que Jalna au monde. Ma chère Alayne, vous avez l'air morose! Je regrette que vous n'ayez pas fait la traversée avec nous. C'était réellement délicieux.

Ernest aussi pensa qu'Alayne avait besoin de changement. Les longs hivers du Canada étaient très éprouvants. Mais maintenant qu'ils étaient là tous deux, ils allaient l'égayer. Peut-être s'en irait-elle faire une petite visite à sa tante. Ils l'entourèrent, l'un à sa droite, l'autre à sa gauche, exubérants et affectueux, Nicolas un peu plus lourd, un peu plus affaissé, ses cheveux gris encore un peu plus longs;

Ernest plus jeune et plus ingambe que la dernière fois qu'on l'avait vu.

Renny restait un peu à l'écart, lançant des coups d'œil furtifs aux uns et aux autres. Il remarqua avec un profond soulagement qu'Alayne semblait moins lasse et moins découragée. Mais ses yeux évitaient les siens.

Adeline fit irruption, lavée et habillée de frais, les cheveux voltigeant en boucles. Ses oncles n'arrivèrent ni à se rassasier d'elle, ni à la contenter. Elle sautait des genoux de l'un aux genoux de l'autre, et ignora son père jusqu'au moment où, fatiguée, elle se jeta dans ses bras, et lui dit à l'oreille:

— Croyez-vous qu'ils m'aient apporté quelque chose?

Ils avaient en effet apporté des cadeaux pour tout le monde. Piers, Pheasant et leurs trois fils arrivèrent juste pendant qu'on les déballait. Piers examinait son étui à cigarettes, Pheasant faisait tourniquer son bracelet, les enfants étaient assis par terre avec leurs joujoux quand l'auto Vaughan arriva. Meggie apparut, haletante, débordante de tendresse, suivie de Maurice et Patience qui lui donnait la main.

Ernest et Nicolas n'avaient jamais reçu d'accueil aussi cordial, même au temps où leur chère mère vivait encore. Chacun fêtait chaleureusement leur retour, bien que (et, en quelque manière, parce que...) ce fût seulement pour un petit séjour. Pour Renny, ce séjour redonnait de la vie au décor de son existence sans lequel il se sentait instable, sans lequel l'armature de ses jours était fragile. Pour lui, et pour Alayne aussi, ces voix pleines et profondes, qui n'avaient pas vieilli avec les corps, comblaient un peu l'abîme qui les séparait. Quant à Piers et Pheasant, tous deux pensaient que les volontés liguées de leurs oncles réduiraient Wakefield et, pour les Vaughan, la présence des oncles achevait de faire de Jalna un lieu de délices.

Adeline trouvait en eux de nouveaux sommets à escalader, de nouvelles poches à explorer, de nouveaux cheveux à ébouriffer, de nouveaux cous à étrangler. Elle montrait déjà une préférence marquée pour les hommes. Tout en étant aimable pour Meg et pour Pheasant, c'était à Piers, à Maurice, à la partie mâle de la tribu qu'elle prodiguait ses faveurs. Pour Nooky seul elle était une source d'effroi.

Ernest et Nicolas étaient absolument sous son charme.

— La vraie réincarnation de maman, s'écria Ernest.

— Et ce sera une beauté plus tard, ajouta Nicolas. Pour l'instant elle a le nez trop grand et des sourcils trop marqués pour une enfant si petite.

Ernest opina et dit avec regret:

— Je voudrais que nous puissions la voir grandir, Nick!

— Pas beaucoup de chances, répondit son frère d'un ton renfrogné.

— Mais regarde maman! Elle a vécu cent deux ans!

— Oui, et regarde-nous! Nous n'y arriverons jamais.

C'était curieux et touchant de voir Adeline les prendre par la main et les emmener où elle voulait. En les regardant traverser lentement le hall vers le salon, la lumière du vitrail tombant en plein sur eux, Alayne eut un moment la sensation que c'était une reconstitution macabre du tableau qui l'avait tellement frappée quand elle était arrivée à Jalna.

Au sujet de la résolution de Wake, les oncles montrèrent une indulgence invraisemblable, et la famille entière fut consternée de voir le parti de l'opposition privé de cet appui.

— Voyons, voyons, grommela Nicolas, il y a bien pire que les monastères. Pour ma part, je vois bien mieux le mioche dans un monastère que dans un poste d'essence. Cela m'avait tourné le sang, je vous l'avoue.

— A moi aussi, dit Ernest. En Angleterre, on constate un mouvement en faveur de la vie monastique. Des maisons religieuses surgissent dans tout le pays, avec leurs triples vœux de célibat, de pauvreté, d'obéissance. L'époque victorienne a vécu, et la jeunesse se retrouve sans aucun appui. Elle est désemparée. J'avoue que, si j'étais jeune homme, j'aurais un penchant très net pour cette voie.

Il eut avec Wakefield de longues conversations à cœur ouvert. Nicolas était indulgent, mais convaincu que Wake n'y tiendrait pas longtemps. Les deux frères éprouvaient un renouveau de vigueur et de joie au contact de leur famille. Le long automne, l'hiver et le printemps passés dans la maison de leur sœur, sans sa présence habituelle, avaient été pour eux une période de méditations, bien que le fait d'avoir hérité de ses revenus les eût gardés de la mélancolie. Mais maintenant ils prenaient plaisir, non seulement à se sentir entourés de puissantes forces vitales, mais à penser qu'ils avaient l'indépendance matérielle et pouvaient aller et venir à leur guise. En fait, ils avaient loué leur maison en meublé à quelqu'un qui ne demandait qu'à renouveler son bail indéfiniment.

On avait nettoyé leurs chambres avant leur arrivée, et tous les objets que le temps avait patinés brillaient pour illuminer leur retour. Le petit terrier de Renny se toqua de Nicolas et élut domicile dans le fauteuil qui avait été le domaine de *Nip*. Ernest apporta la cage du perroquet dans sa chambre et s'évertua à cajoler *Boney* de mille façons; mais l'oiseau restait silencieux et distant.

Une bonne partie de rires eut lieu quand Ernest découvrit sa dernière manie; mais cette gaieté se changea en admiration quand ils virent la beauté de ce qu'il faisait, et quand ils devinrent les bénéficiaires de cadeaux charmants. En faisant l'inventaire des biens d'Augusta, il avait découvert une tapisserie au gros point commencée d'après un dessin italien aux teintes exquises. Elle avait toujours manié l'aiguille avec talent, et des échantillons de ses ouvrages d'art s'étalaient dans le salon de tous ses amis et connaissances. Mais il y avait autre chose dans cette tapisserie: un effort de hardiesse et de beauté qu'Ernest s'était désolé de voir inachevé. Si bien que ses regrets avaient abouti à un geste. Reprenant l'aiguille d'Augusta avec beaucoup de délicatesse et de soins, il avait continué son ouvrage. Une voisine l'avait aimablement aidé; il avait été le plus intelligent des élèves et, le premier travail terminé, il était allé à Londres pour acheter de nouveaux dessins.

Meggie, Pheasant et Alayne reçurent chacune un échantillon de son travail, et il entreprit de recouvrir les sièges de Chippendale du salon.

Sa vue était excellente, tandis que celle de son frère avait considérablement baissé. Nicolas paressait pendant des heures avec délices dans son profond fauteuil, le petit chien sur les genoux, à regarder la longue figure d'Ernest penchée sur le métier à broder et tous deux discutaient à perte de vue les affaires de tous les membres de cette famille, qui avait pour eux un intérêt toujours nouveau.

CHAPITRE IX

Le retour de Sarah et de Finch

Ils traversèrent le hall de la gare, suivis par des porteurs croulant sous la profusion des bagages de Sarah et par une femme de chambre qui tenait un paquet dans ses bras. Finch se demandait lequel de ses frères serait venu les chercher. Sûrement pas Piers, car c'était l'époque de l'année où il avait le plus de travail; sûrement pas Wakefield qui avait son poste d'essence sur les bras. Il décida que ce serait Renny, toujours disposé à sortir, et il le chercha de l'œil parmi les têtes parquées derrière la barricade. Il lui tardait infiniment de revoir la figure de Renny. Ces neuf mois de séparation lui avaient semblé éternels. Il allongea le pas de ses grandes jambes jusqu'à ce que la voix de Sarah, accablée de chaleur et de fatigue, le retînt.

— Vous n'avez qu'à continuer tout seul, si vous allez à cette allure-là! Je ne peux vraiment pas marcher aussi vite.

Elle avançait de son petit pas glissant que Finch avait raillé autrefois en disant qu'elle avait l'air montée sur roues. Il ralentit avec résignation et la soutint par le coude.

Il ne s'étonnait pas qu'elle fût exténuée. Lui-même se sentait sur le point de défaillir. Leur nuit blanche dans l'étouffante chaleur du train était une expérience qu'ils n'oublieraient jamais. Les vibrations des roues, les cahots et les craquements à chaque départ, à chaque arrêt, lui résonnaient encore dans la tête.

Sarah s'écria tout à coup:

— Le voilà! C'est Piers.

Finch eut une petite déception, mais elle s'évanouit à la vue du sourire accueillant de Piers et de sa figure hâlée dans laquelle ses yeux semblaient incroyablement bleus.

Ils se serrèrent les mains et Piers s'écria:

— Bonjour! C'est à vous, cette montagne de bagages? Sarah, vous êtes fraîche comme un concombre!

Il lui prit le bras de l'autre côté, et ils la conduisirent à l'auto. C'était la voiture dont Finch avait fait cadeau à Piers; et Piers dit d'un air facétieux:

— C'est encore un bon clou, mais je suis prêt à le changer pour le dernier modèle quand tu voudras!

Puis il remarqua que Finch portait des lunettes.

— Par George! dit-il. Tu fais très vedette. Est-ce un genre ou en as-tu vraiment besoin?

— J'ai eu les pires ennuis avec mes yeux, répondit Finch avec nervosité.

Mais ce qui le rendait nerveux, ce n'était pas cette allusion à ses mauvais yeux, c'était le paquet que la femme de chambre avait dans les bras. Piers reconnut la domestique et lui sourit aimablement. Et ce fut alors qu'il s'aperçut que ce qu'elle portait était un enfant endormi qui paraissait deux ou trois ans.

Il changea de visage, ahuri de surprise. Il regarda d'un air stupide Sarah et Finch, ouvrant et fermant la bouche sans pouvoir articuler un son. Sarah prenait un malin plaisir à cette stupéfaction. Finch cherchait en vain ses mots pour expliquer à son frère la provenance de cet enfant. Pourquoi était-ce Piers qui était venu? De toute la famille, il fallait que ce fût justement à lui qu'il dût donner les premières explications! Il se maudit d'avoir cédé au désir de Sarah et à son goût pour le mélodrame. Le mélodrame dans une gare, à neuf heures du matin, et avec une température de quarante-cinq degrés!... C'était inimaginable et pourtant il fallait s'y résoudre. Eh bien! Que Sarah s'explique avec Piers! D'un coup d'œil, il lui délégua la responsabilité. A la fin, Piers s'écria:

— Sans blague! Vous avez été un peu vite, vous deux!

De sa voix douce et lente Sarah répondit:

— C'est l'enfant de votre frère Eden. L'enfant d'Eden et de Minny Ware. Elle nous l'a amené à Paris. Elle était malade et ne pouvait le garder plus longtemps. Alors nous l'avons amené ici.

Piers ne tressaillit même pas. Comme changé en pierre, les yeux fixés sur le visage de Sarah, il essayait de laisser pénétrer en lui la signification exacte de ce qu'elle avait dit. Si elle avait espéré un brusque éclat de colère, elle était déçue. Piers se tourna vers Finch et dit simplement:

— Etant donné l'atmosphère de la maison, vous

ne pouviez rien faire de pire. Renny et Alayne sont à couteaux tirés, Alayne et moi ne nous parlons plus et Eden a beau être mort, il a été sans cesse mêlé à nos querelles. L'entrée en scène de son enfant n'arrangera pas les choses. Il faut être fou pour avoir eu cette idée-là!

— Que voulais-tu que je fasse? répondit Finch d'une voix frémissante. Il n'y avait pas le choix, je t'assure! Minny est venue nous implorer... C'est une femme malade! Elle est en Suisse maintenant.

Piers l'interrompit d'un air presque désespéré.

— N'y a-t-il donc pas de limites aux bêtises malfaisantes qu'aura faites ce garçon?

— Allons, c'est son enfant! dit Finch. Je ne pouvais pas lui refuser ma protection.

— Es-tu bien sûr que ce soit son enfant?

— Regarde-le et tu ne le demanderas plus.

Piers s'approcha de la femme de chambre. Elle ne comprenait pas l'anglais, et roucoulait avec l'enfant qui s'était redressé et regardait autour de lui d'un air effarouché. C'était une petite fille aux traits délicats et au teint brouillé. Elle regarda Piers avec calme, en se penchant languissamment sur l'épaule de la nurse. Piers lui trouva un curieux mélange d'Eden et de Minny. Elle avait l'étrange couleur ardoise des yeux de Minny et ses pommettes saillantes, mais les cheveux luisants et dorés d'Eden et son menton pointu.

Piers cessa brusquement de l'examiner, et monta dans l'auto. Il posa ses mains sur le volant et regarda droit devant lui. Les porteurs avaient installé les petits bagages et Finch dut s'occuper de chercher une camionnette pour apporter les malles. Quand il revint à la voiture, Sarah, la nurse et l'enfant étaient déjà sur la banquette du fond. Il monta à côté de Piers. Il redoutait le long parcours jusqu'à Jalna, se demandant ce qu'il trouverait à dire à Piers pour le calmer. Encore une fois il se maudit de n'avoir pas préparé la famille à l'événement. Il s'en voulut de subir à ce point l'emprise de Sarah. Il subissait trop facilement l'influence de ceux qui l'approchaient, incapable de réagir par lui-même! Il enleva ses lunettes et se mit à essuyer les verres, glissant un regard interrogateur et plein d'humilité du côté de Piers.

— Je te répète, dit celui-ci, que je n'ai jamais vu deux êtres faire quelque chose de plus idiot. Prenez-vous l'entretien de l'enfant à votre charge, ou comptez-vous le confier à Renny? Je voudrais bien que tu me le dises!

— Je paierai ce qu'il faut, mais nous ne pouvons pas l'adopter: Sarah n'aime pas les enfants. Tandis que Renny les aime tant! J'avais pensé qu'il voudrait bien la garder chez lui. A moins que Meggie...

— En tout cas, tu feras bien de ne pas compter sur moi. Je ne m'en chargerai certainement pas.

— Je n'y comptais pas. Tu as déjà trois enfants. Mais Patience est fille unique. Je pensais que peut-être Meggie...

— Meggie a déjà trop de travail avec ses pensionnaires!

— Mais la petite Adeline... Ce serait une compagne pour elle.

Piers éclata d'un rire sardonique.

— Que Dieu ait pitié de cette enfant! Comment s'appelle-t-elle?

— Roma. La pauvre Minny a dit à Sarah qu'elle lui avait donné ce nom parce que la petite avait été conçue à Rome, où ils avaient passé le meilleur temps de leur vie.

— Tstt! Quel nom! Et quand on pense à ce qui le lui a valu! Minny guérira-t-elle?

— J'ai peur que non. Elle était pleine d'espoir, mais elle avait l'air horriblement malade. Un ami, un juif très riche, je crois, a été extrêmement bon pour elle, et elle va se soigner dans les meilleures conditions; mais je crains que le mal n'ait été profond avant qu'elle s'en rendît compte.

— C'est malheureux qu'elle ait eu cette enfant! Je ne crois pas qu'Eden en ait jamais parlé à Renny.

— Eden ne le savait pas. Pour une raison que j'ignore, Minny n'avait pas voulu le lui dire. Crois-tu que Renny va être furieux contre moi?

Le ton sur lequel il posait cette question rappelait tellement son intonation d'enfance quand il demandait: « Crois-tu que Renny va me donner une raclée? » que Piers le regarda avec étonnement. Quel genre d'homme était donc devenu ce curieux petit frère? Piers réalisa qu'il le connaissait peu. Il était marié depuis plus de six mois avec la bizarre créature qu'était Sarah; il avait habité Paris, il avait joué devant des auditoires étrangers et fait parler de lui dans la presse, pourtant rien ne semblait avoir marqué sur lui! Il avait le même aspect mal nourri, la même bouche inquiète, le même geste nerveux pour serrer ses mains entre ses genoux comme pour les empêcher de trembler. Piers en était consterné, et il avait pitié de lui.

— Alors, belle invention, le mariage? lui demanda-t-il.

— Oh! magnifique.

Piers trouva que c'était dit d'un ton bien vague. Il se rappela que Finch lui avait posé une question et il eut tout à coup envie de le rassurer. Aussi répondit-il:

— Je suis sûr que notre vieille Tête-Rouge sera aux anges. S'il y a une chose qui lui plaise au-dessus de tout, c'est de voir le clan augmenter.

— Et Alayne? Comment crois-tu qu'elle le prendra?

— Actuellement je ne crois même pas qu'elle l'accepte!

— Tant pis! s'écria Finch avec agitation. On n'a pas besoin d'elle! Cela n'a aucune importance! C'est moi qui m'occuperai de Roma. Je lui trouverai un foyer. Peut-être Mrs Lebraux voudra-t-elle s'en charger.

— Elle s'en va pour aller tenir la maison de son frère, et Pauline est entrée au couvent.

Cela soulageait vraiment Piers d'assener à Finch cette riposte. Il escomptait encore davantage comme diversion la nouvelle de la vocation de Wake; mais il n'avait pas prévu l'effet de la première de ces nouvelles sur son frère. Finch lui saisit le bras, en s'écriant:

— Ce n'est pas vrai, Piers! Tu plaisantes? Tu ne parles pas sérieusement?

Piers évita de justesse une collision avec un camion. La nurse poussa un cri, et Finch se rejeta dans le coin de la banquette, rouge de honte et le cœur battant follement.

— Pardon, gémit-il. Je suis complètement fou.

Il geignit sous le coup de coude que lui donna Piers.

— Tu aurais mieux fait d'aller derrière avec les femmes et d'asseoir la mioche à côté de moi. Elle aurait plus de sang-froid que toi!

Il regarda Sarah par-derrière pour la rassurer.

— Tout va bien, Sarah. Je ne suis pas ivre, mais votre jeune mari est un peu trop impressionnable.

Piers alluma une cigarette. Sarah demanda, en avançant sa figure pâle et son menton pointu entre eux:

— Que lui avez-vous dit qui l'ait bouleversé à ce point-là?

Piers pensa: « Je suis sûr que c'est un monstre de jalousie. Il faut que je protège ce petit idiot. » Et il dit du coin des lèvres:

— Je lui disais que le sieur Wakefield était entré dans les ordres. Je ne me doutais pas que ce serait un tel choc pour lui!

Finch se dressa sur son siège, galvanisé, puis s'effondra de nouveau sans mot dire.

— Le voilà qui recommence, s'exclama Piers d'un ton jovial. Il vaut mieux le rentrer à la maison!

Il accéléra et ne regarda plus du côté de Finch jusqu'à ce que, d'un rapide coup d'œil, il se fût assuré que son frère avait repris le contrôle de lui-même. Alors il lui donna au hasard des nouvelles décousues de la ferme, des chevaux, des poneys nouveaux, comme s'il pensait que cela dût l'intéresser. Cependant, il demeurait obsédé par la pensée que l'enfant d'Eden était derrière lui. Il avait pourtant bien cru qu'ils étaient tous débarrassés de lui et qu'il n'existerait plus qu'à titre de souvenir lointain; mais non! Son enfant arrivait comme une réminiscence de lui qui grandirait toujours. Il fallait que Finch remportât cette petite fille. Alayne serait de son avis là-dessus, et il la soutiendrait: cette enfant ne devait pas vivre avec eux.

Finch n'aurait pas eu l'idée de mettre en doute l'authenticité de la première des nouvelles que lui avait données Piers, surtout quand il eut appris la seconde. La vérité était cruelle, et elle le jeta dans une profondeur de mélancolie qu'il pouvait à peine comprendre. Il n'était pas sûr d'aimer, ou d'avoir jamais aimé Pauline, mais il sentait sa présence dans sa vie comme une chose merveilleuse. Quand il pensait à elle, c'était toujours avec regret et avec un espoir indéterminé. Elle avait hérité de sa mère le don d'apaiser et de comprendre les hommes. Ni l'une ni l'autre n'incarnait cette haine, cette lutte qui existe entre les sexes. Il avait envié à Wakefield sa longue intimité avec Pauline; il aurait voulu avoir le même âge que lui et grandir auprès d'elle à sa place. Il avait été furieux de leurs fiançailles. Maintenant il était dévoré de curiosité quant aux motifs de leur séparation. Il les imaginait, elle en religieuse et lui en robe de moine; et cette image lui semblait toute naturelle, et même inévitable.

Sarah pestait d'être dans le fond de la voiture avec la nurse et l'enfant. Il aurait été beaucoup plus agréable d'avoir Finch à côté d'elle pour leur première arrivée à Jalna depuis son mariage. Elle était agacée par la servile adoration de la nurse pour le bébé. Quand Sarah, pour qui la femme de chambre n'était qu'une machine à faire les bagages et à entretenir les robes, lui avait demandé de s'occuper de l'enfant pendant le voyage, la Française au visage dur avait accepté avec indifférence; mais dès que l'enfant avait été confiée à ses soins, elle l'avait couverte de caresses débordantes et d'un flot ininterrompu de puérils bavardages. La fille s'était transformée en femme: elle se révélait sous ses vraies couleurs, et celles-ci la rendaient encore plus antipathique à Sarah. Elle se pencha donc vers les deux hommes, et attacha ses regards au profil de Finch. La séduction qu'il exerçait sur elle ne diminuait en rien: elle éprouvait toujours la même émotion quand il plongeait ses yeux dans les siens. Le contraste qu'elle voyait entre lui et Arthur Leigh — son premier mari — dans toutes leurs manières d'être vis-à-vis d'elle, lui était matière à profondes méditations. Et la comparaison était toujours en faveur de Finch. Arthur lui avait donné la richesse, une situation sociale et des voyages; il était charmant à regarder et charmant à vivre, mais il ne lui avait jamais réellement plu. Il était trop vulnérable, trop facilement entraîné ou abattu par son humeur; il dramatisait les simples petites contrariétés, et transformait une gaieté banale en bonheur extasié. Elle avait été si peu gâtée autrefois que les cadeaux somptueux dont il l'avait comblée l'avaient émerveillée, mais ce n'était qu'après sa mort que s'était développé en elle l'amour du luxe, et qu'elle s'était attachée à ses biens. La timidité de Finch et ses brusques sautes d'humeur augmentaient tous les jours l'amour qu'elle avait pour lui. Elle se pâmait de l'entendre parler, aspirait à pénétrer son âme, à connaître les pensées qu'il conservait secrètes. Il était si souvent replié sur lui-même!... Parfois, il oubliait absolument qu'elle était là! Et il lui faisait peu de cadeaux, ayant le sens pratique des Whiteoak, et se disant qu'elle n'avait besoin de rien.

Ils sortirent de la ville, et virent défiler des taches de couleurs mousseuses qui étaient des vergers en pleine floraison. Le lac glissa sur le côté de la route et, bien qu'il ne fût qu'à peine agité, ils sentirent sa fraîcheur. Finch enleva son chapeau et ferma les yeux. Il aurait voulu que Piers s'arrêtât de parler. C'était fatigant de s'appliquer à le suivre. Encore plus fatigant de trouver quoi répondre. Indéfiniment, il se répétait: « Pauline entre au couvent, Pauline se fait religieuse, je ne la verrai plus jamais. Tout est changé pour moi. Je suis seul. »

Nicolas, Ernest et Alayne étaient à la porte pour les recevoir. Piers, avec un air absolument détaché, attendit de voir quel accueil serait fait au nouvel arrivant. Dès qu'ils furent descendus de l'auto, Sarah alla se mettre à côté de Finch et ils avancèrent avec des sourires contraints. L'enfant était assise toute droite dans les bras de la nurse; ses cheveux soyeux, qui n'avaient jamais été coupés, pendaient en mèches inégales sur sa figure.

Les premiers bonjours terminés, Ernest interpella Finch.

— Qui sont cette femme et cet enfant? Piers les a ramassés sur la route?

Finch mourait d'envie de répondre: « Oui, oui. Ils s'en vont. Je ne sais pas qui c'est. » Il vit Piers regarder fixement les oncles; il vit le sourire de Sarah s'évanouir, et ses lèvres remuer sans qu'il en sortît un mot. Alors il prit tout son courage et dit d'une voix cahotée:

— Oncle Ernest, cet enfant est celui d'Eden. C'est Minny Ware qui nous l'a amené à Paris. Minny est extrêmement malade, elle ne pouvait pas la garder avec elle. Eden ne l'a jamais su... Il n'a jamais su qu'il avait une petite fille. C'est moi qui vais m'en occuper.

Ernest, Nicolas et Alayne restèrent pétrifiés. Nicolas ne pouvait pas y croire. Se tournant vers son frère, il demanda avec humeur:

— Que dit-il? Qui est le père de cet enfant?

— Eden, répondit Ernest avec une maîtrise surprenante. C'est un enfant d'Eden et de Minny.

Nicolas restait stupéfait.

— Mais... mais... Eden est mort! Qu'est-ce que cela signifie? Je ne comprends pas.

— C'est l'enfant d'Eden, répéta Ernest, et ses yeux bleu clair cherchèrent la figure d'Alayne pour voir comment elle prenait la nouvelle.

Elle semblait aussi médusée que Nicolas. Elle s'approcha lentement de l'enfant et scruta ses traits, puis elle se tourna d'un air humble vers Piers, à qui elle n'avait pas parlé depuis des semaines.

— Est-ce bien vrai, d'après vous? demanda-t-elle.

Rien ne pouvait toucher Piers comme cette confiance en son jugement. Il regarda Alayne avec une sollicitude presque tendre.

— C'est dur pour vous, dit-il, d'avoir cette enfant à Jalna!

Nicolas répétait:

— Je ne comprends pas.

Sarah sourit avec malice.

— C'est facile à comprendre, dit-elle. Minny Ware est bien une fille à faire cela, et Finch est bien l'homme à venir au secours des gens!

— C'est dur pour Alayne, répéta Piers.

— Cela ne peut en rien gêner Alayne, s'écria fortement Finch. Je pensais simplement qu'elle aurait pitié de cette pauvre petite.

A ce moment, Adeline, qui avait une robe propre pour la circonstance, sortit en courant de la maison. Instantanément, ses yeux découvrirent l'autre enfant et elle ne vit plus personne d'autre. Elle se précipita dessus, essayant de l'arracher des bras de la nurse.

— Mettez-la par terre, ordonna Ernest, qu'on la voie.

L'enfant resta debout, immobile, hébétée mais nullement effrayée. Sa robe, d'une coupe étrangère, était toute chiffonnée contre son corps menu. La nurse l'encourageait dans un français saccadé.

Adeline était transportée par l'apparition de cette petite fille, plus petite qu'elle. Elle l'inspecta avec assurance, rayonnant de joie; puis la saisit par la main et voulut l'entraîner vers la maison. L'enfant se laissait faire timidement.

La voix de Nicolas s'éleva comme s'il avait de la peine à parler:

— Finch! Tu prétends que c'est l'enfant d'Eden et de Minny?

— Oui, oncle Nick.

— Eh bien! Par exemple! Je ne sais pas ce que Renny va dire de cela! Je me le demande!

Tout à coup il s'empara de la petite fille et la porta à bout de bras pour l'examiner.

— Les yeux de Minny et ses pommettes, grommela-t-il. Cela sans aucun doute. Il faut que je parle à Renny. C'est moi qui dois le lui apprendre. Où est-il? Pourquoi n'est-il pas là?

Il restait indécis, portant toujours l'enfant dont les jambes minces aux genoux salis pendaient le long de son corps.

— Où serait-il, dit Alayne, sinon à l'écurie. Une arrivée là-bas est plus importante qu'une arrivée d'ici.

Finch s'écria avec vivacité:

— Je vous en supplie, annoncez-le-lui, oncle Nick. Vous avez raison: cela vous revient.

« Je suis à peine à la maison, pensait-il, je ne suis pas encore entré, et déjà je sens le poids de tous ces êtres sur moi. Je suis tout étourdi. Je ne peux pas me rappeler si j'ai déjà parlé à Alayne ou non. Comme elle a mauvaise mine! »

— Quelle invasion chez vous, Alayne! lui dit-il. C'est assommant pour vous, j'en suis sûr.

— Ce n'est rien, dit-elle.

Et elle l'embrassa affectueusement.

Sarah vint se placer entre eux. Elle regarda Alayne comme pour lui arracher le baiser que Finch lui avait donné.

— Vous avez dû passer un temps exquis en Europe, lui dit Alayne.

— Je déteste l'Europe en elle-même, répondit Sarah. J'y ai trop été trimbalée par ma tante. Mais là où est Finch, tout est merveilleux pour moi.

— C'est ce qui doit être, s'écria Ernest.

Puis il ajouta:

— Je trouve que Nick est bien pressé! Pourquoi n'attend-il pas que Renny rentre, au lieu de se précipiter ainsi?

En effet, Nicolas grimpait dans l'auto, avec difficulté à cause de sa goutte, et portant toujours la petite fille. Piers avait repris sa place au volant.

— Laissez-le faire, oncle Ernie, cria Finch. Il m'enlève un fameux poids!

— Mais j'aurais voulu voir comment Renny accueillera Roma, dit Sarah.

— Oui, dit Ernest. Ce n'est pas juste et pas très gentil pour nous de la lui présenter en cachette.

— En cachette! dit Alayne avec un rire railleur.

Finch pivota vers elle.

— Etes-vous fâchée contre moi, Alayne? demanda-t-il timidement.

— Fâchée? Non. Vous n'y pouviez rien. Vous ne pouviez pas agir autrement. De même qu'Eden ne pouvait pas réellement mourir...

— Avez-vous aussi cette sensation? dit-il. J'éprouve la même chose que vous: je n'arrive pas à croire qu'Eden nous ait vraiment quittés. Surtout depuis que nous avons Roma!

Adeline avait insisté pour monter dans l'auto avec Nicolas et la petite fille. Piers les conduisit tout droit à l'écurie où il savait qu'était Renny. Il le fit prévenir par un garçon d'écurie qui passait avec un baquet d'eau et qui, dans sa hâte, en renversa un peu.

Piers alluma une cigarette et dit par-dessus son épaule:

— Si vous voulez mon avis là-dessus, oncle Nick, je trouve que Finch s'est conduit comme un serin.

— Mais que pouvait-il faire? Minny était excessivement malade, d'après lui.

— C'est possible. C'est également possible qu'elle se soit moquée de lui. En tout cas elle avait des amis riches qui auraient pu s'occuper de la petite. C'est une épreuve pour Alayne, de l'avoir amenée ici.

— Oui, oui. Voyons ce que dira Renny.

— Il ne faut pas beaucoup d'imagination pour le deviner: il va la recevoir à bras ouverts.

La porte de l'écurie fut poussée par le lad et Renny apparut, portant un poulain de quelques heures dans ses bras.

— On me dit que vous êtes ici, oncle Nick, et je voulais vous montrer cela. N'est-il pas magnifique?

Renny était en bras de chemise, les manches retroussées; il avait les cheveux en bataille et un air d'allégresse. Le poulain était tant bien que mal dans ses bras, les pattes trop longues pendantes et le cou arqué, avec l'étrange disproportion de quelque animal préhistorique.

Adeline cria:

— Je veux le voir! Je veux le voir!

Nicolas ouvrit la portière; elle dégringola et bondit auprès de Renny. Elle s'extasia sur le poulain, passa ses mains sur le poil doux et caressa les petits sabots.

Renny regardait avec étonnement l'enfant que Nicolas tenait sur ses genoux.

— Oui, oui, s'écria Nicolas. Je n'en ai jamais vu de plus beau! Splendide petite créature!

— Quel est cet enfant? demanda Renny.

— Eh bien!... C'est Finch et Sarah qui l'ont amené.

— Petit poulain! Petit poulain! cria Adeline. Apportez la petite fille pour le voir, oncle Nick! Elle a envie de le voir! Papa, donnez-le-moi! Je veux le porter.

Renny s'approcha de l'auto sans lâcher l'animal. Il y avait quelque chose de bizarre et d'inquiétant dans la voix de son oncle. Qu'est-ce qui avait pu se passer? Encore une catastrophe!

— Ils sont donc arrivés? dit-il. J'espère que vous m'avez excusé. Il faut que je rentre à la maison?

Il examinait l'enfant qui regardait craintivement le poulain.

— Caressez-le! Caressez-le! cria Adeline.

Nicolas tendit la main et empoigna la petite crinière délicate. Le poulain affaibli restait sans bouger dans les bras de Renny, abandonné aux caresses. Renny renvoya le garçon d'écurie d'un signe de tête.

— D'où vient-elle? demanda-t-il.

Son imagination vagabondait. L'oncle Nick n'aurait

pas eu cet air-là s'il s'agissait de quelque chose d'ordinaire. La figure de l'enfant fascinait Renny. Les pupilles de ses yeux d'ardoise se dilataient d'effroi devant le jeune poulain. Avant que Nicolas ait pu répondre, Piers lança brutalement:

— C'est l'enfant d'Eden! D'Eden et de Minny Ware.

Nicolas le fustigea du regard. Il lui avait coupé son effet. Piers sauta de l'auto et s'excusa:

— Eh bien! Dites-lui tout! Dieu sait que je ne vous disputerai pas cet honneur! Je vais rapporter le poulain à sa mère.

Pendant un instant, Renny, les yeux fixés durement sur le visage de la petite et serrant le poulain dans ses bras, garda son aspect de statue; puis il tendit l'animal à Piers qui l'emporta, doux et résigné, la tête affaissée contre son bras. Adeline, oubliant l'autre enfant, gambadait autour de son oncle et soutenait l'un des petits sabots d'un geste désinvolte et tendre.

— Tu dis que c'est la fille d'Eden?

Renny, d'un coup d'œil, avait jugé que l'enfant était une petite fille et qu'elle avait de la personnalité; déjà, il eût été impossible de parler d'elle comme d'une enfant quelconque.

— Oui. Minny l'a amenée à Finch, à Paris. Elle est malade. Tuberculeuse, j'ai bien peur. Peu de chances qu'elle guérisse...

— Mais Eden n'a jamais parlé d'un enfant!

— Il ne savait rien. Mais regarde-la!

Il sortit l'enfant de l'auto, et la mit dans les bras de Renny. Jambes pendantes, elle aussi, la petite se laissait faire sans résister, abandonnée comme le poulain. Renny l'enveloppa d'un regard aigu. Le visage pâle de l'enfant tressaillit et s'éclaira d'un étrange sourire voilé.

— Par Judas, c'est vrai! s'écria Renny. C'est bien la fille d'Eden. La petite fille d'Eden. C'est merveilleux! C'est renversant! Mais c'est vrai! Oncle Nick, oncle Nick, je ne peux pas vous dire ce que... C'est comme s'il nous parlait encore! Dieu! je ne peux pas vous dire ce que je suis heureux d'avoir son enfant. Eden a tellement souffert... et il est mort, on se demande pourquoi. Et je pensais toujours qu'il avait disparu sans rien laisser de lui qu'un souvenir triste... mais maintenant... cette petite fille...

Il pressait l'enfant contre son épaule, et penchait la tête sur les cheveux embroussaillés. Elle enroula ses bras autour du cou de Renny, et se blottit contre lui avec un air de soumission ravie. Nicolas reprit la parole.

— Finch se charge de la dépense et je suis tout à fait d'accord pour l'aider. Je suis heureux, au fond, qu'il l'ait amenée ici. Je pense comme toi pour Eden. Mais qui va s'occuper d'elle? Meggie la voudra-t-elle? Je me le demande.

— Meg a bien assez à faire. Elle ne pourrait prendre un autre enfant, même s'il avait une nurse. Non, non: sa place est à Jalna. J'aime avoir des mioches autour de moi, et ce sera une compagne pour Adeline.

Nicolas tirait le bout de sa moustache grise.

— Mais as-tu pensé à Alayne? demanda-t-il.

Le désespoir de sa femme apparut devant Renny, comme un grand rideau noir qu'il pouvait toucher.

— J'en aviserai avec elle, dit-il.

CHAPITRE X

Les vents tournent

Ce désespoir lui parut également tangible quand il trouva Alayne seule dans la salle à manger, en train de compter l'argenterie. Elle rangeait les cuillers et fourchettes par rangs de taille. Quand elle le vit entrer et fermer la porte derrière lui, elle s'arrêta et leva les yeux vers lui, mais attendit qu'il parlât. Il sentait son cœur battre violemment. Loin d'elle, il oubliait le pouvoir qu'elle avait de lui enlever tous ses moyens. Pour se donner de l'assurance, il lui dit:

— Vous comptez l'argenterie? Il manque quelque chose?

Elle saisit une cuiller à thé toute mince et tout usée, dont on ne voyait presque plus le chiffre.

— Une de celles-là, dit-elle. Mais elle ne doit pas être loin. Cette Bessie est tellement désordre! Ce sont celles que vous aimez le mieux, je le sais.

Elle parlait bas et d'un ton poli.

— Oui, je les ai toujours aimées.

Il en prit une et la passa contre sa joue.

— Elles sont si douces et si jolies! J'espère qu'on retrouvera celle qui manque!

— Oui, je l'espère aussi.

Elle continua ses rangements, et il resta à la regarder, sensible au parfum délicat de ses cheveux et de sa chair — et à son air délibérément hostile.

Quand elle eut méticuleusement rangé la dernière fourchette à poisson dans l'écrin, elle rompit le silence.

— Je sais exactement ce que vous allez dire. Aussi, je vous en prie, ne vous torturez pas à chercher comment tourner la chose. Inutile de faire des finesses avec moi.

« C'est parce qu'elle souffre qu'elle est aussi décourageante, pensa-t-il. Je ne peux rien dire comme je voudrais. Je ne peux pas me rapprocher d'elle. »

— Bon, dit-il. Mais si vous savez si bien de quoi je veux vous parler, qu'avez-vous à répondre vous-même?

— Rien.

Elle se décida à le regarder; ses yeux étaient devenus glacés et indifférents.

— Faites exactement ce que vous voudrez. Ce ne sera pas la première fois!

— Quelle brute suis-je donc à vos yeux! dit-il amèrement.

— Non. Mais vous avez toujours fait ce que vous vouliez. Vous ne pouvez pas dire le contraire.

— Eh bien! si! dit-il énergiquement. Quand je regarde ma vie, il me semble que je n'ai eu que des ennuis et des contrariétés.

— J'avoue que c'est exact; mais je ne serai plus désormais une gêne ni une contrariété pour vous.

— Vous n'allez pas vous opposer à ce que cette enfant vive avec nous?

— Puisque je vous dis que je veux ne plus être une cause de gêne pour vous!

— Je voudrais vous remercier, répondit-il gravement; mais comment faire? Vous rendez toute reconnaissance impossible.

Puis, malgré lui, la chaleur revint dans sa voix, et il dit ardemment:

— Alayne, je crois vraiment que nous ne regretterons jamais de l'avoir prise. Après tout, vous avez aimé Eden autrefois et il vous a aimée. Je crois que la pire chose qu'il vous ait faite a été de me laisser sa place.

La bouche d'Alayne commença de trembler.

— Non! cria-t-il. Je ne peux pas supporter cela.

— Prenez la petite ici! gémit-elle, prenez-la.

— Pas si cela vous bouleverse à ce point!

Elle se raidit; ses mains serraient nerveusement les cuillers.

— Sa présence m'est complètement égale. Quoi qu'il arrive, maintenant...

Il eut un frémissement d'épaules désolé. Alayne recommença à compter les couverts machinalement, marmottant des mots inintelligibles.

Il sortit et resta dans le hall. « Quelle existence! pensait-il. Tout est irrémédiablement fichu! Je ne vois pas comment tout cela a pu arriver! Clara sur le point de partir... Pauline et Wake partis... Alayne qui me déteste... L'enfant d'Eden ici... Si je voyais comment sortir de là... Et cette Sarah, avec sa figure de plâtre... et l'hypothèque... Drôle de nom, Roma! Pauvre petite bonne femme!... Je vais aller la voir... Dieu! Que j'ai mal à l'épaule! »

Il monta et trouva l'enfant dans la nursery où Adeline avait étalé tous ses trésors devant elle. La petite fille regardait avec méfiance et les trésors et leur donatrice, mais, quand elle vit arriver Renny, elle se précipita vers lui en levant ses yeux d'ardoise, et sa figure s'éclaira d'un sourire. Il la prit sous les bras et la souleva. Elle ne pesait rien.

— Mais tu es un moustique! dit-il. As-tu jamais mangé à ta faim?

— Prends-moi! Prends-moi dans tes bras! cria Adeline en frottant son épaule grassouillette contre la main de son père.

Mais ce n'était nullement par jalousie. Elle avait une sûreté d'elle-même bien rare chez une enfant, et qui confinait à l'arrogance. Elle donnait ses faveurs ou les refusait; elle était douce comme du miel ou éclatait en tempêtes; mais elle se sentait toujours au centre de l'univers. Elle mangeait, buvait, dormait, se laissait gâter ou punir, avec la même assurance inébranlable. A côté d'elle, Roma paraissait fragile comme une coquille d'œuf, et ses cheveux blonds étaient comme des rayons de lune, auprès du blond ardent des boucles d'Adeline.

Les premières semaines, Roma ne parla presque pas; puis elle se mit à dire quelques mots dans un mélange curieux de français et d'anglais qui enchantait Adeline. Elle s'empara des mots français avec délices, déclarant qu'elle les avait inventés. Les deux enfants étaient devenus inséparables, Adeline plus gonflée d'importance que jamais, Roma lui obéissant en tout.

Renny ne les voyait pas une fois jouer ensemble

sans éprouver une nouvelle surprise et une satisfaction de plus en plus profonde à l'idée qu'Eden avait envoyé cette part de lui-même pour qu'elle fût élevée et choyée à Jalna. Le lien brisé était reforgé, et le cercle complet.

Il abandonna tout espoir de se faire pardonner d'Alayne, et passa la plupart de ses journées dans les écuries. Il avait acheté la jument dont il avait parlé à Alayne. Il l'avait achetée contre le conseil de Maurice, contre celui de Piers, et même contre son propre jugement, car, bien qu'elle eût été offerte à bas prix, elle avait déjà la réputation d'être une nature ombrageuse, et la folle habitude de marcher sur ses deux postérieurs quand elle était exhibée en concours. C'était une belle alezane à la crinière et à la queue blondes, et de jambes si longues, de cou si long et de tête si menue qu'elle avait l'air sortie d'une vieille gravure plutôt que d'une écurie d'Ontario. Ses grands yeux larges et fiers exprimaient une crainte qui n'était pas sans noblesse, comme si elle ne s'était pas encore accoutumée au monde étrange dans lequel elle se trouvait. Son regard glissait d'un box à l'autre, observant prudemment ses nouveaux compagnons et, de ses naseaux mobiles, elle flairait la chair de son nouveau maître. La possession de cette jument et les embûches qui guettent l'entraîneur étaient pour Renny une diversion aux insolubles difficultés de sa propre existence.

Finch éprouvait un soulagement presque douloureux de se retrouver à Jalna. Ses autres absences n'étaient rien en comparaison de la dernière. Celle-là l'avait déraciné, jeté dans une vie nouvelle et déconcertante. Il avait lutté pendant des mois contre la torture de ses nerfs malades. Maintenant il allait se reposer, rapprendre à dormir; ses douleurs dans le cou et les tempes allaient disparaître. Il plongerait son âme dans la fraîcheur profonde des bois, tenterait d'oublier le souvenir de tout ce qu'il avait souffert.

Il éprouvait une telle délivrance et il était si fatigué, la première semaine, qu'il dormit réellement beaucoup mieux. Il sentit que ses nerfs surmenés se détendaient. Il parlait, sans trop savoir ce qu'il disait, mais on trouvait un sens à ses paroles. Il n'avait pas l'apparence d'être malade. Indéfiniment il arpentait les sentiers des bois et des champs, s'attardait à suivre le travail des ouvriers de la ferme, restait à regarder Renny, Piers et Mooey entraîner les chevaux. Il marchait encore quand toute la maison était plongée dans l'ombre et quand les chiens d'écurie aboyaient au bruit de ses pas; mais il ne mettait jamais un pied hors des limites de Jalna.

A la fin de la semaine, il eut envie de voir son vieil ami Georges Fennell, le fils du pasteur. La conversation avec Georges était si facile et Georges toujours si attentif et si calme! Tandis que Finch n'arrivait pas à comprendre le changement qui s'était produit chez Alayne. De loin, il avait aspiré à l'heure où ils seraient seuls ensemble: il était sûr qu'elle le comprendrait. Mais elle avait tellement changé, elle s'était comme repliée sur elle-même. Elle était presque toujours silencieuse maintenant, et, tout en ayant l'air d'écouter attentivement ce qu'il disait, elle répondait n'importe quoi. Son visage demeurait fermé, et elle ne faisait rien pour encourager Finch à lui ouvrir son cœur.

Il n'espérait pas parler à Georges Fennell comme il aurait pu le faire avec Alayne, mais il aspirait au réconfort que lui donnait la présence de ce vigoureux garçon et, un soir de chaud crépuscule, il partit chez le pasteur, en traversant les champs et en suivant la route pavée qu'il s'attendrissait de revoir poussiéreuse comme il l'avait connue dans sa jeunesse.

Il trouva Mr Fennell au potager, en train d'arracher des pommes de terre. Le vieil homme était en manches de chemise; la chaleur faisait friser et reluire sa barbe maintenant grisonnante. Les années avaient donné de la couleur à son teint. Il rayonna de plaisir en voyant arriver Finch.

— Enchanté de vous revoir, dit-il en lui tendant une main tachée de terre. Nous sommes tous fiers de vous, Finch. Vous devenez un grand homme, dit-on. Bien, bien, c'est parfait. Oui, parfait.

Finch plongea sa main dans celle du pasteur. Il sentait la mince pellicule de terre entre leurs paumes et il aurait voulu s'accrocher à cette main étrangère. Il aurait voulu qu'elle l'entraînât très loin hors de lui-même. Mais Mr Fennell retourna à sa bêche et répondit aux phrases d'accueil bégayantes de Finch:

— Je suppose que vous voulez voir Georges? Je crois que vous le trouverez dans sa chambre. Vous avez de la chance d'être arrivé avant qu'il sorte!

Une lueur de malice passa dans les yeux du pasteur, tandis qu'il déterrait une pelletée de petites pommes de terre jaunes.

Georges était dans sa chambre — une mansarde où régnait une chaleur étouffante. Il se changeait et venait de mettre un pantalon d'un blanc de neige et une chemise de soie mauve. Sa bonne figure carrée suait la chaleur et la volonté calme. Elle s'éclaira comme celle de son père, en voyant entrer Finch, mais il avait une sorte de mystère derrière son sourire.

— Il faisait une chaleur d'enfer en ville, dit-il. On ne s'en doute pas ici. Les pavés fondaient, les autos empestaient. Je me suis fait piquer par un tas de moustiques en restant assis au bord du lac, hier soir, et cela me démange!

Il passa de la brillantine sur ses cheveux rebelles et les brossa pour les aplatir.

— Mais, dit Finch, si tu sors, je ne veux pas te déranger.

— Oh! J'ai le temps de bavarder un peu avec toi.

Georges avait changé. Lui qui avait toujours été d'un agréable laisser-aller dans sa mise, était maintenant astiqué, luisant comme un ruban neuf. Et ses ongles! Ils étaient propres, polis, et voilà qu'il les polissait encore! Pour la première fois de sa vie, Finch trouva quelque chose de suspect chez son ami.

D'un air gêné, il lui dit:

— Je ne veux pas te retarder, Jarge!

Il pensait que cette vieille plaisanterie familière les rapprocherait.

— Je ne fais qu'entrer et sortir.

— Entendu, dit Georges en rapprochant sa figure de la glace.

Finch s'effondra dans le coin affaissé du divan,

enleva ses lunettes et se frotta les yeux. Georges n'avait même pas remarqué qu'il portait des lunettes.

Il demanda à Finch comment allait Sarah, s'il était content de son voyage en Europe et si ses concerts avaient été radiodiffusés en Angleterre. Puis, après un silence pendant lequel Georges suspendit ses vêtements de ville sur des portemanteaux, il dit en rougissant :

— Je voudrais que tu fasses la connaissance de Sylvia. Je lui ai beaucoup parlé de toi, elle meurt d'envie de te connaître.

Alors, c'était cela! Sylvia! Et voilà pourquoi c'en était fait de leurs confidences et de leur amitié! Finch écouta tout ce que Georges avait à lui dire de Sylvia; il regarda trois photographies d'elle et une demi-douzaine d'instantanés. Il accompagna même Georges jusqu'à la porte de Sylvia, mais il refusa d'entrer. Il la vit à la dérobée qui attendait Georges sous la véranda. Ils étaient fiancés.

CHAPITRE XI

Le novice

La maison sans Wakefield semblait très étrange à Finch. Wake n'avait jamais quitté la maison; il y avait occupé une place prépondérante. On l'entendait sans cesse claironner ses opinions, se plaindre, ou parler pour le plaisir de s'entendre. On voyait sans cesse son corps fluet glisser le long des corridors, entrer à pas de loup dans les pièces, ou détaler pour fuir les punitions. Son amour pour Pauline l'avait rendu plus homme et moins intéressant. Avec sa désinvolture naturelle, son absence de scrupules et ses airs protecteurs, il avait exaspéré et ébloui Finch, qui enviait secrètement son assurance. Il le revoyait bébé, assis sur les genoux de Gran, nullement effrayé par elle, jouant avec ses boucles d'oreilles et ses bijoux, chiffonnant son bonnet. Ou bien couché, pensif, après ses crises cardiaques. Maintenant il était parti!

Que s'était-il passé entre lui et Pauline? Pourquoi avaient-ils rejeté leur amour comme un vêtement qui ne leur allait plus, pour endosser des robes de religieuse et de moine? Chose curieuse, la nouvelle de l'entrée au couvent de Wake le frappait plus que la vocation de Pauline. Il s'efforçait d'imaginer les étapes que Wake avait dû franchir pour en arriver là. Sans aucun doute avait-il reçu un terrible choc spirituel; sinon il n'aurait jamais renoncé au monde, si jeune, si inexpérimenté. Finch découvrait au profond de lui une sorte de sentiment de délivrance à l'idée que Pauline et Wake avaient rompu leurs fiançailles. Peu à peu, il accepta de voir Pauline à genoux devant un crucifix, et vêtue en religieuse.

Il parvenait à penser à elle avec calme, mais la vocation de Wakefield restait lourde de mystère et presque impossible à supporter. Il se mit à penser à lui comme on pense à un mort. Il se réveilla une fois en pleine nuit, convaincu que Wakefield était réellement mort et que la famille, décrétant que ses nerfs ne résisteraient pas à cette nouvelle, s'était concertée pour inventer l'histoire de l'entrée de son frère au couvent.

Il sortit de son lit sans réveiller Sarah et gagna la chambre de Renny. Il entendit le tic-tac sonore du réveil et le doux ronronnement du jeune terrier d'Ecosse. Renny respirait fort et profondément. « Quelle respiration! se dit Finch. Pour respirer ainsi, faut-il qu'il ait l'âme en paix! » Il s'approcha du lit et tendit sa main dans le noir. Il toucha le petit terrier qui, enchanté par cette caresse nocturne inusitée, tourna son petit ventre rond et chaud, et commença à frétiller. Finch appuya ses doigts sur le jeune chien et sentit les douces pulsations de son cœur.

— Renny, dit-il. Renny!

— Oui. Qui est là?

— Finch. Je voudrais te demander quelque chose. Puis-je allumer?

Finch sentit l'effort que Renny faisait de tout son être pour lui répondre. Il bredouilla:

— Oui.

Et mit son bras sur ses yeux que la lumière éblouissait. Finch aperçut un instant la bouche de son frère, privée de la garde habituelle de ses yeux; il eut envie de se pencher et de l'embrasser.

Mais le regard marron fut vite sur lui, et Renny lui demanda brusquement:

— Qu'est-ce qui ne va pas?

De nouveau il était sur son piédestal, et Finch redevenu un collégien.

— C'est à propos de Wake, répondit-il en s'efforçant de garder une voix calme. Je crois que vous voulez me tromper.

— Te tromper?

Renny se dressa, pour mieux le voir.

— Oui, je crois que Wake est mort, reprit Finch d'une voix creuse. Et même, j'en suis sûr. Vous avez inventé cette histoire de couvent pour me tromper. Vous croyez que je ne suis pas en état de supporter la vérité. Mais — je viens te le dire — il faut que je la sache.

Renny arrêta d'un rire ces mots incohérents. Mais il regarda Finch d'un air inquiet, en répondant:

— Je te crois en état de recevoir une bonne fessée, et tu n'y couperais pas si tu avais dix ans de moins. Tu dis des idioties. Wake mort! Dieu me damne! Qu'inventeras-tu, la prochaine fois?

Il sauta de son lit, en pyjama rayé, alla jusqu'à sa commode et fourragea dans un tiroir.

— Tu dois trouver que nous prenons la chose bien froidement!

— Vous êtes tous tellement changés! Il y a quelque chose qui ne va pas dans la maison, je le sens bien.

— Hum... Eh! oui. Cela nous déprime de le savoir cloîtré ainsi. Mais mort! Tiens, voilà une de ses lettres. Lis-la.

Il mit une page, couverte de la petite écriture irrégulière de Wake, dans la main de Finch, qui se pencha sur la lettre, les creux des joues accentués par la lumière du plafond. C'était la simple confidence d'un enfant heureux dans sa nouvelle vie — une lettre de collégien, quoiqu'elle se terminât par une exhortation à convertir ses frères.

Finch rendit la lettre, et murmura, l'air un peu honteux:

— C'est très bien. Je le vois maintenant. Je ne sais pas ce qui m'avait mis cette idée-là dans la tête! Je ne vais pas bien, Renny. J'ai les nerfs dans un état fou.

Il n'osait pas regarder Renny en face. Le terrier, assis, leur souriait. Une mince brèche marquait l'endroit d'où sa dent de lait était tombée. Il avait une oreille dressée et l'autre pendante, et les pattes de devant comme pliées sous le poids de son petit corps replet.

Renny le repoussa, pour rentrer dans son lit.

— Maintenant, va retrouver Sarah, dit-il, et oublie cette idiotie. Tu iras mieux dans quelque temps. Un mois à Jalna fera de toi un autre homme.

Finch mit la main sur le bouton électrique et

regarda avec envie le ménage de l'homme et du chien.

— Je regrette infiniment, Renny, de t'avoir dérangé ainsi. Je suis vraiment stupide... Tu vois, ajouta-t-il en mettant sa main sur sa tête, c'est ici que j'ai mal. Cela me fait trouver un air extraordinaire à tout.

— Névralgies. C'est l'avis du docteur, n'est-ce pas? Surmenage nerveux. Tâche de ne pas y penser: cela passera.

Finch le regarda, du fond de sa cage de douleur, et dit d'une voix enrouée:

— Je l'espère. Je ne peux pas continuer ainsi. Cela devient de pis en pis.

— As-tu jamais essayé un liniment?

— Je me suis frotté avec du baume analgésique, mais j'ai mal dans toute la tête...

— Regarde sur le rayon du haut de ma petite armoire. Il y a une bouteille assez grande, avec une étiquette tachée. C'est un remède qui m'a été donné par un vétérinaire — un vieux remède écossais. J'en ai employé des litres pour mes chevaux et mes hommes. Je m'en sers toujours pour mes grooms quand ils reçoivent un coup de pied. Cela pue comme le diable, mais ça agit comme un charme.

Finch alla jusqu'à la petite armoire qu'il avait toujours vue là collée au mur, contre le papier déteint. Il se souvenait du mystère que cette armoire représentait pour lui quand il était petit et comment il avait été surpris un jour en train d'explorer le fond d'une bouteille de laudanum, ce qui lui avait valu une fessée mémorable. Son casque de douleurs s'était allégé pour l'instant. Il aspira profondément l'odeur du liniment.

— Frictionne-toi bien, dit Renny. Ce n'est pas cela qui t'abîmera les cheveux.

Finch obéit. Il se sentait à la fois fatigué et pleinement rassuré. Sous l'œil de Renny, réconforté par les conseils et la cordialité de son frère, il se frictionnait consciencieusement. Cela lui piquait et lui brûlait les yeux, mais il endurait piqûres et brûlures, et la douleur s'éloignait.

Comme il n'arrêtait pas de frotter, de ses doigts forts et osseux:

— Bon Dieu! s'écria Renny. Tu vas t'arracher la peau! Va donc te coucher. Mais tu ne peux pas retourner auprès de Sarah avec cette odeur d'étalon malade. Tu n'as qu'à aller coucher dans ton ancienne chambre. Le lit ne doit pas être fait. Prends le couvre-pieds qui est sous le chien. Prends aussi ce liniment; tu peux le garder, j'en ai une autre bouteille. Bientôt tu seras tout à fait guéri.

D'un sourire, il découvrit sa forte denture. Oh! Quel merveilleux et puissant réconfort émanait de lui! Finch en aurait pleuré de joie. Il pressa la bouteille noire contre sa poitrine et s'enfuit jusqu'à l'escalier du grenier. Il redevenait un enfant dans cet étroit escalier sombre. La fenêtre de sa chambre se découpait en gris contre l'obscurité. Elle était ouverte et un brouillard froid pénétrait jusqu'au lit. Mais cela n'avait aucune importance. Rien n'avait d'importance. Sa douleur se calmait; elle dormait comme un serpent dans son nid, quelque part au centre de sa tête. Il tâta du bout des doigts les points douloureux de sa nuque. Il les sentait frémir sous le contact. Et, chaque fois qu'il les touchait, il était sur le point de crier, comme s'il avait tambouriné sur les touches trop sensibles de quelque horrible instrument de musique.

Il appuya sa joue contre la paume de sa main et resta sans bouger, se laissant envahir par la nuit paisible et froide. Elle s'étendait sur lui comme une aile et il ne souffrait plus. Seuls les points douloureux subsistaient. Il resta immobile et apaisé, comme du temps de sa jeunesse, quand la nuit le protégeait après un jour de désarroi ou de malheur. Il avait partagé cette chambre avec Piers jusqu'au mariage de ce dernier. Il pouvait presque sentir encore le corps vigoureux de Piers auprès du sien, à la fois effrayé et protégé par cette présence.

La vigne vierge, qui avait toujours tapé contre la fenêtre quand il y avait du vent, commença à lui parler. Les ombres se répondaient l'une à l'autre, la prime aube dissipait les ténèbres. Oh! la paix de sa chère vieille chambre! Comme elle le reposait! Il l'attirait sur lui, elle s'enroulait d'elle-même autour de lui.

Il écartait volontairement la pensée de Sarah. Elle était juste à la porte de sa conscience, attendant la première occasion d'entrer, prête à se faire mince comme une lame de couteau s'il le fallait; mais il se détournait paisiblement d'elle. Il avait la tête vide. Et il glissait enfin dans le sommeil quand, non pas l'image de Sarah, mais Sarah en chair et en os se glissa dans la chambre et se pencha sur le lit.

— Pourquoi m'avez-vous quittée? murmura-t-elle.

Il garda les yeux fermés, affectant d'être endormi, mais elle voyait qu'il était réveillé.

— Pourquoi êtes-vous venu ici? demanda-t-elle.

Et ses nattes noires tombèrent sur lui.

— J'avais mal, répondit-il sans ouvrir les yeux. Je sentais la pharmacie.

Elle renifla de plus en plus près. Le bout de son nez froid toucha la figure de Finch.

— Cela ne me gêne pas. C'est plutôt une bonne odeur piquante.

— Cela pue. Allez vous recoucher, Sarah.

— Non. Cette odeur ne me gêne pas du tout. Je vais rester ici. J'aime cette chambre: vous y avez passé votre jeunesse...

Il la gronda, presque menaçant.

— Il n'y a pas de draps. Je suis sur le matelas.

Elle rit de telle sorte qu'il vit toutes ses petites dents.

— Cela m'est égal. Ce sera très drôle de coucher sur le matelas. Je dormirais par terre pour être avec vous, vous le savez bien.

Elle se glissa sous le couvre-pieds et se serra contre lui.

— Vous allez être malade. J'empeste le cheval.

— Cela n'a aucune importance.

Elle se blottit plus près de lui.

Finie la paix! Mais il s'endormit. Le matin il se sentit mieux, et il décida d'aller voir Wakefield le jour même. Ernest y était allé déjà, et rêvait d'y retourner. Sarah se disposait à les accompagner, mais Nicolas leur ordonna de laisser Finch aller tout seul.

Il pouvait s'énerver, leur dit-il, s'il avait tout le temps quelqu'un avec lui, s'il se sentait harcelé par une présence perpétuelle. Il lui fallait de la solitude. La tête léonine de Nicolas, sa voix profonde et ses rides donnaient du poids à ce qu'il disait. Finch prit un train après le petit déjeuner, et arriva au monastère de bonne heure après le repas de midi.

Il se sentait très nerveux en attendant à la petite porte basse dont le soleil avait fait éclater l'affreuse peinture brune. Mais, avant qu'on lui eût ouvert, Wakefield accourut sur le gazon desséché et le prit dans ses bras.

— Bonjour, Finch! Bonjour, bonjour! Quelle joie de te voir! Je lisais là-bas, sous cet arbre; tout à coup j'ai regardé en l'air et je ne pouvais pas en croire mes yeux. J'ai attendu ta visite tous les jours.

Finch lui serra la main et le regarda au visage pour voir s'il avait changé. Wake semblait plus vigoureux qu'il ne l'avait jamais été. Ses yeux paraissaient moins démesurément grands, tant il avait les joues pleines et le teint bruni comme un fruit mûr. Seule l'expression de sa bouche était devenue un peu plus grave, plus réfléchie. Et son nez prenait la ligne arquée des Court. Il regarda Finch lui aussi en souriant et lui demanda:

— Comment me trouves-tu là-dedans?

Il rassembla d'une main les plis de sa robe, et fit quelques pas dans l'allée, d'un air que Finch ne jugea pas dénué d'un peu de sa vanité d'autrefois.

— Cela me fait un drôle d'effet, dit-il, mais je pense que je m'y habituerai. Tu as l'air heureux.

— Je le suis. Plus que je ne le croyais possible.

— Mais tu as toujours été un garçon heureux. Je veux dire que tu as toujours été sûr de toi, et...

Finch hésita sur le mot.

— Et fanfaron, souffla Wakefield. Je sais exactement l'idée que tu devais avoir de moi. A la vérité, j'étais plein de toupet, mais pas réellement heureux. J'étais trop égoïste pour l'être. Maintenant j'ai abdiqué ma personnalité. Viens sous mon arbre, nous allons causer.

Il prit Finch par le bras et l'entraîna vers un banc, devant un marronnier qui jaunissait prématurément. D'autres silhouettes sombres déambulaient tout autour d'eux, certaines minces comme Wakefield, d'autres trapues ou arrondies.

C'était évidemment une heure de récréation. Les uns se promenaient en groupes, d'autres s'étaient assis pour lire. Sur le banc où était Wake avant qu'il arrivât, il y avait un livre de saint Thomas d'Aquin. Finch le prit et caressa la reliure usée.

« Si je pouvais savoir ce qui se passe dans sa tête! pensait-il, et qui l'a amené à cette étrange détermination! Quelle part de vrai y a-t-il dans son bonheur et quelle part de comédie? Mais je suis une brute de douter de lui un instant. Il est absolument sincère. L'expression de ses yeux, même ses gestes... »

Il lui dit doucement:

— Je voudrais que tu me dises quelque chose, Wake. Je croyais que tu étais terriblement entiché de Pauline. Qu'est-ce qui a changé tes sentiments? Cela ne t'ennuierait-il pas de me le dire?

— Eh bien! Tu sais, Finch, j'ai toujours été assez

religieux. Te rappelles-tu comme je priais pour ma grand-mère quand j'étais petit? Naturellement c'était de la pose, et je faisais cela pour agacer mes oncles; mais cela montrait que j'étais très porté sur la prière. Puis la période de prières a cessé, et je me suis mis à faire des vers. Mais je n'étais pas vraiment poète comme Eden. Pour moi ce n'était qu'une crise; elle a passé. Après je suis tombé amoureux de Pauline, et tout a changé. Ce que je voulais par-dessus tout, c'était l'avoir pour moi seul. Je voulais travailler, gagner assez d'argent pour me marier. Et j'ai travaillé, n'est-ce pas?

— Oui, répondit Finch, tu as travaillé diablement dur.

Wakefield eut l'air enchanté.

— Tu es le premier qui en convienne, Finch. Mais j'ai eu beau travailler dur, j'étais toujours considéré comme un farceur qui ne peut pas faire un métier d'homme. J'ai travaillé dur au garage aussi. Et plus tard je travaillerai durement pour enseigner. Il y a une tâche énorme à accomplir.

Il avait l'air capable d'en assumer sa part.

« Ce novice, se demandait Finch, est-ce vraiment Wake? Est-ce Wake qui est dans cette longue robe noire? Suis-je bien Finch? Sommes-nous assis ensemble sous ce marronnier avec ces hommes noirs comme des corbeaux qui tournent autour de nous? Si je ne souffrais pas autant, je pourrais peut-être croire tout ce qu'on voudrait... Je pourrais croire en Dieu, si cette douleur et ces maux bizarres quittaient ma tête. »

Il prit le livre de saint Thomas d'Aquin et l'ouvrit. Le texte se brouilla devant lui. Il enleva ses lunettes et se frotta les paupières, essaya encore une fois de lire. Il voyait bien les lettres, mais il en voyait deux de chaque. Alors, il regarda Wakefield et aperçut ses traits grotesquement dédoublés. Il ferma les yeux.

— Tu ne vas pas bien, Finch?

La voix de Wake était chaude de sympathie.

— Je vais très bien, dit Finch d'un ton bourru. Juste un peu fatigué. Ces concerts m'ont exténué.

Wakefield posa sa main brune sur le genou de Finch.

— Si tu n'étais pas marié, je ne te laisserais pas repartir. Je n'aurais pas une minute de repos avant de t'avoir converti. Tu serais si heureux dans la vie que je mène! Tu n'es pas fait pour les stupidités et les excitations futiles du monde. Tu ferais un usage merveilleux de ta musique. Et, si je pouvais t'avoir près de moi ici, eh bien! je serais au comble du bonheur.

« Jusqu'à quel point est-il sincère dans tout cela? pensa Finch. Est-il seulement enthousiasmé par la nouveauté, ou a-t-il réellement trouvé quelque chose qui durera toujours? »

Il lui demanda:

— Qu'est-ce qui t'a décidé, Wake? Lequel de vous deux... enfin, je veux dire... tu n'as pas dû renoncer à Pauline de ta propre et libre volonté!

— Non. Pas de la mienne, dit-il. De celle de Dieu.

Finch s'agita sur le banc.

— Tu sais, il fallait que je me fasse catholique pour épouser Pauline. Au début, cela ne m'a pas fait grand effet: c'était elle seule qui m'importait. Mais cela ne me déplaisait pas: cela me semblait assez original. Au bout de quelque temps, mes conversations avec le prêtre ont commencé à m'intéresser. Puis j'ai suivi une retraite pour hommes. Alors j'ai commencé à être tourmenté. Chaque jour je me sentais plus misérable, et je restais éveillé la moitié de la nuit. Mais je gardais tout cela pour moi.

Ses lèvres se durcirent.

« A qui ressemble-t-il? se demanda Finch. Je vois la figure de Gran dans la sienne, et celle de Renny, et celle d'Eden, et même celle de Piers. Il ressemble à tous sauf à moi. Je ne serai jamais plus près de lui que maintenant. »

— Alors, tout d'un coup, reprit Wakefield, j'ai découvert que j'avais la vocation religieuse. Rien d'autre, rien n'aurait comblé mes aspirations. J'ai consulté mon confesseur. Il a hésité. Mais je savais que j'avais la vocation. Tu imagines ce que la famille a dit!

— Oui. Ce que je ne peux imaginer, c'est ce qu'a dit Pauline. Quel coup cela a dû être pour elle!

— Voilà ce qu'il y a eu d'extraordinaire et qui fait que tout semble avoir été mené par la volonté divine. Ses premiers mots, pour ainsi dire, ont été:

» — Je vous comprends mieux que vous ne pouvez le croire. J'ai souvent pensé que j'aimerais entrer au couvent.

— Vraiment? Elle a dit cela?

— Oui. Et son regard le disait encore plus que ses mots. Ce n'était pas une histoire qu'elle me racontait! J'ai la conviction que nous nous sommes détournés du chemin dans lequel nous nous étions engagés, tous les deux en même temps. La même pensée cheminait à travers nous sans que nous nous en doutions.

Finch regardait ses lunettes, qu'il faisait tourner dans ses doigts.

— Et tu ne la regrettes pas? Enfin... tu peux t'habituer à l'idée que tu ne la verras plus jamais?

— Oh! Je suis sûr que je la reverrai. J'y compte bien! Mais tout sera différent, naturellement.

— Je ne crois pas que j'aie une chance de jamais la revoir, moi.

— L'oncle Ernest m'a dit qu'elle serait à la vente de sa mère, pour l'aider. Tu pourras la voir là. Si tu y vas, Finch, veux-tu lui faire mes amitiés et lui dire que je lui souhaite d'avoir trouvé le même bonheur que moi? Fais mes amitiés à sa mère aussi.

Finch se rappela la belle femme blonde et solide qu'était Clara et il fut envahi de pitié pour elle. Son cœur se serra à la pensée que Pauline allait les quitter pour toujours.

Un vieux prêtre émacié s'avançait vers eux sur le gazon brûlé. Wakefield lui présenta Finch, et tous les trois allèrent rejoindre un groupe d'autres novices.

Ils étaient tous parfaitement à leur aise avec Finch, comme avec un ami. Wakefield avait dû beaucoup parler de sa famille. Ils lui posèrent des questions sur ses concerts et son expérience du monde de la musique. Finch sentit que Wakefield occupait déjà une position semblable à celle qu'il avait tenue à Jalna. Il avait l'air d'être le favori des plus vieux prêtres. Il emmena Finch au potager où des frères lais travaillaient avec un acharnement tel que Finch n'en avait jamais imaginé. Il aurait voulu que Piers les vît. On le promena dans tout le monastère, et il visita la chambre de Wake. Il regardait son frère, les pupilles de ses grands yeux dilatées par la curiosité.

Finch prit un excellent thé, il avait un appétit extraordinaire.

Il s'installa à côté de Wakefield, à la chapelle, pour la bénédiction. La lumière des vitraux tombait sur les têtes et les épaules de ces hommes retirés du monde. Ils lui parurent tout à coup froids et si loin de lui! L'air était chargé d'encens. Comme il fixait les yeux sur l'ostensoir luisant, la douleur reprit dans sa tête. Il eut envie de s'en aller.

A la porte, les deux frères se serrèrent la main.

— Rappelle-toi, Finch, dit Wakefield, que tu ne seras jamais absent de mes pensées: je vais prier tout le temps pour toi. J'espère que tu deviendras catholique. Renny aussi. J'ai vraiment de l'espoir pour lui.

— Et Piers?

Wakefield eut un sourire malicieux.

— Oh! dit-il, je n'ai pas beaucoup d'espoir pour Piers.

CHAPITRE XII

Vente à la ferme aux Renards

Une vente aux enchères n'était pas une nouveauté à Jalna. Une fois par an, Renny et Piers mettaient en vente les fournitures qu'ils avaient en trop. Le remue-ménage de la préparation, la vente elle-même et le bénéfice ou la perte qui en résultaient étaient un rite essentiel chaque année.

Pour la ferme aux Renards, c'était autre chose. On l'appelait toujours la ferme aux Renards, quoiqu'il n'y eût plus de renards. Leurs enclos grillagés étaient abandonnés ou à moitié tombés à terre; mais la petite maison était toujours charmante. Clara et Pauline l'avaient entretenue avec amour. Maintenant elle allait être désertée... On allait lui arracher ses souvenirs comme on arrache le lierre. C'était un jour sombre pour Renny. Il eût été heureux que ce fût déjà fini et qu'une porte fût ainsi fermée sur cette époque de sa vie. Il avait fait tout ce qu'il pouvait pour que la vente rapportât; maintenant il n'avait plus qu'à y assister, et à voir les objets familiers disparaître un par un.

Rien n'avait beaucoup de valeur dans la maison. Les meubles et les tapis avaient été achetés au hasard, en tenant compte du prix plutôt que d'une idée d'ensemble. Mais Clara avait quelques porcelaines de famille et les tableaux que Lebraux avait fait la folie d'acheter. Avec des papiers de tenture et des rideaux bien choisis, Clara avait su donner à la maison cet air confortable et sympathique qu'elle créait toujours autour d'elle.

Aidée par Renny, elle disposait des bibelots sur une table, tandis que non loin d'eux Finch manipulait une petite boîte de porcelaine surmontée d'une silhouette de bergère sur le couvercle. Clara observait attentivement la figure et les mains du jeune homme.

— Ce garçon a l'air fatigué, dit-elle.

— Il l'est. Il a trop travaillé. Il n'est pas résistant.

Clara poussa un petit grognement.

— Je regrette qu'il ne se soit pas intéressé à Pauline, à la place de Wake. Il a plus de suite dans les idées.

— Je l'aurais bien voulu, moi aussi. Les choses auraient peut-être tourné autrement.

Puis Renny se rappela l'existence de Sarah.

— Mais il a une femme qui est absolument à ses pieds, ajouta-t-il. Et elle a beaucoup d'argent.

— Hum! Oui. C'est une grâce que Dieu vous envoie.

— C'est une étrange fille. Je n'aurais pas voulu l'épouser: elle me met toujours mal à l'aise.

Clara tourna les yeux vers Renny, et ses traits courts et vigoureux s'adoucirent de tendresse. Elle l'embrassa du regard.

— Etait-ce à Pauline, cela? demanda Finch de loin.

— Oui. C'est sa grand-mère française qui le lui avait donné.

Les gens commençaient à envahir la pièce. Il faisait chaud et étouffant, il y avait de moins en moins d'air. On entendit la voix du commissaire-priseur qui venait d'une chambre. Une femme avec des gants de coton noir troués au pouce saisit la boîte de porcelaine et regarda l'intérieur. Le clerc du commissaire vint chercher Clara. Finch se murmurait à lui-même:

— Si elle lâche cette boîte...

— C'est bien beau, ça? Je crois que je vais l'acheter pour la fête à Betty.

La pièce se remplissait; l'air devenait suffocant. Finch s'approcha de Renny.

— Crois-tu, dit-il, que Pauline soit ici? Crois-tu qu'elle sera déjà en... religieuse?

— Dieu! Non. Elle a une robe brune. La voilà. Près de la porte. Elle cherche Clara.

Pauline se tenait sur le seuil, avec un air d'indécision enfantine. Elle était nu-tête et ses épais cheveux noirs, que Finch n'avait jamais vus coupés si courts, pendaient en désordre autour de ses oreilles. Elle posait un regard doux et indulgent sur cette assemblée de gens disparates. Ses lèvres étaient entrouvertes comme pour essayer de respirer plus profondément.

Dès qu'elle aperçut Renny et Finch elle s'approcha d'eux, et leur parla doucement à mi-voix.

— Je suis contente que vous soyez venus. Tout cela nous a beaucoup troublées, maman et moi. Il y a un siècle que je ne vous ai pas vu, Finch!

Elle lui tendit la main. Finch la prit en disant:

— J'ai vu Wakefield la semaine dernière.

Il rougit violemment; il aurait voulu rattraper les mots qu'il venait de prononcer, mais elle n'eut pas l'air d'y attacher de l'importance. Elle était exactement la même, sauf peut-être une expression plus froide et détachée qui était nouvelle pour Finch. Et ses lèvres étaient plus pâles. Elle continua à le regarder comme s'il eût été un bouclier entre elle et Renny.

— La vente est-elle commencée? demanda Renny.

— Oui. Ils sont dans la chambre de maman. On s'y écrase.

— Deux cent trente! Deux cent trente! Adjugé à deux cent trente! disait le commissaire-priseur.

La salle à manger était pleine de gens indifférents. Ils s'étaient installés là en attendant que ce qu'ils désiraient fût mis en vente.

— Allons prendre l'air, dit Renny.

Tous trois sortirent et allèrent près de l'enclos vide.

— Vous rappelez-vous, dit Pauline, mon renard que j'aimais tant?

— Oui, répondit Finch. Qu'est-il devenu?

— Il est mort. Cela m'a fait beaucoup de peine. J'ai pleuré, pleuré... N'est-ce pas, Renny?

Il la prit par le bras.

— Tout cela est fini, Pauline, dit-il.

Finch s'éloigna, et fit semblant de chercher des groseilles à maquereaux sur les groseilliers négligés.

Pauline leva les yeux vers Renny.

— Comme je vous ai aimé! dit-elle.

Il la regarda sans rien dire, atteint en plein cœur.

— C'est la dernière fois qu'un mot d'amour sort

de mes lèvres, mais il fallait que je vous le dise. Vous comprenez, n'est-ce pas?

— Oui. Je comprends.

Ils rejoignirent Finch qui leur tendait quelques baies piquantes. Ils en prirent chacun une, comme si c'était une sorte de rite. Les fruits étaient acides, et les épines les piquèrent.

Ils rentrèrent bientôt. Clara et Pauline s'enfermèrent dans une petite pièce vide et s'assirent sur deux caisses pour attendre la fin de la vente.

Le commissaire-priseur s'attaqua à la salle à manger, mais les offres se ralentirent. La vente du mobilier des chambres avait très bien marché, mais les meubles de la salle à manger furent presque abandonnés sans enchères. Finch acheta la boîte de porcelaine, et Renny la table à café en cuivre, par-dessus laquelle il avait si souvent fait des projets avec Clara.

Il était de plus en plus déprimé. Les choses s'enlevaient pour rien. Il fit le tour du groupe distrait des acheteurs. Il se revoyait avec Clara, Wakefield et Pauline, dansant dans ces pièces, au son du gramophone. Le gramophone était enlevé, déjà vendu. Maintenant on offrait une vitrine de noyer.

Il donna un coup de coude dans les côtes de Finch.

— Achète-la pour toi! Tu vas avoir besoin de meubles.

Finch fut affolé.

— M... mais... qu'est-ce que j'en ferai?

— Je te la garderai. Tant que tu voudras. Dépêche-toi! Ne la laisse pas filer!

Finch, écarlate, fit un signe au commissaire-priseur. Les enchères rebondirent. Il eut la vitrine, deux chaises et un grand canapé, capitonné jusqu'au dossier.

— Tu auras besoin de tout cela un jour, lui dit Renny. Tu n'aurais jamais de meilleure occasion.

— Mais Sarah va détester tout cela!

— Non. Elle ne peut pas. Elle ne doit pas. Ils seront très bien quand ils seront recouverts. C'est une occasion sensationnelle.

Renny acheta une grande aquarelle de la falaise rocheuse de Saguenay, une bibliothèque pleine de livres et une petite vitrine contenant un service à thé fragile. Cela le mit d'une extrême bonne humeur.

Finch demeurait déprimé et résigné. Qu'avait-il fait? Que ferait-il de ce qu'il avait acheté? Le manque d'air le rendait malade. Les mains des femmes de la campagne palpant les rideaux et tapotant la plume des oreillers l'écœuraient. Il avait une envie folle de courir après Pauline, de la coincer dans une porte, de lui crier qu'il fallait qu'elle parte avec lui pour trouver la paix n'importe où. Renny demeurait près de lui, comme soutenu par la sécurité charmante de sa vie. « Il a une trempe d'acier, pensa Finch. Si j'avais une figure comme la sienne, je regarderais les autres sans broncher. C'est inouï de penser que tous ces gens empilés là n'ont pas mal à la tête. »

— Allons voir Clara avant de partir, dit Renny.

Finch le suivit à la porte de la pièce vidée de tous ses meubles et Clara leur cria d'entrer. Elle tenait une tartine à la main; une trace de beurre brillait sur sa joue. Pauline était assise sur une caisse retournée, le dos à la porte.

— C'est presque fini, dit Renny. Cela a très bien marché. Ce jeune seigneur a acheté pas mal de choses.

— Oh! c'est gentil, répondit Clara.

Finch vit que Pauline se croisait les mains sur les genoux.

CHAPITRE XIII

A bout de résistance

L'une des charrettes de la ferme de Piers, tirée par deux hongres bais, apporta à Jalna les objets que Renny et Finch avaient achetés à la vente. Pas à la maison proprement dite, mais à un pavillon vide faisant partie de la propriété et qu'on appelait la cabane du Violoneux. Piers rôdait par là au moment où les meubles arrivèrent. Il eut un sourire narquois. Renny bourrait sa pipe, essayant de prendre un air dégagé.

— Tu dis, demanda Piers, que le jeune Finch a acheté tout cela spontanément?

— Pourquoi pas? Il aura besoin de meubles.

— Pas de ce genre-là.

— Comment diable sais-tu ce dont il aura besoin?

— Ne t'irrite pas. Cela m'étonne de lui, voilà tout.

— N'en parle pas à Sarah. N'en parle pas encore.

— Ah! C'est une surprise pour elle? Pour sa fête, sans doute?

— Laisse-le donc le lui annoncer quand il voudra.

— Et toi, tu n'as rien acheté?

— Cette vitrine noire, la bibliothèque et le tableau.

Piers s'agenouilla devant la caisse de livres. Son

silence était plein d'une joie discrète et indulgente.

Le canapé refusa de passer par la porte.

— Pourrais-tu le garder pour Finch? demanda Renny d'un air suppliant.

— Impossible. Nos chambres sont pleines.

Toujours accroupi, il leva les yeux vers Renny et ajouta:

— Que Finch ne se figure pas qu'il pourra dissimuler ces horreurs!

— Ce ne sont pas des horreurs!

— Ce que Finch a acheté ne mérite que ce nom-là! Maurice était à la vente. Je l'ai vu suivre les enchères juste au moment où les chaises ont été adjugées à Finch. Je l'ai vu ensuite parler à l'oncle Ernest, dans la cour. Toi et Finch, vous êtes un peu exaltés!

— Moi, je ne cache rien. Ce que j'ai acheté ira dans ma chambre.

— Tu te donnes bien du mal pour tout aggraver entre Alayne et toi! lui dit Piers d'un air rêveur.

Renny s'assombrit:

— Rien de ce que je fais n'a plus d'importance, maintenant, dans aucun sens.

Piers sortit un livre de la caisse, se releva et l'ouvrit.

— Tout a de l'importance, murmura-t-il, quand deux êtres essaient de vivre ensemble.

— Ce n'est pas notre cas, répondit âprement Renny.

Il fit recharger le mobilier dans la charrette pour le conduire à la maison. Les acquisitions de Finch furent montées dans un coin déjà bourré du grenier, et la vitrine, le service à thé et la bibliothèque furent casés dans sa chambre. Le temps de tout mettre en place suffit pour que chacun fût au courant de ce qui se passait. Ernest et Nicolas vinrent encombrer un peu plus la chambre; Sarah et Alayne étaient dans le couloir et regardaient. Renny affecta de ne pas remarquer leur présence. Il rangea le service à thé, si fragile, dans la vitrine — de ses mains plus habituées au maniement des chevaux.

Alayne se retira bientôt et rentra dans sa chambre. Sarah la suivit et lui demanda, de sa voix douce impersonnelle:

— Pourquoi ont-ils fait cela?

Alayne lui répondit sans brusquerie, les dents serrées:

— Ne me le demandez pas. Félicitez-vous seulement, Sarah, que ces deux femmes s'en aillent avant que votre ménage soit brisé.

— Est-ce que la fille courait après Finch?

— Elles n'ont pas plus de scrupules l'une que l'autre.

— C'était la mère, peut-être?

— Je vous dis seulement: félicitez-vous qu'elles s'en aillent.

Alayne perdait son sang-froid. Elle ne supporterait pas plus longtemps cet outrage, qui la faisait devenir folle et la rendait malade. Voir manipuler ces tasses de quatre sous, et fragiles, ces livres qu'il installait près de son lit! Elle s'approcha de son bureau et se pencha sur une lettre qu'elle avait commencée pour sa tante.

— Excusez-moi, Sarah, il faut que je finisse cette lettre avant le courrier.

Elle s'inclina sur son papier comme si elle était myope.

« Si je pouvais lui arracher quelques explications! se dit Sarah. Que Finch est séduisant avec ces étranges sautes d'humeur! Quelle chose merveilleuse, la vie! »

Elle se regarda d'un coup d'œil dans la glace, et lissa du doigt les rouleaux de ses nattes brillantes.

Dans la porte elle croisa Adeline qui entrait. Elle portait une boîte de petits joujoux en plomb et, arrivée au milieu de la chambre, elle les renversa par terre d'un coup sec. Alayne ne l'avait pas vue entrer et sursauta à son bureau, surprise par le bruit.

— Oh! gémit-elle. Qu'est-ce que tu fais? Il ne faut pas apporter ces affaires-là ici.

— Mais si, dit Adeline. Je viens de les acheter à une vente, et je veux les avoir dans ma chambre.

— Adeline! Ramasse-les immédiatement et emporte-les!

— Non!

— Si!

Adeline éparpilla les jouets à coups de pied dans toutes les directions. Alayne la prit par les deux bras et l'arrêta. Adeline se mit à trépigner de rage. Alayne enfonça ses doigts dans la chair de sa fille, qui la frappait au visage et lui donnait des coups de pied en poussant des cris perçants.

Nicolas parut sur le seuil.

— Voyons, voyons, dit-il. C'est infernal. Qu'est-ce qui la met dans cette colère, Alayne?

— Prenez-la donc! dit Alayne. Emportez-la. Je n'en peux plus.

Nicolas prit l'enfant dans ses grandes mains paisibles et la hissa contre son épaule. Les cris d'Adeline se changèrent en sanglots et elle serra ses bras autour du cou de son vieil oncle. Il l'emporta dans sa chambre. Renny apparut alors.

« On se croirait au théâtre, pensa Alayne. Ils arrivent là, l'un après l'autre, chacun pour me faire souffrir davantage. Je n'en peux plus. »

— C'est curieux, dit Renny, que vous ne puissiez pas passer cinq minutes avec votre fille. Pourquoi la faites-vous souffrir de votre fureur contre moi?

— Moi, je la fais souffrir? Je la fais souffrir? J'étais justement en train de penser que personne ne se préoccupe de savoir si je souffre. Je vous en prie, allez-vous-en et laissez-moi!

Il essaya de la calmer.

— Ecoutez, Alayne, c'est insensé d'être bouleversée parce que j'ai acheté ces quelques affaires à une vente. Ce sont des bibelots que j'ai toujours aimés et je ne voulais pas les voir disséminer au hasard.

— Non. Vous vouliez qu'ils ne soient à personne. Vous vouliez les avoir à vous! Vous vouliez qu'ils soient dans votre chambre, près de votre lit. Quand avez-vous acheté quelque chose pour la maison? Voulez-vous me le dire? Quand ai-je acheté quelque chose sans que vous me fassiez des reproches? Voulez-vous me le dire? Vous avez toujours prétendu que la maison regorgeait de meubles. Oui, elle en regorge. Et moi aussi je suis en trop.

Il était entré et avait fermé la porte derrière lui pour étouffer ses éclats de voix. Ils s'affrontèrent, par-dessus les joujoux éparpillés.

— Alayne, vous ne savez pas ce que vous dites.

— Si, je le sais. Et je vous déclare que je refuse de rester dans cette maison avec ces affaires que vous avez achetées à votre maîtresse. Je ne veux pas rester dans la maison avec elles — ni avec vous.

Il la regarda en pâlissant.

— Qu'allez-vous faire? demanda-t-il.

— Je vais partir chez ma tante. Je lui écris pour lui annoncer ma visite.

Elle fit un geste de tragédie vers la lettre qui s'étalait sur le bureau.

— Très bien, répondit-il froidement. C'est probablement ce que vous avez de mieux à faire. Nous ne pouvons pas continuer comme cela: c'est trop... trop épouvantable!

Et il ajouta rapidement:

— N'imaginez pas que je vais vous laisser emmener Adeline!

— Vous pouvez la garder.

Elle s'assit devant le bureau et, quand la porte fut refermée sur lui, elle cacha son visage dans ses mains. Elle remarqua avec étonnement que ses larmes étaient absorbées par le buvard. « Je pourrais écrire une lettre avec mes larmes », pensa-t-elle, et elle se demanda pourquoi elle pleurait tellement, ce n'était pas dans sa nature.

Un silence total s'appesantit sur la maison. De temps en temps le meuglement persistant d'une vache appelant son veau venait de la ferme. Le paysage était écrasé sous l'épais soleil de midi. La vieille maison était toute transpercée de chaleur. Le grand soleil lui allait bien: les rideaux passés, les parties usées des tapis prenaient dans cette lumière des tons qui les rehaussaient. Elle était à son avantage, mais nul ne le remarquait. Elle était comme un vieux chat qui somnole, accueillant la chaleur par tous ses pores.

Seule Alayne avait une pensée pour elle et c'était pour se dire: « Je vais bientôt quitter cette maison pour toujours, et mon passage n'aura pas marqué sur elle, bien que je lui aie donné un Whiteoak de plus à abriter. »

Elle prit sa plume et écrivit à la fin de la lettre — où il n'était nullement question de la possibilité d'une visite à sa tante:

Attendez-moi un jour de cette semaine. Je m'aperçois que je ne peux pas vivre ici plus longtemps. J'ai essayé, mais je renonce. Je ne peux plus y tenir. Je vous en prie, ne vous affolez pas. Je crois que je fais ce qu'il y a de mieux pour nous tous. Je suis sûre que vous me conseilleriez de venir auprès de vous. Vous aurez encore de mes nouvelles avant que je parte.

Au moment de signer, elle pensa: « Je ne veux plus de ce nom, je veux redevenir Alayne Archer. »

CHAPITRE XIV

Evasion

Elle avait la sensation de fuir et d'être poursuivie, quoique son départ de Jalna eût été arrangé pour donner le change aux autres: elle allait faire un séjour chez sa tante qui dépérissait d'envie de la voir, et ce voyage d'ailleurs serait excellent pour sa propre santé. Autant que Renny, elle tenait à garder l'air naturel; ni l'un ni l'autre n'aurait supporté des regards en coulisse, des manifestations de sympathie, des condoléances, des discussions de famille ou des tentatives de réconciliation. En fait ils s'étaient trouvés rapprochés, comme ils ne l'avaient pas été depuis longtemps, par leur désir mutuel de discrétion et leur volonté tenace de tenir leurs blessures cachées.

Ils avaient pris toutes leurs dispositions avec dignité, en se regardant bien en face et en notant avec le même calme les ravages des dernières semaines sur leurs figures respectives. Adeline devait rester à Jalna, mais elle irait voir sa mère quand celle-ci le désirerait. Plus tard seulement, Renny expliquerait à la famille qu'Alayne ne reviendrait pas. Alors il décrocherait les tableaux de sa chambre et les lui enverrait. Quand

Adeline serait plus grande, elle prendrait cette chambre pour elle.

Renny avait accompagné Alayne au train. Il était monté dans le wagon; il avait arrangé ses bagages en pile bien nette sur le siège opposé, s'était assis sur le bras du fauteuil et avait fait des essais divers, incohérents et brusques, de conversation. Il était redescendu et revenu avec des journaux et des revues pour elle. Le pire moment avait été celui où il avait fallu se dire au revoir. Il était resté debout, tout droit, blême, avec son nez proéminent qui semblait soudain plus grand; elle, debout également, les jambes flageolantes. Une secousse brutale avait parcouru tout le train.

— Descendez! avait-elle crié d'une voix étranglée. Le train part.

Le grand corps de Renny avait basculé comme si, physiquement, il s'arrachait d'elle.

— Au revoir! avait-elle encore crié.

Et leurs mains — celles d'Alayne dans des gants blancs immaculés — s'étaient effleurées.

Il avait été projeté en arrière par le mouvement du wagon en sautant sur le quai. Elle l'avait vu reprendre son équilibre, et tout le monde le regardait. Puis, la délivrance — la bienheureuse délivrance! Tout était fini entre eux. Le train l'emportait vers une autre vie.

Elle avait toujours cette sensation d'être poursuivie. Recroquevillée sur sa couchette, les mains crispées sous le menton, elle croyait entendre des pas lancés après elle. Dans l'obscurité elle voyait les Whiteoak la poursuivre, infatigables et inflexibles. Ernest en tête, courant de ses longs membres souples et continuant à piquer son aiguille dans sa tapisserie; Nicolas lançant tout son poids dans la course, comme si sa goutte n'existait pas. Elle voyait également leur mère, les yeux fermés et les mains croisées, comme elle l'avait vue dans son cercueil, mais courant quand même... Eden, accroché à la jupe de la vieille Adeline, ses cheveux blonds et flottants longs d'un mètre. Elle voyait Piers et sa famille... le petit Nooky pleurnichait. Elle voyait Meg et les siens... Wake et sa robe de moine flottant dans l'ombre. Finch enlevait une paire de lunettes et en mettait d'autres pour mieux la voir. Renny arrivait enfin, portant sa fille dans ses bras. Alors ses poings fermés montèrent jusqu'à ses lèvres et les serrèrent contre ses dents.

C'est en remplissant la fiche d'immigration qu'elle avait senti ses nerfs se calmer et que l'écœurement qu'elle avait déjà ressenti l'avait reprise. Elle avait eu de la peine à faire avancer sa plume entre les lignes rapprochées. L'officier, déférent, s'était assis en face d'elle et l'avait aidée; mais il avait eu l'air un peu soupçonneux quand elle s'était troublée en cherchant le nom et l'adresse de la tante qu'elle allait voir. Quand il l'avait quittée, elle était allée au lavabo des dames et elle avait été malade. Ensuite elle était revenue jusqu'à sa couchette.

La chaleur du Canada n'était rien, comparée à celle de New York. La grande gare de marbre semblait le sépulcre d'un démon de la chaleur. Mais sa petite tante, venue à sa rencontre, était aussi tirée à quatre épingles et aussi fraîche que d'habitude, et elle avait très peu vieilli depuis qu'Alayne ne l'avait vue. Elle prit le bras d'Alayne et son bagage, et elles montèrent dans un train électrique qui les emmena dans la jolie maison sur l'Hudson où habitait miss Archer. Il y avait cinq ans qu'Alayne y était venue pour la dernière fois. Elle était en discorde avec Renny à cette époque-là, mais cette discorde n'était qu'un nuage dans le ciel de leur amour, comparée à l'abîme qui les séparait maintenant.

La fin brutale et bâclée de la lettre d'Alayne avait inquiété miss Archer. Même l'écriture lui avait paru bizarre. Elle fut encore plus troublée par l'aspect de sa nièce et, quand elle l'eut installée confortablement dans le frais living-room, avec une tasse de café et quelques gâteaux secs, elle lui dit:

— Maintenant, ma chère Alayne, il faut que vous me racontiez!

Alayne affecta de ne pas comprendre.

— Que je vous raconte quoi?

— Eh bien! (miss Archer eut un petit rire nerveux) c'est arrivé très vite, n'est-ce pas?

Alayne but son café pour se donner du courage. Il fallait en finir tout de suite. Elle en avait assez de mener une double vie, elle n'en pouvait plus. Elle leva ses yeux lourds vers miss Archer et répondit:

— Je n'ai qu'une chose à vous dire, tante Harriet, c'est que j'ai quitté Renny et que je ne retournerai jamais auprès de lui.

La figure délicate de miss Archer se couvrit de confusion et des larmes envahirent ses yeux doux.

Elle se leva à demi comme pour prendre Alayne dans ses bras, mais celle-ci l'arrêta de la main.

— Non, tante Harriet. Je ne suis pas d'humeur à supporter les condoléances. Je veux vous parler de cette affaire froidement. Je veux vous dire ce qui doit être dit, et, ensuite, j'essaierai de rejeter tout cela derrière moi. Je veux mener une nouvelle vie avec vous... si je peux... si vous voulez bien me donner l'hospitalité.

Miss Archer esquissa encore une fois un mouvement en avant et, encore une fois, en voyant le regard d'Alayne, elle se rassit.

— Très bien, ma chérie. Dites-moi juste ce que vous voulez me dire, et nous n'en reparlerons plus. Quant à vous accueillir chez moi, vous savez qu'il n'y a rien au monde que je désire autant!

Elle gardait une voix ferme, mais chiffonnait son mouchoir dans ses douces mains sans bagues.

— Je l'ai quitté, répéta Alayne. Je ne pouvais plus rester. Il... il m'a été infidèle... avec une femme qui s'appelle Clara Lebraux. Elle habite porte à porte avec nous. Du moins, elle habitait.

— Une autre femme! dit miss Archer. Une voisine! Quelle brute!

— J'ai essayé de rester avec lui après les avoir découverts. J'ai essayé quelque temps, mais... il est arrivé tant de choses! Je n'ai pas pu tenir.

— Je pense bien. Oh! ma pauvre chérie, quelles épreuves vous avez traversées! Deux fois dans la même famille! Quel malheur de les avoir connus! Si vous aviez épousé ce charmant homme, l'ami de votre père!... Comme votre vie aurait pu être différente!

— Oui.

Alayne essaya d'imaginer quelle autre vie elle aurait pu avoir, mais elle n'y parvint point.

— Je ne veux rien imaginer, dit-elle. Ce que ma vie a été en réalité m'a trop épuisée. J'ai vécu en enfer, je vous assure, tante Harriet. Je n'étais pas faite pour mener une existence pareille... et pour être une femme pareille.

L'âpreté de ces paroles, la brutalité de la « tranche de vie » projetée tout à coup devant miss Archer la contractèrent: elle était bouleversée.

— Rendons grâces à Dieu, dit-elle, que vos chers parents n'aient pas vécu pour voir ce jour.

Puis, après quelques instants:

— C'est si bizarre de penser que je ne l'ai jamais vu!

Il y avait une nuance de reproche dans sa voix, car Alayne n'avait jamais insisté pour qu'elle vînt la voir. Alayne trouvait que Jalna était trop compliqué. A Jalna la vie était à une température trop haute; elle avait pensé que cela épouvanterait sa tante.

— Vous n'auriez aucune admiration pour lui, dit-elle. Pourtant, vous pourriez en avoir. Je ne sais pas... On ne peut pas dire... Ce n'est pas du tout le même genre qu'Eden. Mais vous avez vu des photos de lui?

— Il a une bonne figure, dit miss Archer.

Alayne se mit à compter les raies de l'un des rideaux de vitrage. Ses lèvres remuaient silencieusement.

— Un-deux-trois-quatre-cinq...

— Que dites-vous, ma chère Alayne?

— Je disais que c'est vrai.

— Ce n'est pas une figure ordinaire. Rien de commun avec celle d'Eden. Eden était si séduisant!

— ... Six-sept-huit-neuf...

Ses lèvres bougeaient toujours imperceptiblement.

— Je ne vous entends pas, Alayne chérie.

— Je disais que c'est vrai.

— Cela semblait parfait comme mariage... Mais je ne dois pas parler de cela. Alayne, et votre enfant?

— Je l'aurai une partie du temps.

— Pauvre petite bonne femme! Vous allez lui manquer horriblement! Etes-vous sûre qu'on va s'en occuper comme il faut? L'éducation des enfants est tellement scientifique aujourd'hui!

— Elle poussera toute seule. Je ne lui manquerai pas le moins du monde.

— Vous ne lui manquerez pas! Alayne!

Comme Alayne s'était endurcie! Le mariage avec cet homme l'avait certainement changée. Miss Archer eut un moment de doute sur l'entente qui régnerait entre elles si elle prenait cette compagne chez elle; mais l'affection l'emporta.

Cette affection se maintint sans faiblir. Alayne détendue, plongée dans cette atmosphère calme, goûtait un repos qu'elle n'avait pas connu depuis des mois. Elle s'enfonçait dans la quiétude moelleuse d'une nouvelle vie, aspirait à pleins poumons un air qui ne sentait jamais ni le chien ni le cheval. Ses oreilles écoutaient avec reconnaissance la voix douce et mesurée de miss Archer. Elle s'extasiait en regardant la rue si propre où chaque petite pelouse s'ornait d'arbustes taillés, entretenus bien humides par l'eau d'un jet tournant, et où garçons et filles voltigeaient sur des patins à roulettes.

Mais, quoiqu'elle se reposât et qu'elle sentît une paix nouvelle naître en elle, sa santé ne s'améliorait pas. Un jour, sans le dire à sa tante, elle alla voir un médecin. Il confirma ses soupçons: elle allait avoir un enfant.

Elle décida de cacher cette nouvelle aussi longtemps qu'elle le pourrait.

CHAPITRE XV

Trop bonne épouse

Les deux oncles, Sarah et Finch, Renny et les deux petites filles constituaient maintenant toute la maisonnée à Jalna. Ernest et Nicolas n'avaient jamais été si heureux dans leur chère vieille demeure. L'Angleterre n'était plus désormais pour eux le domicile idéal. Tous deux s'étaient exaspérés mutuellement pendant les longues journées pluvieuses de l'hiver qu'ils avaient passées dans le Devon. Ils s'étaient sentis isolés, et le fait d'être si près de Londres et trop vieux pour profiter de la vie qu'ils y avaient aimée — si tant est que cette vie y fût restée la même — les attristait. La goutte de Nicolas et la maladie d'estomac d'Ernest avaient nettement empiré pendant ce séjour. Maintenant, rentrés à Jalna, ils se sentaient redevenus d'autres hommes.

Le long été chaud leur convenait à merveille, et ils avaient la nourriture à laquelle ils étaient habitués, cuisinée exactement à leur goût. Ils avaient soin de donner des cadeaux régulièrement à Mrs Wragge qui mettait son point d'honneur à faire leurs plats favoris. Leur maison du Devon était louée à des gens convenables.

Ils s'adonnèrent au devoir familial qui consistait à embellir leurs chambres. Nicolas fit changer le papier de la sienne, et en choisit un à dessin compliqué avec une profusion d'or. Il fit recouvrir son canapé et ses chaises en étoffe couleur de mûres, et repeindre les boiseries en blanc ivoire. Ernest choisit tout un ensemble mauve, ton sur ton, et il avait apporté un tapis de la maison d'Augusta, refusant de le laisser à la merci d'un locataire, fût-ce le plus recommandable. Son intention avait été de l'offrir à Alayne; mais il se sentait moins de sympathie pour elle qu'autrefois. Physiquement d'abord, avait-il confié à son frère, elle avait beaucoup perdu; et puis elle était devenue étonnamment distante. Elle l'avait déçu, et il n'avait pas pu se décider à lui faire cadeau du tapis. Aussi l'avait-il gardé au grenier, roulé dans la toile dans laquelle il avait traversé l'océan, jusqu'au départ d'Alayne. Et puis, quand il avait fait retapisser sa chambre, il l'avait descendu et étalé sur le plancher. Voyant le bel effet qu'il faisait là, il n'avait pu assez se féliciter d'avoir eu le bon sens de le garder pour lui. Maintenant, il travaillait à son « gros point » pour recouvrir ses chaises.

Ces deux chambres remises à neuf, l'une à côté de l'autre, donnaient une sensation d'opulence. Renny était enthousiasmé de voir la maison aussi belle. Sa propre chambre, qui avait toujours été laide, était devenue hideuse depuis qu'il l'avait encombrée de la bibliothèque et de la vitrine remplie de porcelaine qui provenaient de la ferme aux Renards; mais cela ne le gênait pas du tout. Dedans comme dehors, tout marchait bien dans la propriété. Elle était évidemment grevée d'une hypothèque, mais celle-ci était entre les mains de la femme de Finch. Et c'était Finch lui-même qui détenait l'hypothèque sur Vaughanlands. Aussi, derrière ce mot déprimant: hypothèque, s'abritait la solide sécurité de la famille. Maurice ne versait jamais un sou d'intérêt, mais Finch ne ferait certainement pas un geste contre lui. Renny était également incapable de payer, mais Sarah ne bougerait pas non plus. De sorte que la puissance détenue par le jeune ménage leur assurait l'immunité, les mettait à l'abri de toute critique. Quand Maurice avait envie de blaguer la nervosité de Finch, et Meg envie de rire à l'idée qu'il ne pourrait pas tenir ses contrats d'automne, ils se rappelaient l'hypothèque de Vaughanlands. Quand Renny était tenté de ridiculiser ce qu'il trouvait de pose chez Sarah, il se rappelait l'hypothèque de Jalna.

Il en vint à prendre Sarah en grippe. Il réprouvait son sourire énigmatique, son air de trouver à ce qu'elle pensait un plaisir sournois, sa bouche pincée, son nez busqué et son menton pointu qu'il voyait de profil à table. Renny de son côté déplaisait également chaque jour un peu plus à la jeune femme. Elle était jalouse de l'affection et de la confiance que Finch avait pour lui. Elle détestait son air viril et mâle, quoiqu'elle eût aimé que Finch en ait une petite part. Sarah était une des rares femmes auprès de qui Renny n'avait aucun succès — et il ne souhaitait nullement en avoir. Il forçait le sourire grand-maternel sur ses lèvres quand il la rencontrait, et il n'aspirait qu'à la voir partir.

Ernest et Nicolas, au contraire, étaient en admiration devant elle. Cela les amusait de l'entendre parler des capitales de l'Europe — quand elle se décidait à parler, car c'était une créature silencieuse lorsqu'elle n'était pas avec Finch. Ils aimaient les robes qu'elle avait rapportées de Paris, ses parfums exotiques et l'odeur de ses cigarettes russes. Elle avait fait une ample provision de colifichets luxueux en vue des années de pénurie, et le fait que ses revenus eussent beaucoup diminué par suite de la baisse des valeurs ne la troublait nullement. Bien qu'étrangère, elle s'était d'emblée adaptée à la famille, sans éprouver les difficultés qu'Alayne avait eues, car elle était une Court et l'atmosphère de la maison lui convenait. Elle ne souhaitait pas de vie extérieure plus agitée, et ne regrettait que les concerts et les voyages utiles à la carrière de Finch. Elle jouait du violon une heure par jour, mais n'ouvrait jamais un livre. Ses seules lectures étaient les romans d'amour de certaines revues qu'elle dévorait, mais dont elle ne faisait jamais aucun commentaire. Quand elle les avait finies, au lieu de les jeter, elle les gardait dans un coin de sa chambre, où la pile augmentait de semaine en semaine. Elle allait à l'église tous les dimanches, enchantée de produire ses toilettes de Paris devant la maigre assistance. Une fois, elle joua du violon à un thé de charité pour l'église. Le pasteur la préférait de beaucoup à Alayne et, de son côté, elle était ravie de l'absence de sa belle-sœur. Petit à petit, elle conquit tout ce qu'elle put d'autorité dans la maison. Rags et sa femme étaient sous le charme et tout à sa dévotion.

La petite Adeline se tenait sur ses gardes. Son instinct d'enfant lui disait qu'il y avait lutte ouverte entre Renny et Sarah, et elle avait assez de finesse pour sentir que Sarah essayait d'usurper la place de sa mère dans la maison. Elle se renfrognait quand elle la voyait servir le thé. Le jour de son anniversaire, elle reçut d'Alayne une robe ravissante. Elle en fut transportée et se pavana de long en large en s'écriant:

— Un cadeau de maman! Elle va revenir bientôt! Je veux la voir!

L'autre nouvelle recrue, Roma, n'exprimait ni par ses manières, ni par ses paroles, ce qu'elle pensait du décor étrange dans lequel elle se trouvait. Elle était tellement timide et silencieuse qu'on aurait pu la croire muette. C'était une nature passive, et elle aimait mieux rester assise que courir partout avec Adeline. Elle se souciait peu de joujoux, préférant s'amuser avec les cailloux multicolores du bord du lac, avec une poignée de glands, ou des pétales de fleurs. Et quand elle acceptait ce qu'Adeline lui offrait généreusement, c'était pour le jeter dès que celle-ci tournait le dos. Manger l'intéressait encore moins que jouer, et elle refusait parfois de toucher à son repas. Dans ces cas-là, Renny seul pouvait la décider. Il l'asseyait sur ses genoux, prenait lui-même la cuiller et, à force de cajoleries et de gâteries, l'obligeait à vider son assiette. Il lui faisait honte de sa maigreur: elle n'était qu'une plume, comparée à la chair fraîche et dodue d'Adeline.

— Avale, s'écriait-il. Tu as des jambes comme des fils.

Et il ajoutait dans un horrible français:

— *Mange cela! Tes jambes sont trop maigres.*

Et la petite ouvrait la bouche et murmurait:

— *Merci beaucoup* [1].

Il était enchanté de l'avoir, non seulement parce que c'était une compagne pour Adeline, ce qui était excellent pour elle, mais surtout parce que c'était l'enfant d'Eden. Il s'attachait davantage au souvenir de son frère à mesure que sa rancune contre Alayne augmentait. Il parlait souvent de lui, tantôt évoquant avec facétie les bisbilles qu'ils avaient eues ensemble autrefois, tantôt s'attendrissant sur sa dernière maladie. Il y avait plusieurs exemplaires des deux livres de vers d'Eden dans la maison; il en plaça un de chaque sur une table du salon et mit les autres dans la bibliothèque de sa chambre. Quelquefois, le soir, il en prenait un et lisait d'un air sombre, sa pipe pendante dans le coin de sa bouche. En passant devant sa porte, un de ces soirs-là, Finch l'aperçut ainsi et resta à l'observer sans être vu. Pourquoi Renny faisait-il cela? Que trouvait-il dans la poésie d'Eden? Finch fut rempli de pitié pour Renny — qui n'avait jamais pitié de lui-même — et également pour Eden. Il était accablé de tristesse. Il se rappela qu'Eden avait donné le gain de ses conférences à Wakefield pour acheter la bague de fiançailles de Pauline. Où était cette bague maintenant? Arrachée, rejetée comme le symbole d'un amour fugitif. Et c'était pour cela qu'Eden avait été si vite emporté dans la tombe! Finch

[1] En français dans le texte.

se vit, reflété dans la glace derrière le fauteuil de Renny; il vit ses joues creuses, ses yeux pleins de trouble et d'interrogation. Son image avait l'air de peser sur Renny, de lui jeter un sort. Il se sentit incapable de faire un mouvement avant de savoir si la forme assise dans le fauteuil était réellement Renny ou un reflet de Renny, et si la projection qu'il voyait dans la glace n'était pas réellement lui-même, et la forme qu'il était sur le seuil simplement une ombre. Les chevaux lithographiés sur les murs roulaient des yeux vers lui, et leurs flancs semblaient palpiter de terreur. Renny fit un mouvement inquiet pour se déplacer dans son fauteuil; il pencha la tête comme pour écouter. Le petit chien vautré au pied du lit se dressa et bâilla, et son bâillement finit en plainte.

Finch s'éloigna en pensant: « Je ne peux pas dormir avec Sarah. Il me serait impossible d'être dans un lit avec elle. Ces douleurs qui grimpent le long de ma nuque me rendront fou si je ne suis pas seul. Mais j'ai peur de le lui dire, j'ai peur qu'elle ne refuse... »

Il décida de lui écrire un mot et il monta dans son ancienne chambre où il savait qu'il trouverait du papier et un crayon. Il arracha une page d'un vieux cahier et commença:

Chérie, je me sens tellement...

Mais le crayon refusa d'avancer. Finch concentra toute sa force dans son bras et dans sa main, mais n'arriva pas à le faire bouger. Puis ce fut le crayon qui sembla gambader de lui-même sur le feuillet, se cabrer. Finch ne pouvait même plus desserrer ses doigts contractés. Finalement le crayon tomba sur le sol. Alors Finch déchira la feuille de papier. Et ce bruit de déchirure éclata dans sa tête en le faisant souffrir horriblement.

Il descendit en titubant pour aller retrouver Sarah. Elle était bien installée dans son lit, et lisait un magazine. Une natte brillante, noire comme la nuit, luisait sur chacune de ses épaules. La veste en dentelle de son pyjama était plaquée sur la blancheur ferme de sa poitrine.

Finch resta appuyé contre la porte. Son cœur battait violemment, mais il réussit à parler d'une voix basse et ferme:

— Ecoutez, Sarah, cette terrible douleur me reprend. Il n'y a qu'une chose qui me soulage, c'est d'être seul. Je m'en vais dans ma vieille chambre. Cela ne vous contrarie pas, n'est-ce pas, chérie?

Elle leva les yeux vers lui par-dessus le bord de son livre.

— Vous savez, dit-elle lentement, ce que c'est pour moi qu'être loin de vous?

— Oui, oui, je sais. C'est merveilleux que vous soyez comme cela pour moi... mais il faut que je vienne à bout de cette horrible chose... et la seule façon... je ne peux supporter personne auprès de moi...

Il ôta ses lunettes; ses grands yeux aux pupilles dilatées se mirent à briller davantage.

— Cela ne peut pas venir de vos yeux. Ils sont si beaux.

— Non, non. Je ne sais pas... c'est nerveux...

Il vint près d'elle et la caressa doucement.

— Vous comprenez, chérie... Juste le temps que cela passe.

Elle lui tendit les bras. Ils lui firent l'effet de tentacules prêts à l'attirer dans un gouffre. Il recula d'un bref sursaut.

— Bonsoir! Dites-moi bonsoir!

— Non, répondit-il d'une voix forte. Je ne peux même pas... vous voyez bien...

L'âpreté de sa voix l'étonna lui-même. Il quitta la chambre rapidement et retourna dans sa mansarde. Oh! la paix et l'obscurité bienfaisantes! Il se déshabilla dans le noir et se coucha, la tête enfouie dans l'oreiller, et attendit que sa douleur cessât.

Elle jaillissait entre ses épaules, encerclait son cou, et ses doigts crochus lui serraient la gorge. Bientôt elle atteignit les racines de sa langue. Il crut sentir sa tête enfler, comme si sa cervelle allait éclater hors d'un casque de fer. Il y avait un orchestre qui jouait dans la chambre, accompagnant le solo exquis de sa douleur. Il se jeta dans un nœud coulant et attendit en dressant l'oreille.

Le lendemain matin il s'éveilla rasséréné. Il descendit et prit son petit déjeuner dans ce bien-être heureux. Mais il redoutait de parler, de peur de briser cette douceur qu'il sentait fragile. A dix heures, la douleur recommença, et ne le lâcha plus avant qu'il pût s'endormir, très avant dans la nuit. Et il en fut ainsi tous les jours, et pendant des semaines. Il devenait squelettique sous une chevelure en désordre. Et il fallait qu'il prît sur lui pour parler gentiment à Sarah.

Il eut soudain une envie impatiente de voir Wakefield. Il alla trouver Renny:

— Crois-tu, lui demanda-t-il, que Wake pourrait venir passer quelques jours avec nous? Je l'ai à peine vu, tu sais, et quand il aura prononcé ses vœux, ce sera moins facile pour lui de s'en aller.

Renny parut se réjouir à la simple pensée d'une visite de Wakefield.

— Je suis sûr, dit-il, qu'ils le laisseront venir, sachant que tu as été absent, et que tu ne te sens pas bien. Ecris-leur seulement une lettre aimable — tu sauras bien comment t'y prendre. Je suis certain qu'ils ne feront aucune difficulté.

— Ecris-la, toi, Renny. Je... j'ai peur de ne pas pouvoir.

Rien qu'à imaginer cet effort, la douleur s'accrut dans sa tête.

— De ne pas pouvoir!

Renny le dévisagea d'un air perplexe. Puis il répondit avec une cordialité forcée:

— Oui, bien sûr, je vais le faire. J'écrirai aujourd'hui... As-tu essayé de l'aspirine? Alayne trouvait cela très bon pour la migraine.

— Ça ne me fait rien. Pas plus que la drogue que le docteur français m'a ordonnée. Rien n'arrive à me soulager. Je... je ne sais pas quand je pourrai me remettre à jouer.

Renny mit un bras réconfortant autour des épaules de Finch.

— Cela passera. Penses-y le moins possible et reste dehors autant que tu le pourras.

Il regardait avec inquiétude la jeune figure hagarde de Finch.

— Je suis heureux que tu aies envie de faire venir Wake; mais ne te laisse pas convertir, surtout! Il va s'attaquer à toi s'il croit qu'il y a une chance.

Quelques jours plus tard Wakefield arriva pour passer une semaine à Jalna. Dans sa robe noire, sa silhouette paraissait plus étoffée et sa figure plus brune. Il semblait serein et installé dans son bonheur. La famille le regardait avec ahurissement. Il y avait si peu de temps, c'était un petit garçon aux genoux nus, singeant ses aînés et toujours préoccupé de la vie complexe qu'il s'était créée au sein de sa famille. Et maintenant, il était très loin de leurs soucis quotidiens, mais très affectueux et compréhensif. Il se pencha avec Ernest sur les motifs de tapisserie; il eut de grandes conversations avec Nicolas et lui fit à haute voix la lecture du *Times*; il visita tous les recoins de l'écurie avec Renny, donna du sucre à son ancien poney et le pansa lui-même. Il alla jusqu'à retrousser sa soutane et monter le nouveau cheval de Renny pour l'essayer, savourant avec une calme joie l'étonnement et l'admiration des garçons d'écurie et des valets de ferme qui étaient réunis pour le voir.

Il allait prendre le thé tous les jours à Vaughanlands ou chez Pheasant. Meg lui parlait de ses pensionnaires. Pheasant lui exposait les problèmes de l'éducation de ses fils comme s'il était déjà un ministre éprouvé des âmes. Piers lui-même se décidait à le prendre au sérieux. Il alla voir Mr Fennell, à qui il était redevable de presque toute son instruction et il engagea avec lui des controverses religieuses. Cela l'enchantait d'aller maintenant chez le pasteur en émissaire de la vie monastique. Au vrai, Wakefield était au septième ciel.

La fille d'Eden oubliait sa timidité avec lui. Quand ils étaient tout seuls ensemble, elle se risquait à lui parler dans son étrange baragouin de bébé anglais et français. Elle le suivait partout où elle pouvait, se cramponnant à un pli de sa soutane, de toute la force de sa main minuscule. Son nom la fascinait. Elle ne cessait pas de le répéter, en trottinant, comme une petite chanson:

— Wake... Wake... Wake...

Ses cheveux étaient raides et si fins que, dès qu'on les touchait, ils restaient dressés comme un pinceau pâle. Elle avait toujours un épi sur le côté de la tête qui frôlait Wake.

Il eut l'idée de repeindre les murs de la nursery. Ceint d'un tablier de Mrs Wragge noué par-dessus sa robe, il passa une couche de peinture jaune soleil sur les murs et le plafond. Puis il alla en ville, et acheta des gravures représentant les légendes des saints pour faire une frise. Entre les fenêtres il installa saint François entouré d'oiseaux et d'autres animaux. Alma Patch, la nurse, en avait le souffle coupé par la joie. Ernest lui avait rapporté d'Angleterre un costume de nurse qui lui donnait un prestige nouveau dans le village. Elle trouvait que Roma était le modèle des petites filles, sauf sur la question nourriture: il fallait se donner beaucoup de peine pour qu'elle mangeât. Avec Adeline, au contraire, la difficulté était de l'arrêter.

Wakefield, cependant, passait la plus grande partie de ses journées avec Finch. Tous deux faisaient de grandes promenades ensemble, ou restaient à palabrer, étendus sur les aiguilles brunes et luisantes du petit bois de pins. Indéfiniment, avec une monotonie apaisante et voulue, Wakefield parlait de sa vie au monastère, du bonheur qu'il trouvait à cette atmosphère religieuse. Il faisait la lecture à Finch qui ne prêtait qu'une oreille à ce qu'il refusait d'admettre, mais qui se désaltérait de la paix rassurante que lui donnait la présence de Wakefield.

La nuit, ils dormaient ensemble dans la vieille chambre de Finch, leurs longues jambes paisiblement détendues, un bras de Wake posé, comme une protection, sur Finch. Il se sentait l'aîné des deux maintenant; et cela lui donnait une force immense et de la fierté de protéger Finch. Finch était le petit frère, le faible, le peureux, le crampon. Wakefield se rendait compte, mieux que personne dans la famille, que Finch se contractait devant l'amour démonstratif de Sarah, et que l'intérêt passionné — toujours mêlé d'une part de sensualité — qu'elle montrait pour tout ce que disait et faisait Finch l'horripilait et l'épuisait littéralement. Avec Sarah, Wakefield se montrait conciliant et digne de recevoir des confidences. Il l'écoutait gravement lui raconter les succès de Finch en Europe; il promettait que Finch serait bientôt en état d'entreprendre la série de concerts en Amérique, que son imprésario avait organisée pour lui. Mais actuellement, ajoutait-il, Finch avait le plus grand besoin de repos et de solitude. Il fallait que Sarah aille faire des visites à Meg et à Pheasant, qu'elle se tienne un peu à l'écart de son mari pour que son amour pour elle n'en vienne pas à fatiguer ses nerfs. Les artistes étaient d'un tempérament capricieux et on devait se prêter à leurs fantaisies. Wakefield se croisait les mains sur le ventre, et croyait qu'il avait cinquante ans.

Quant à Finch, cela l'amusait de penser que le garçon qui l'avait toujours agacé par sa vantardise et ses airs de supériorité pût être maintenant son réconfort et synonyme de force vitale. Il baissait pavillon devant Wake. Quand il était couché et qu'il le regardait faire ses prières à la lueur des bougies, quand il écoutait le murmure égal qui coulait de ces lèvres — assez semblables à celles de sa grand-mère dans leur dessin flexible — Finch sentait qu'il y avait en lui quelque chose de plus fort que dans aucun de ses frères, et qu'il y avait un mystère et un symbole dans cette chambre. Tous les jours sa migraine diminuait d'intensité.

Pourtant il n'eut pas de regret quand la semaine s'acheva, et que Wakefield repartit pour le monastère. Il désirait être seul avec sa paix croissante. Il sentait bien que c'était de lui-même, et de lui-même seul, qu'il reprendrait le chemin de la vie normale, du travail qu'il avait devant lui... des années qui s'étendaient dans l'avenir, des années avec Sarah.

Sarah suivait le conseil de Wakefield et se tenait un peu à l'écart de Finch, mais il n'était jamais absent de sa pensée. Et une fois Wakefield parti, Finch eut conscience précisément de cette pensée qui tournait sans cesse autour de lui. Il se replia sur lui-même, incapable de supporter tant de vitalité féminine. Il en était brûlé comme par les étincelles d'une fournaise, les décharges d'un courant électrique.

Sarah s'imagina qu'en jouant du violon, elle le raccommoderait avec la musique. Elle commença à jouer en sourdine dans le salon quand elle savait qu'il était à côté. Puis elle se mit à jouer plus fort, choisissant les morceaux qu'il préférait, en se mettant dans leur chambre quand elle le savait dans sa vieille mansarde. Elle vint même un jour au pied de l'escalier des combles, et elle monta lentement en serrant son violon sous son menton pointu.

Quand Finch l'avait entendue jouer en bas, il s'était enfui au-dehors par la porte de côté; quand il l'avait entendue dans sa chambre, il était descendu à pas de loup et était sorti; mais, le jour où elle monta jusqu'à lui en jouant, il n'y avait plus d'évasion possible. Il se précipita à la fenêtre et se pencha tant qu'il le put, calculant la distance qui le séparait du sol.

Sarah était insistante et entêtée comme un enfant; elle était égoïste comme un enfant. Finch ouvrit sa porte et parut sur le palier en la regardant.

— Assez! dit-il d'une voix rauque.

Elle leva ses yeux pâles qui brillaient et continua à jouer.

— Arrêtez-vous! répéta-t-il farouchement. Ne jouez pas devant moi, Sarah. Je ne peux pas supporter cela!

La main qui tenait l'archet retomba mollement. Elle sourit.

— Pourquoi? demanda-t-elle. Je crois qu'un peu de musique vous ferait du bien.

— Non! Non! Cela me fait mal à la tête. Ne le comprenez-vous pas, Sarah? Les notes tapent sur ces nerfs qui me font si mal dans la tête. Elles tapent comme des petits marteaux, elles me déchirent comme des griffes. Mettez votre violon de côté, chérie. Juste un certain temps, jusqu'à ce que j'aille mieux!

Sarah posa son archet comme une caresse sur la main que Finch appuyait sur la rampe. Elle s'approcha de lui en souriant.

— Je ne jouerai plus, dit-elle.

L'archet brûlait la main de Finch. Il l'écarta et, pour se donner une contenance, enleva ses lunettes et les essuya sur sa manche.

— Vos yeux chéris! murmura-t-elle.

Et, s'approchant encore, elle les embrassa.

Finch, immobile, respirait à peine; il se guettait comme s'il était étranger à lui-même, comme s'il n'était plus qu'un corps, une boîte crânienne entourant une horrible douleur.

Elle lui mit ses deux bras autour du cou et l'étreignit. Un vent froid passait sur eux, venant de la fenêtre ouverte.

— J'ai tellement froid! soupira-t-elle.

Et elle appuya ses lèvres sur celles de Finch, serrant

une de ses jambes souples autour des mollets maigres de son mari.

Il se dégagea, recula jusqu'au seuil de sa chambre. Mais elle posa le violon par terre, contre le mur, et le suivit, ses petites dents blanches découvertes par un sourire.

— Non! Ne venez pas! cria-t-il. Ne voyez-vous pas que je ne veux pas de vous?

— Chéri, ne dites pas cela! Vous ne voulez pas de votre Sarah?

Il se domina pour répondre plus doucement:

— C'est que je suis si fatigué, Sarah! Vous me connaissez, ma chérie! Vous ne voulez pas que je tombe en miettes. Il faut que vous me laissiez seul jusqu'à ce que j'aille mieux. Wake vous l'a dit, n'est-ce pas? Il vous a dit que, ce dont j'avais besoin, c'était de solitude.

— Wakefield est trop bon pour vous, dit-elle.

Elle se glissa devant lui dans la chambre et se laissa tomber sur le lit défait. Elle lui tendit les bras et mit toute sa séduction dans son sourire.

— Venez, dit-elle. L'amour vous guérira.

Il hésita sur le seuil de la porte. Allait-il descendre quatre à quatre et s'enfuir? Mais non: s'il faisait cela, elle resterait maîtresse de sa chambre, de sa bien-aimée retraite, de l'endroit où il avait été heureux avec Wakefield.

Il s'approcha du lit et, la tirant par les bras, la fit lever et la poussa dans le couloir. Elle se débattit. Ils luttèrent jusqu'au palier. Elle se mit à crier et, comme si ce cri l'avait délivrée, elle le fit suivre d'autres, sonores et perçants.

Renny entrait justement dans le hall, suivi par ses chiens. Au bruit de ces clameurs, *Floss* serra la queue entre ses jambes et recula vers la porte, mais *Merlin* leva son museau d'aveugle et aboya furieusement. Renny s'avança jusqu'au pied de l'escalier, la mâchoire contractée.

— Seigneur! Qu'est-ce qui se passe?

Finch lâcha Sarah et se pencha sur la rampe.

— Elle ne veut pas me laisser tranquille, cria-t-il. Elle ne veut pas me laisser une minute de paix. Elle me fera devenir fou!

Renny s'adressa à Sarah, qui s'appuyait au mur.

— Qu'est-ce qu'il a? demanda-t-il.

— Wake l'a monté contre moi, gémit-elle. Il ne veut pas que je le touche.

— C'est à devenir fou! cria Finch. Je te le répète, elle n'arrête pas de me persécuter. Elle est venue jouer du violon dans l'escalier, juste à ma porte, et elle sait à quel point ça me fait mal à la tête! Je t'assure que je n'en peux plus!

Il éclata en sanglots hystériques, s'accrocha désespérément à la balustrade. En l'entendant pleurer, Sarah fondit en larmes, elle, en poussant des lamentations de veillée funèbre. Ernest, qui faisait de la tapisserie dans le salon, apparut dans le hall, son ouvrage à la main. Soucieux, malgré son inquiétude, de ne pas manquer un point, il essaya de piquer son aiguille sur le canevas, mais ne réussit qu'à se l'entrer dans le pouce, ce qui redoubla son angoisse. *Merlin*, furieux, continuait à aboyer. Nicolas, cloué au lit par la goutte — c'était sa première crise depuis son retour — tapa sur le plancher avec sa canne en hurlant:

— Qu'est-ce qui se passe? Voyons, qu'est-ce qui se passe?

Renny bondit dans l'escalier et prit Finch dans ses bras. Il l'emmena dans sa chambre et l'assit sur son lit, puis il revint dans le couloir et ferma la porte derrière lui. *Merlin* s'approcha de lui et renifla la porte, mais *Floss* resta en bas avec Ernest.

Renny l'interpella d'en haut.

— Oncle Ernest, occupez-vous de Sarah! Donnez-lui quelque chose à boire et qu'elle se calme!

— Je vais très bien, dit Sarah.

Et elle descendit lentement vers Ernest qui l'emmena au salon.

Le calme était revenu, mais Nicolas cognait toujours. Renny entrouvrit sa porte. Nicolas était assis sur le bord de son lit, la figure crispée parce qu'il essayait de mettre à terre sa jambe bandée.

— Recouchez-vous, oncle Nick, dit Renny. Tout est fini.

— Mais que s'est-il passé? demanda Nicolas piteusement, satisfait de pouvoir soulever sa jambe et de la remettre sous les couvertures.

Merlin vint près de lui, le flaira en cherchant sa figure, la trouva et lui donna un coup de langue.

— Bas les pattes, vieil idiot! dit Nicolas en lui donnant une tape.

— C'était une dispute entre Finch et Sarah, expliqua Renny. Ils s'exaspèrent mutuellement, je crois, et ça ne m'étonne pas! Avec ces maux de tête, il ne sait plus ce qu'il fait et il y a de quoi rendre cette fille folle. Pourtant elle a tort de lui jouer du violon de force quand elle sait que cela le martyrise.

— De lui jouer du violon de force! grommela Nicolas. Elle lui joue du violon de force?

— Oui. Pour qui se prend-elle? Pour Néron? Mais je vous le déclare, elle trouvera sa Rome consumée un de ces jours, si elle ne fait pas attention! Finch n'est pas de taille à lutter avec une hystérique pareille.

— J'appelle cela une gourgandine, dit Nicolas.

Le front de Renny se contracta.

— Allons, je remonte avec ce pauvre diable, pour voir ce que je peux faire pour lui. Si cela continue, il sera bon pour le sanatorium. Cette maison... il y a de quoi condamner un homme à la boisson! Ici, *Merlin*!

Il sortit, son épagneul sur les talons.

CHAPITRE XVI

Sa chambre bien-aimée

Nicolas était bien installé dans son lit, en train de lire, quand Renny revint le soir. Il posa son journal et regarda anxieusement son neveu.

— Il est calmé, dit Renny, mais il file un mauvais coton! Je me demande si je ne devrais pas envoyer chercher le médecin.

— Qu'est-ce que tout cela veut dire? demanda Nicolas avec humeur.

Renny s'assit sur un fauteuil au pied du lit, se croisa les bras, et laissa tomber les coins de sa bouche.

— Vas-tu me répondre, oui ou non? s'écria Nicolas.

— Il est braqué contre Sarah, oncle Nick. Il ne peut plus la supporter. Croyez-vous qu'il soit en train de perdre la tête? On dit que c'est un symptôme, quand on se retourne comme ça contre les gens qu'on aime.

Nicolas le regarda d'un air encore plus sombre, puis il dit d'un ton doctoral:

— Non, non. Je ne peux pas croire que nous en soyons là! Elle l'exaspère, voilà tout. Il vient de fournir un effort... Tous ces concerts... Il est épuisé. Et puis c'est une drôle de fille! Je n'ai jamais pu la comprendre.

— Une femme diablement passionnée, derrière son air froid.

— Hum! grommela Nicolas. Ma femme était diablement froide sous son air prometteur!

— Vous avez fini par la prendre en grippe, n'est-ce pas?

— Absolument. Mais sans histoires. Pas de crise de nerfs de part et d'autre.

— Il dit qu'il ne peut plus rester sous le même toit qu'elle. Son état est pénible à voir! Je crois qu'il deviendra dingo si elle recommence à jouer du violon.

— Si tu l'envoyais changer d'air?...

— Quand je le lui ai proposé, il m'a dit qu'il ne quitterait pas sa vieille chambre. Il ne veut plus jamais la quitter.

Nicolas passa sa main dans ses mèches grises.

— Donne-moi un whisky-soda, dit-il. J'ai besoin de réfléchir.

— Pensez à votre goutte!

Nicolas grogna dans son oreiller:

— Bon sang! Donne-moi un simple petit soda, alors! J'ai soif... Juste une goutte dans le soda, pour lui donner du goût. Je ne mangerai pas de viande aujourd'hui.

Pendant qu'il buvait, Ernest entra dans la chambre, le pouce bandé dans un mouchoir.

— Fâcheuse coïncidence: j'avais mon aiguille à la main juste quand Sarah s'est mise à pleurer. Le résultat est que je me suis fait une mauvaise blessure. Je me demande s'il n'y a pas de danger que j'aie un panaris.

— Aucun danger, grommela son frère.

— Ah! cela me soulage de te l'entendre dire! Mais c'est très douloureux.

Il se tourna vers Renny.

— Comment se comporte le petit, maintenant?

Renny le lui expliqua en quelques mots.

— Ils ont besoin de se séparer quelque temps, dit Ernest. Voilà ce que j'ai pensé: installons Sarah à la ferme aux Renards. Elle peut en faire quelque chose de charmant avec ce que toi et Finch vous avez acheté et quelques meubles du grenier. Elle n'aura pas grand-chose à ajouter. Je lui en ai parlé et elle a sauté sur l'idée. Elle ne veut pas s'éloigner de Finch et pourtant elle admet qu'il puisse avoir des caprices.

Nicolas regarda son frère avec admiration et Renny d'un air suppliant.

— Tu peux avoir confiance en ce vieil Ernie, dit-il. Il trouve toujours la solution. Et la meilleure! Cette maison est vide: installes-y Sarah, et qu'elle paie un bon loyer!

— Non, non, dit Renny. Je ne lui demanderai rien.

— Ce serait de très mauvais goût, appuya Ernest. Surtout étant donné qu'elle a cette hypothèque!

— Raison de plus, dit Nicolas. Soutirons-lui ce que nous pouvons!

Renny secoua la tête.

— Impossible! Mais l'oncle Ernest a une idée excellente. Nous allons y installer Sarah le plus tôt possible. Je ne serai pas fâché de la voir hors de Jalna.

Je ne m'étonne pas qu'elle tape sur les nerfs du pauvre Finch.

— Ce sera charmant d'avoir une maison de plus où faire des visites de famille, dit Ernest.

Le jour même, deux femmes de ménage furent dépêchées pour préparer la maison de Sarah. Noah Binns alla couper le gazon et sarcler les plates-bandes. Le lendemain matin, une charrette de la ferme emporta deux chargements de meubles, et Meg alla en ville avec Sarah pour acheter des rideaux et des ustensiles de ménage. On découvrit une cousine d'Alma Patch qui savait à la fois faire la cuisine et servir à table. Le soir, Sarah et sa femme de chambre française disparurent par le ravin vers la ferme aux Renards. Sarah était excitée comme un enfant.

Avant de partir, elle écrivit à Finch et glissa la lettre sous sa porte puis redescendit l'escalier en courant, faisant du bruit avec ses talons hauts. Elle ne lui en voulait pas de refuser de la voir: elle n'aurait rien voulu changer à ce qui se passait. C'était une partie de ce jeu merveilleux qu'était son mariage avec Finch, dont chaque état d'âme, chaque attitude l'éblouissaient. Elle l'imagina derrière la porte, voyant poindre la lettre, bondissant avec un émoi effrayé sur ce papier, lisant ces phrases passionnées et audacieuses, le cœur battant de plus en plus vite et luttant fiévreusement contre le désir physique qu'il avait d'elle. Bientôt, bientôt il le crierait, ce désir!

Finch avait entendu le bruit des hauts talons. Il avait vu aussi la lettre apparaître sous la porte. Apparaître — puis disparaître sous le bord du tapis usé.

Il la laissa là et tourna sa tête sur l'oreiller, regardant paisiblement les fleurs passées du mur. Il ne tenait qu'à une chose: rester où il était. Dans cette chambre, il se retrouvait face à face avec l'âme de son enfance. Les murs lui parlaient, le toit s'inclinait sur lui comme une aile; tout ce qu'il y avait de taches et de reprises était comme un rempart entre lui et le monde. Parfois sa douleur lui tenait compagnie; parfois il restait faible et calme, libéré d'elle.

Il refusait de laisser entrer les domestiques pour refaire son lit. Il se leva quand celui-ci devint trop aplati et le refit lui-même. Il alla ouvrir le placard à linge du couloir et prit des draps propres à un moment où il était sûr de ne voir personne. Il aimait tellement cette chambre qu'il voulait être seul à y entrer.

Il prêtait l'oreille aux bruits de la maison. De son lit, il entendait les rires et les colères d'Adeline, les éclats de voix de Nicolas, les aboiements et les grognements des chiens, le ronronnement monotone du balai mécanique de Bessie. Parfois il entendait le piétinement des sabots des chevaux sous sa fenêtre et, une fois, le sifflement aigu d'un garçon d'écurie lui rappela des notes de violon. Il sauta de son lit, tout en sueur, et ne fut rassuré que lorsque le groom acheva de siffler en riant. Quand Renny ou ses oncles venaient le voir, il faisait semblant de dormir, ou de trop souffrir pour parler. Il dévorait son petit déjeuner, mais renvoyait les autres repas presque intacts.

Au bout de dix jours, Piers apparut à côté de son lit sans prévenir. Pendant toute cette période, Finch avait à peine pensé à lui, sauf pour se remémorer le compagnon le meilleur, mais qui l'avait le plus martyrisé dans sa jeunesse. Il regarda avec émerveillement ses belles épaules, sa figure enrichie par un été de travail en plein air, ses mains fortifiées et affermies par le maniement des chevaux.

Piers lui dit avec son sourire moqueur, mais en étant moins sûr de lui qu'il ne le paraissait:

— Sérieuse cure de repos, hein? Comment vas-tu?

— Un peu mieux, je crois, murmura Finch, toujours avec son ancien air de timidité. J'étais tellement fatigué!...

— Enfin, tu as eu le temps de te reposer! Si tu restes ici plus longtemps, tu finiras paralysé. Ce qu'il te faut, c'est un peu d'exercice.

Finch détourna la tête.

— Je n'en suis pas capable, marmotta-t-il.

— Tu n'en seras jamais capable si tu ne fais pas d'effort. Je suis venu pour t'emmener. Nous irons où tu voudras. Je te laisse le choix, mais il faut que tu sortes de ce lit et de cette maison.

— Ecoute, c'est absolument impossible! Quand je bouge, cette douleur... Tu ne peux pas comprendre, Piers.

— Je crois que je comprends très bien; aussi bien que n'importe qui. Et je sais que, si on te laisse seul, tu ne te guériras jamais.

— Idiot!

— Ce n'est pas idiot. Tu sais que c'est la vérité. Tu as toute ton existence devant toi, et beaucoup de choses à faire. Viens donc!

La voix de Piers se fit insistante.

— Je vais t'aider à t'habiller. L'auto attend à la porte, je vais t'emmener faire une jolie promenade au bord du lac. Il y a une brise délicieuse, les feuilles commencent à changer de couleur.

Pour toute réponse Finch se mit à plat ventre et remonta les couvertures par-dessus sa tête. En un instant Piers fut sur lui. Il attrapa le bord du drap, l'arracha du lit et donna à Finch une claque retentissante sur les fesses.

— Voilà! Viens, maintenant! Lève-toi! dit-il.

Finch découvrit subitement qu'il avait envie d'obéir à Piers. Il voulait que ces fortes mains le dirigeassent. Il laissa Piers l'aider à s'habiller, riant nerveusement et les jambes flageolantes.

Piers lui prit le bras pour descendre l'escalier. « Sait-il, pensa Finch, que je suis complètement étourdi ou veut-il me houspiller! »

Il n'y avait pas une âme dans les parages. Piers avait-il prévenu pour que la voie fût libre? L'auto, fraîche sortie du lavage, resplendissait dans l'allée. Piers fit asseoir son frère sur le siège à côté de lui.

La voiture roula doucement sous la voûte d'arbres. Un grand changement s'était produit depuis que Finch n'avait pas vu la nature. Les feuilles des bouleaux tournaient à l'or, celles des chênes à la couleur rouille, celles des érables au rouge flamboyant. Les champs moissonnés étendaient leur rousseur au soleil; asters et marguerites de la Saint-Michel, aux corolles brillantes et aux queues raides, se dressaient dans les haies. Les fleurs fragiles de l'été avaient disparu et les baies rouges des frênes annonçaient les gelées à venir. Finch, appuyé au dossier du siège, s'imprégnait du paysage sans parler.

Ils longèrent le bord du lac qui moutonnait sous le ciel bleu campanule. Une frange d'écume rampait sur le sable du rivage, se retirait, puis revenait, mousseuse. « Il faut que j'oublie, pensa Finch, que j'ai voulu me noyer là. C'était trop exquis d'être absorbé par cette splendeur brillante! J'étais plus fort au moment où j'allais me noyer que maintenant. Pourquoi Eden m'a-t-il sauvé? »

Piers ralentit et alluma une cigarette. Tout ce qu'il faisait de ses mains était parfait, pensa Finch. Pas l'ombre d'un cheveu d'indécision: rien que de l'aisance, de la vigueur et de l'adresse dans ses mouvements.

Piers tourna un instant ses yeux bleus vers Finch, puis regarda de nouveau devant lui. Il avait l'air bienveillant.

— Tu as toujours pris les choses trop au sérieux, dit-il à brûle-pourpoint.

— Je sais, murmura Finch.

— Même enfant, tu étais comme cela.

— Pas besoin de me le rappeler.

— J'étais un petit brutal avec toi.

— Restons sans parler, Piers!

— Je ne vais pas te faire la conversation, mais je voudrais te sortir de l'ornière où tu t'enfonces. Je sais que je ne suis pas artiste, je n'ai pas d'imagination. Pourtant je sais quand un cheval ou un homme se prépare à se ficher par terre. J'avais prévu ce qui est arrivé à Eden — mais Eden n'a jamais été bon à rien. Ce n'est pas comme toi. Je savais que gâter Wakefield était un mauvais service à lui rendre, mais j'étais seul à m'en rendre compte. J'ai toujours pensé que le mariage de Renny et d'Alayne tournerait mal pour tous les deux, mais rien n'aurait pu les arrêter! Je voudrais te voir faire une belle chose de ta vie! Tu as pris un si beau départ! Tu as tout l'argent de Gran, tu as un talent qui doit te rendre célèbre, si l'on se fie à la critique. Tu as épousé une femme riche. Mais... tu as pris ton héritage trop au sérieux... J'avoue que nous ne t'avons rien facilité, mais quelques petites observations n'auraient pas dû te mener à...

— Assez! cria Finch en se tordant les doigts.

— Passons!... Après, ce fut le tour de la musique. Tu t'es laissé dominer par elle au lieu de la maîtriser... Maintenant, c'est ton mariage.

— Mon Dieu! s'écria Finch. Tu as aussi pris le tien assez au sérieux quand tu as découvert...

La figure de Piers s'assombrit.

— Je l'ai pris au sérieux, mais pas trop. J'ai gardé ma tête, personne ne peut dire le contraire. Je ne voulais pas que mon ménage fût brisé.

— C'est que tu aimais Pheasant!

Piers sursauta.

— Et toi, n'...

— Je la déteste. Non, ce n'est pas de la haine: c'est plutôt de la peur.

— Te voilà bien! Tu as peur!

— Je t'assure! Elle m'étouffe. Elle m'arrache la vie. Je ne peux pas vivre avec elle, Piers.

Sa voix s'enfla. Il prit un air si égaré que Piers accéléra en grommelant.

— Personne ne te le demande, tant que tu n'en as pas envie. Mais veux-tu t'en remettre à moi et faire ce que je te dis pendant quelques jours? Mettons pendant une semaine!

— Que veux-tu me faire faire?

— Je veux que tu fasses une promenade en auto avec moi tous les jours. Je ne t'ennuierai plus en te parlant comme cela, mais tu prendras l'air et ce sera un changement d'horizon. Le soir, tu avaleras un bon coup de whisky — de quoi te faire oublier tes ennuis. Tu ne te figures pas le bien que cela te fera. C'est le meilleur traitement que tu aies à suivre. Veux-tu essayer?

Finch se mit à rire.

— C'est bien facile, dit-il. Cela m'est égal de prendre du whisky, si tu crois que cela me fera du bien; mais je ne te promets pas les promenades en auto. J'aime ma chambre, tu sais.

— Tu n'iras jamais bien tant que tu y resteras à croupir. Je sais ce que je dis. Tu as besoin de mouvement et d'espace. Tiens, tu as déjà meilleure mine!

Finch en convint. Ce soir-là, Piers vint à Jalna et lui administra une solide dose de whisky d'une main ferme et avec un œil bienveillant. Une chaleur délicieuse enveloppa Finch. Il sentit des picotements, des vibrations dans ses nerfs; puis une grande détente, et il tomba dans un sommeil profond. Mais le lendemain, ses maux de tête étaient pires, et il refusa de quitter sa chambre.

CHAPITRE XVII

Précoce automne

Renny partit à pied à côté de la charrette qui transportait à la ferme aux Renards le mobilier de Clara Lebraux joint à quelques meubles tirés du grenier de Jalna. Le chargement ne comprenait pas ce qu'il avait lui-même acheté à la vente: il tenait à garder la bibliothèque et la vitrine dans sa chambre, et il avait emporté dans son bureau, aux écuries, la table à café sur laquelle il avait installé son attirail de fumeur. Il n'avait pas pu se résoudre à rapporter tout cela à la ferme aux Renards.

Tout en aidant Sarah à emménager — assisté aussi par Meg dont la présence apportait partout du réconfort — il réfléchissait aux vicissitudes qu'avait traversées cette maison. Il avait peine à croire que Clara et Pauline l'eussent désertée pour toujours, et il aurait payé cher pour voir la silhouette résolue de Clara mettant adroitement la maison en état et pour revoir Pauline tour à tour sérieuse et gaie — au lieu de Sarah qui papillonnait pour rien et sa femme de chambre française qui faisait une montagne d'une taupinière. Toutes deux restaient pour lui irréelles et il aimait la réalité. Voilà ce qu'il avait le plus aimé chez

Clara: sa chaude et vibrante réalité. Cependant Sarah prenait son sort avec un calme admirable. Elle ne se plaignait pas de sa situation difficile. Manifestement elle éprouvait plus de plaisir que de peine à s'installer dans cette maison où elle vivrait seule, et où elle comptait ramener Finch dès qu'il en serait capable.

Meg était affectueuse pour Sarah. Elle louait son parfait dévouement conjugal en le comparant au froid égoïsme de certaines épouses et, si ses lèvres ne prononçaient pas le nom d'Alayne, son intonation la désignait nettement.

Dans la famille, on commençait à trouver suspecte l'absence prolongée d'Alayne. Comme tout le monde surveillait le courrier et voyait qu'il n'arrivait jamais de lettre d'elle pour Renny, on eut bientôt la certitude qu'elle l'avait quitté pour de bon. Elle-même ne tarda pas d'ailleurs à l'avouer dans une lettre à Pheasant. Celle-ci restait en correspondance avec elle pour lui donner des nouvelles d'Adeline et elle ne manquait pas de lui raconter les plus petits potins de la maison. Elle éprouvait une joie secrète à être la seule correspondante d'Alayne, mais elle aurait voulu qu'Alayne s'exprimât plus franchement. Ses lettres avaient un ton détaché, impersonnel, et Pheasant était bien sûre que sa belle-sœur avait autre chose à dire que les menus faits quotidiens de la vie de sa tante et de la sienne.

Ernest et Nicolas se froissèrent qu'Alayne ne leur écrivît jamais. Un froid s'établit entre eux, et ils rejetèrent toute la faute sur leur nièce. Elle avait changé, elle était beaucoup moins aimable et on eût dit qu'elle avait perdu son charme d'autrefois. Ils n'étaient pas fâchés au demeurant que Sarah l'eût destituée, et d'être libérés de sa présence, car c'était une personne un peu grandiloquente et, sans elle, ils se sentaient plus libres de faire tout ce qu'ils voulaient comme ils le voulaient. Ils riaient en appelant Adeline la petite maîtresse de Jalna. Adeline était ravie et s'empressait de prendre un ton de commandement. Elle avait quatre ans et elle était une femme d'autorité. Du moins était-ce son avis, et Alma Patch n'arrivait pas à la faire obéir. Elle se levait et se couchait quand il lui plaisait et ne mangeait que guidée par sa seule gourmandise. Ce qui aurait rendu malades les fils de Pheasant ne l'affectait nullement: elle dévorait des pommes vertes, des pêches avec la peau, des tranches de cake entre les repas, elle buvait du thé fort, de la citronnade, du cidre ou du petit-lait. N'acceptant aucune contrainte, elle marchait, le teint frais et la chair ferme, à l'assaut de la vie.

Renny lui avait fait faire sa première tenue de cheval par son propre tailleur, qui s'émerveilla de ses proportions et la trouva magnifique pour son âge. Et c'était vrai qu'elle avait de l'allure avec ses cheveux châtains à peine coupés et qui bouclaient naturellement et ses jambes aussi droites que Dieu avait pu les faire.

Bientôt elle rivalisa avec Mooey pour entraîner les poneys. Il enviait la crânerie de sa cousine et tendait tous ses nerfs pour défendre la supériorité de ses neuf ans. Renny donnait tout son temps à la préparation de ses chevaux pour le concours. Il fondait beaucoup d'espoir sur la nouvelle jument, tout en se demandant s'il arriverait jamais à lui faire perdre l'habitude de marcher sur ses postérieurs. Elle avait des jambes si fines et elle les raidissait tellement que le garçon d'écurie la surnomma Mrs Spindles, et le nom lui resta. Renny comptait sur elle pour lui fournir de quoi payer à Sarah l'intérêt de l'hypothèque dont il devait alors deux termes.

Les Vaughan n'étaient toujours pas renfloués. Leurs pensionnaires leur avaient laissé quelque profit, mais il n'était pas question de pouvoir verser l'intérêt dû à Finch. Cela n'inquiétait que fort peu Meg et Maurice, car Finch n'avait pas l'air de remarquer que le temps de l'échéance était révolu. Il passait ses journées dans sa chambre, ne se levant que pour retaper son lit, et il se refusait à recommencer le traitement prescrit par Piers.

Piers et Pheasant étaient dans une situation plus brillante. Les récoltes avaient été magnifiques; fruits et fourrages s'étaient vendus relativement bien. Les deux demoiselles Lacey avaient décidé de finir leurs jours en Californie et accepté de vendre leur maison à Piers à des conditions avantageuses. Le jour que Piers fit le premier versement, il rentra prendre le thé, tout joyeux. Il embrassa Pheasant et le bébé et donna vingt-cinq cents à chacun des garçons. Puis il fit le tour du jardin en disant:

— Mon jardin.

Pheasant cogna bruyamment sur la porte en disant:

— Ma porte.

Les enfants, ravis de les imiter, coururent dans tous

les coins en criant: « Mon, ma... », à tout ce qu'ils touchaient.

Les lourdes pluies d'automne commencèrent et Sarah avait de plus en plus envie de revoir Finch. Elle vint à Jalna, un soir de pluie et de tempête, enveloppée dans une cape imperméable blanche qui la faisait ressembler à un bouleau argenté subitement doué de vie et de mouvement. Elle ruisselait sous la pluie en attendant que Wragge lui ouvrît la porte. Une mèche de cheveux noirs enroulés comme une vrille était collée contre sa joue. Une fois de plus, les feuilles de la vigne vierge commençaient à tomber devant la porte; comme chaque automne, elles fermaient le chapitre de l'été. Trempé et dégoulinant après une folle équipée, *Merlin* vint renifler les talons de Sarah. Il leva sa tête aveugle et lui fit un sourire suppliant en la reconnaissant, puis il se faufila devant elle pour être le premier à entrer dans la maison.

Wragge tardait à ouvrir la porte. Enfin Sarah entendit ses pas approcher, puis il dut s'arrêter pour faire de la lumière. *Merlin* ne pouvait pas contenir son impatience. Il poussait Sarah de l'arrière-train, grattait la porte et gémissait. Mais il y avait tant d'égratignures déjà sur le battant que ces nouveaux coups de griffes ne firent aucune différence — pas plus que la chute d'une nouvelle feuille sur le perron.

Aussitôt la porte entrouverte, *Merlin* se glissa dans le hall et, posant sa tête sur le tapis, se roula pour sécher ses longues oreilles. Wragge eut l'air surpris en reconnaissant Sarah.

— Oh! oh! dit-il.

Et il hésita, se sentant une âme de geôlier.

— Je viens voir Mr Whiteoak, Mr Renny, dit Sarah d'une voix douce.

— Oh! oh! très bien! Voulez-vous entrer, madame?

Sarah sourit et demanda:

— Comment va mon mari?

La méfiance de Wragge fondit devant cet étrange sourire doucereux qui illuminait seulement le bas de la figure, laissant aux yeux gris leur air froid sous les minces sourcils noirs. Il cligna de l'œil vers la porte du salon et dit dans un soupir:

— Assez mal, j'ose le dire, ma'ame. Il touche à peine à son manger, lui, le plus grand mangeur de la famille! Et des nerfs!... Si jamais des nerfs sont à bout, c'est les siens!

— Wragge, il faut que je le voie.

La figure de Wragge se plissa, ravagée de scrupules.

— Je ne sais pas si je dois vous laisser, ma'ame. Sans permission!... Cela pourrait l'exaspérer: il ne veut voir personne.

— Mais il le faut, dit Sarah. Je vous promets que je ne l'exaspérerai pas: cela lui fera du bien de me voir.

— Enfin, ma'ame, si vous montez, j'espère que vous ne lui causerez pas de musique: il est tout à fait braqué contre ça. Rien que l'autre jour, miss Adeline s'est mise à taper sur le piano. Il est descendu quatre à quatre! Il était à faire peur, et il lui a crié de se taire! Il avait l'air à moitié fou.

— Je ne lui parlerai pas de musique, Wragge.

Elle se faufila derrière lui et elle était au milieu de l'escalier quand la porte du salon s'ouvrit. C'était Renny. En deux enjambées il fut contre la rampe, passa la main entre les barreaux et attrapa le bord de sa cape.

— Vous osez! dit-elle. Vous osez m'empêcher de voir Finch!

— Je ne peux pas vous laisser monter. Cela le mettrait hors de lui.

— C'est vous et vos frères qui vous mettez entre nous. Laissez-moi monter!

Elle défit l'agrafe de sa cape, sous son menton, et la laissa tomber entre les mains de Renny. Filant comme un lièvre, elle fut en deux sauts à la porte de Finch.

Il s'élança derrière elle, deux marches à la fois. *Merlin* dressa son museau et poussa son aboiement grave et désemparé. Wragge ramassa la cape de Sarah et la suspendit soigneusement au portemanteau, sous la tête de renard qui narguait tout le monde.

Renny rattrapa Sarah juste au moment qu'elle posait sa main sur le bouton de la porte. Il la retint serrée contre lui, leurs deux cœurs battants, et il lui dit tout bas, d'un air impératif:

— Non. Vous n'entrerez pas.

— J'entrerai. Laissez-moi entrer. Finch!

Renny étouffa ce cri contre son épaule. Il pressait Sarah contre lui et l'entraîna, sans qu'elle cessât de se débattre dans tout l'escalier, jusqu'au hall. Il la conduisit jusque dans la bibliothèque et ferma la porte derrière lui.

— Ne faites pas la sotte, dit-il. Vous perdriez toutes vos chances en vous imposant à lui actuellement.

— Vous avez décidé de nous séparer?

— Sarah, vous êtes stupide. Ne comprenez-vous pas qu'un mari puisse quelquefois vouloir être seul?

Les yeux de Sarah brillèrent de haine.

— Je comprends pourquoi votre femme vous a abandonné. Vous êtes absolument sans cœur.

— Vous dites des bêtises. Moi, j'ai la responsabilité d'un garçon malade sur les bras. Cela vous est-il impossible de patienter un peu? Vous avez été dressée à la patience, vous n'avez pas été habituée à vous mettre en avant...

— Je suis amoureuse.

Elle le toisa. Ses cheveux noirs luisaient, impeccablement coiffés malgré la bagarre. Tout, en lui, la repoussait. Elle détestait son regard autoritaire, elle savait que ses moindres mots faisaient la loi dans la maison, elle détestait ses mains dures et longues avec leurs ongles courts qui avaient l'air frottés à la brosse en chiendent. Et cette haine était d'autant plus cruelle qu'elle était jalouse de lui: elle lui enviait, au nom de Finch, sa puissance formidable.

— Je suis amoureuse, répéta-t-elle. Et celui que j'aime est malade et vous nous tenez séparés. Votre propre sœur trouve que nous devrions être ensemble.

Il sourit d'un air méprisant.

— Que sait donc Meg de l'état de Finch? Je vous assure qu'il n'y a que Wakefield et moi qui nous en rendions compte.

— Et, tous les deux, vous détestez les femmes,

s'écria-t-elle. Sinon vous ne les traiteriez pas ainsi! Wake a poussé Pauline à entrer au couvent, et vous avez renvoyé Alayne chez elle. Vous essayez de dresser Finch...

Il lui coupa la parole.

— J'essaie de sauver Finch, et de lui épargner une vraie maladie.

— Je ne demande qu'une chose, dit-elle. Qu'il soit examiné par un spécialiste. J'en amènerai un moi-même. Il faut que Finch le voie.

— Très bien. Entendu.

— Si le spécialiste dit qu'il peut être transporté, je l'emmènerai chez moi.

— Très bien. Entendu.

— Ah! Vous croyez que vous avez gagné! Vous croyez que vous avez brisé sa volonté! Vous croyez que vous l'avez ligoté! Vous voulez diriger la maison comme faisait votre vieille grand-mère. C'était un bloc de granit et tout le monde tremblait et s'aplatissait devant elle! Mais si vous étiez chassé de cette maison vous perdriez toute votre force. Ces murs ont un orgueil terrible, voilà ce qui vous rend tellement arrogant. Jalna sue l'orgueil et la tyrannie!

Il lui sourit. Il n'était pas mécontent.

— La maison est parfaite. Gran était parfaite, nous sommes tous parfaits, mais vous laissez votre imagination courir!... Personne n'a plus que moi le désir de voir Finch d'aplomb et remis au travail. Faites venir un spécialiste. Peut-être Finch voudra-t-il le voir, peut-être ne le voudra-t-il pas. Nous ne pouvons qu'essayer.

— J'en verrai un demain matin, dit-elle.

Elle passa devant lui, dégoûtée par l'odeur de tabac et de chevaux qu'il dégageait, et elle traversa le hall. Avec déférence, Wragge décrocha la cape blanche du vestiaire et la posa sur ses épaules. Il avait à peine eu le temps de quitter son poste d'écoute contre la porte du salon et il avait une lueur de mélancolie badine dans les yeux.

Une rafale de vent et de pluie s'engouffra dès qu'il ouvrit la porte. *Floss* entra, mouillée et crottée; *Merlin* alla au-devant d'elle et l'embrassa d'un coup de langue. Tous deux interrogèrent Sarah du regard, souhaitant qu'elle s'en allât et qu'on fermât la porte sur la nuit.

— Voulez-vous, demanda Renny, que je vous accompagne dans le ravin? La nuit tombe.

— Non, merci. J'aime mieux aller seule.

La porte fut refermée sur elle. Renny et Wragge se regardèrent.

— Je crois, dit Wragge, que je vais vous apporter un peu de gin et d'eau, m'sieur. Il n'y a rien de meilleur pour se calmer les nerfs.

— Merci, Rags. Où sont mes oncles?

— Dans le salon, m'sieur. C'est une bénédiction que le vent hurle comme un possédé: ils n'ont rien entendu.

Renny alla les rejoindre et s'arrêta près du fauteuil d'Ernest, pour voir combien son ouvrage avait avancé. Nicolas lisait de sa voix sonore *Henry Esmond*. Le vent luttait contre les fenêtres de forme française et sifflait dans la cheminée. Mais *Boney* demeurait muet sur son perchoir, tassé sur lui-même, somnolent, un œil à moitié ouvert suffisant à lui montrer tout ce qu'il voulait savoir du monde.

— Sarah sort d'ici, dit Renny, négligemment.

Nicolas posa son livre.

— Voyons, voyons! Pourquoi n'est-elle pas venue nous voir?

— Elle était assez démontée. Elle veut amener un spécialiste pour voir Finch. Cela peut être une bonne idée, mais je suis sûr que Finch refusera de le voir. Sarah est un peu toquée.

— Pourquoi dis-tu cela? demanda Ernest en piquant son aiguille dans le calice d'une fleur.

— Eh bien! elle a l'air de croire que je fais exprès de les séparer, Finch et elle.

— Je me charge de lui dire qu'elle se trompe, s'écria Ernest.

— Si vous voulez mon avis, dit Nicolas en sortant sa pipe, je crois qu'elle a perdu la partie.

La figure de Renny se rembrunit. Il avait presque peur de penser à Sarah.

Il bavarda un peu avec ses oncles, puis monta dans la chambre des deux petites filles. Le vent les avait troublées et, du fond de leurs lits d'enfants, elles le regardèrent venir, deux petits animaux pleins de vivacité, l'œil en éveil. Vers laquelle irait-il d'abord? Roma l'invitait de ses yeux d'ardoise, tout en gardant la bouche close; Adeline agitait ses pieds sous ses draps pour l'appeler. Renny s'avança, saisit les pieds frétillants dans sa main et les chatouilla doucement. Galvanisée, Adeline jaillit hors des couvertures et se mit à sauter sur son lit en lançant du coin de l'œil des regards provocants.

— Et tu étais si bien bordée! s'écria-t-il.

— Ça ne fait rien. Tu me reborderas, n'est-ce pas? Lève-toi aussi, Roma! Et saute! Hop! hop! *Très jolie! Très jolie!* [1] Je parle français, papa!

Roma bondit sur ses pieds, elle aussi, et les deux sautèrent et chantèrent ensemble. Puis Renny les prit toutes les deux dans ses bras et elles l'étouffèrent de baisers.

Il redoutait ce qu'il avait à faire après les avoir attentivement recouchées. Et il soupira profondément avant d'entrer dans la chambre de Finch.

Quand la porte s'ouvrit, Finch sursauta dans le coin sombre où il était assis. A la lueur qui venait du couloir, Renny l'aperçut, grand et dégingandé, en robe de chambre par-dessus son pyjama.

— Tu ne veux pas de lumière? demanda-t-il négligemment.

— Non. Peut-être. Cela m'est égal, bredouilla Finch.

Renny ferma la porte et alluma. La chambre était sinistre. Avec son air souffreteux, cette robe de chambre flottante sur ce corps efflanqué, Finch rappelait Eden de façon impressionnante.

— Tu ne tousses pas, n'est-ce pas? lui demanda anxieusement Renny.

— Non, je ne crois pas. Renny, je sais qui était à la porte tout à l'heure.

[1] En français dans le texte.

— Elle venait te voir, mais je ne l'aurais pas laissée entrer. Elle est partie.

— Ne la laisse jamais entrer... Je... je ne veux pas la voir. Elle me fatigue en parlant et en... Tu sais, Renny, cette douleur me change complètement. Je ne suis plus comme au moment de mon mariage. Je l'aimais à ce moment-là... je crois... et j'aimais la musique, mais... je ne peux plus penser ni à l'une ni à l'autre maintenant. L'amour et la musique sont des tortures pour moi.

Il se mit à ronger l'ongle de son pouce avec acharnement, comme pour calmer le tremblement de sa main.

— Ne te mords pas les ongles! Tu peux être sûr que je ne la laisserai jamais venir. Tu ne seras jamais forcé de voir quelqu'un que tu n'as pas envie de voir.

— Mais le jour où tu seras sorti?...

— Je ne crois pas qu'elle revienne. Mais elle veut que tu voies un spécialiste et je trouve que tu devrais le faire. Nous ne sommes ni les uns ni les autres contents de ta santé. Il te remonterait sans doute en un rien de temps.

— J'ai déjà vu un spécialiste! s'écria Finch avec excitation. Un spécialiste français. Un homme charmant. Il comprenait tout. Il comprenait que tous ces concerts et les voyages étaient un effort, et il comprenait pour Sarah aussi... sans que je lui en aie jamais parlé. Et il m'a dit que la seule chose était le repos et la solitude. Sarah n'a jamais compris que j'avais besoin de solitude. Elle était tout le temps là. Elle aimait changer d'endroit à chaque instant, voir du monde, me produire. Elle dormait toute la journée, mais elle ne me laissait pas dormir la nuit. Je ne sais plus ce que c'est que dormir. C'est depuis ce moment-là que mes yeux ont commencé à me faire mal et que cette douleur...

— Je sais, dit Renny. Pourtant, je crois que tu devrais voir un docteur choisi par elle. Tu peux lui dire tout ce que tu penses... de tout. Elle le croira si c'est lui-même qui le lui répète.

Finch eut une idée. Il verrait le spécialiste et le chargerait de faire comprendre à Sarah qu'il ne pourrait plus jamais vivre avec elle.

Le lendemain elle amena le docteur et attendit le résultat de la visite avec Ernest et Nicolas, dans le salon. Elle resta compassée et presque silencieuse jusqu'au moment où Renny parut sur le seuil. Alors elle le désigna en disant:

— Oncle Nick et oncle Ernest, voilà l'homme qui essaie de me séparer de celui que j'aime.

— Les oncles savent que ce n'est pas vrai, dit Renny.

— Ils ne peuvent pas dire le contraire.

— C'est l'oncle Ernie qui a eu l'idée que vous alliez habiter à la ferme aux Renards, et oncle Nick a donné son accord.

— C'est vous qui vous dressez entre Finch et moi, répéta-t-elle d'un air bougon.

— Tout cela s'arrangera, ma chère Sarah, dit Ernest.

Nicolas tirait silencieusement sur sa pipe.

Dans sa chambre, Finch subissait l'examen du spécialiste, un maigre au teint gris qui avait lui-même l'air malade. Il n'avait ni cœur ni nerfs, et pourtant il excellait à soigner les gens qui en avaient trop. Il avait même fait un livre sur les maladies nerveuses et en avait un exemplaire toujours posé sur son bureau. Dans ses vêtements et ses manières il copiait le genre Harley Street, et une somptueuse auto, avec un chauffeur en livrée, l'attendait à la porte. L'animosité instinctive que Finch éprouvait pour lui facilita la visite; il répondit aux questions du docteur d'une voix hostile et froide et, quand l'éminent praticien déclara qu'un traitement de rayons ultraviolets était nécessaire, Finch accepta avec la plus grande apathie d'aller à la clinique trois fois par semaine. Il aurait accepté n'importe quel traitement de ce spécialiste qu'il détestait cordialement, mais il n'accepterait jamais de reprendre la vie commune avec sa femme. Le docteur pouvait-il lui faire comprendre cela? Quel soulagement s'il y arrivait!

Renny emmenait Finch en auto à la clinique de la ville, pour qu'il suivît le traitement prescrit, et revenait le chercher ensuite. Finch était jaloux pendant ce temps-là, car il savait bien que Renny allait bavarder avec ses amis, hommes de cheval, tandis que lui était étendu sur un matelas, tous les nerfs vibrant sous les rayons électriques, et subissait le massage de l'infirmière sur le cou et l'épine dorsale. Il était là, gisant, absolument livré à cette femme, écoutant les cris étranges d'un enfant muet que l'on soignait dans la cabine contiguë, et les grognements volubiles d'un gros Italien, de l'autre côté. Finch aimait assez ce traitement, il aimait l'infirmière, qui l'aimait également. Elle avait l'air sceptique quant à l'efficacité de ses soins, mais le spécialiste faisait une brève apparition chaque fois et, pompeusement, l'encourageait à continuer.

Au début, Finch pensa qu'il y avait dans tout cela quelque chose de bon pour lui. Ces courses à la ville, affalé dans l'auto à côté de Renny qui conduisait si différemment de Piers, lui plaisaient. On ne savait jamais ce que Renny ou l'auto allait faire. L'auto paraissait vouloir se comporter comme un cheval dont Renny suivait les lubies avec inquiétude.

C'était une période de tempêtes et de pluie. L'écume volait au-dessus du lac grisâtre, les affreux faubourgs de la ville étaient cachés par un brouillard humide, le pare-brise ruisselait. La douleur de Finch diminuait et il attendait avec joie les manipulations de l'infirmière. Bien souvent elle s'arrêtait pour demander:

— Croyez-vous que cela vous fasse vraiment du bien?

Et il répondait:

— Oh! oui! J'en suis sûr. J'ai mieux dormi la nuit dernière.

Une fois rentré, en effet, il était tombé dans une torpeur hébétée. Le spécialiste à la mine verdâtre l'examinait maintenant avec satisfaction. Il rayonnait presque en entrant dans la cabine où il trouvait Finch prostré sous les puissants rayons, et l'infirmière qui pétrissait ses nerfs spinaux. Mais, sur le chemin du retour, Renny glissait vers lui un regard inquiet.

Un sombre après-midi que les feuilles volaient sous

des nuages courant en rafales, Finch se mit à pleurer en rentrant. Impassible, Renny commença par regarder droit devant lui. Les larmes roulaient sur la figure de Finch et il se sentait trop faible pour les essuyer.

— Ce n'est rien, dit Renny. Nous arrivons tout de suite. Voyons, voyons, sois courageux!

Il l'apaisait doucement, comme un cheval qui a peur.

Finch essaya de parler, mais en fut incapable. Il sentait les larmes, chaudes et salées, couler sur ses joues; il sentait l'auto avancer. Renny accélérait pour rentrer à Jalna, pour le ramener à la paix de sa chère petite chambre.

Quand ils y furent, derrière la porte fermée, Finch bredouilla:

— Je ne peux pas continuer ce traitement. Je ne peux pas continuer. Cela me fait vraiment trop mal. C'est comme des griffes qui me déchirent.

Il tourna ses grands yeux gris pleins de souffrance vers Renny, qui lui répondit brièvement:

— On ne te forcera pas à continuer. Tu feras absolument ce que tu veux.

— Ce que je veux, dit Finch, ce que je veux...

— Allons, qu'est-ce que tu veux donc?

— Je veux retourner là... (il fit un geste tragique vers le lit) ... et y rester jusqu'à ce que j'aille bien.

— Parfait. Je crois que c'est la meilleure chose que tu aies à faire.

La reconnaissance de Finch lui fit mal. Il l'aida à se déshabiller, posa ses lunettes sur la commode, pendit ses vêtements dans l'armoire.

— J'irai bientôt mieux, dit Finch, mais je ne peux plus retourner à la clinique et je ne peux plus voir Sarah. Tu vas le lui faire comprendre, n'est-ce pas, Renny? Je ne peux plus la voir.

— Cela passera.

— Je referai de la musique, je le crois. Mais je ne revivrai jamais avec Sarah. Elle... elle... Oh! je ne peux pas t'expliquer... mais, je t'assure... écoute, je t'assure...

Il avait l'air égaré, incohérent.

— Vois-la, et explique-lui, dit Renny.

— Non.

— Ecris-lui.

— Je ne peux pas écrire. Je ne peux pas tenir mon porte-plume. Ce que j'écris est illisible.

— Mon Dieu! Tu es dans un bel état! As-tu mal à la tête en ce moment?

— Horriblement.

Renny poussa un soupir bref.

— Eh bien! couche-toi. Nous verrons si cela te fera du bien. J'irai voir Sarah.

— Je voudrais que tu lui fasses quitter la ferme aux Renards. Elle est si près d'ici!

— Je ne peux pas chasser cette femme de sa maison. Elle est à peine installée.

— Mais tu vas la voir aujourd'hui? Et tu lui feras ma commission? Tu lui diras que je ne peux pas...

— Oui, j'irai aujourd'hui. Dors sur tes deux oreilles.

En traversant le ravin, pour aller à la ferme aux Renards, Renny examina avec un malaise aigu la situation dans laquelle il était engagé malgré lui. Il fallait qu'il dît à Sarah que le mari qui était tout pour elle ne pouvait plus et ne voulait plus la voir, qu'il refusait d'envisager n'importe quel genre d'existence auprès d'elle. Cela alors qu'elle avait une lourde hypothèque sur Jalna et qu'elle venait de l'accuser de s'interposer entre elle et Finch! Que de complications il avait eues dernièrement! A peine aurait-il pu les compter! C'eût été d'ailleurs la dernière chose à faire. Ce qu'il voulait c'était ne plus y penser, le temps de traverser le ravin.

Il se sentait désemparé sans ses épagneuls près de lui. Il les avait laissés à la maison à cause du pékinois de Sarah qui aboyait comme un fou dès qu'il les voyait, et n'arrêtait pas d'aboyer tout le temps de la visite. C'était un petit roquet mal élevé.

La pluie fouettait Renny, le vent fouettait les branches mouillées, les arbres avaient l'air prêts à sacrifier leurs feuilles à l'hiver glacé. Les arbres, cette saison-là, semblaient avoir perdu tout orgueil de leur feuillage et tournaient au jaune découragé et au brun quelconque au lieu de choisir des tons plus brillants. Leurs membres suintants laissaient à découvert des nids d'oiseaux abandonnés. Seul un pépiement ténu venait des branches d'un cerisier sauvage.

Les piliers du petit pont étaient recouverts d'un emplâtre de feuilles mouillées et de mousse verte. Le torrent gonflé coulait furieusement entre les herbes hautes, les feuilles raides d'iris et quelques myosotis pâles. Il ne reflétait rien: indifférent, maussade, occupé seulement de son courant rapide il fuyait sous le pont, la voix perdue dans le vent et la pluie.

Renny posa ses mains sur la douceur glissante de la rampe et regarda le torrent. Il suivit de l'œil ses méandres qu'il ne voyait presque pas, tant ce spectacle lui était familier et, cependant, un tonique essentiel et puissant s'en dégageait et montait vers lui. Ce cours d'eau évoquait tant de souvenirs — depuis tous ceux de sa petite enfance — qu'il en connaissait toutes les métamorphoses, comme celles des visages de sa propre famille. Mais le torrent, lui, reprenait chaque année sa jeunesse.

Un retrait plus profond de sa conscience s'ouvrit, et il en sortit le souvenir de cette scène entre lui et sa femme, après qu'elle l'avait surpris avec Clara. Il revit Alayne dans l'ombre, derrière la lampe électrique qu'elle avait braquée tout à coup sur lui. Il la vit se pencher sur le torrent, cramponnée à la balustrade et torturée par la jalousie. C'était exactement à cet endroit-là. Juste où il était maintenant. Elle avait penché son corps sur la balustrade. Son cher corps...

Il fut frappé par l'idée soudaine qu'elle lui était si chère. Cette tendresse, mêlée à la grande distance qui les séparait... Elle était sortie de sa vie... partie. Elle ne reviendrait plus vivre avec lui. Jamais, jusqu'à cette minute, il n'avait vraiment envisagé le fait qu'elle était perdue pour lui. Et c'était singulier qu'il s'en rendît compte juste à l'instant où il était préoccupé par le sort de quelqu'un d'autre!

Le torrent, changeant tout à coup d'humeur, lui offrit un reflet d'Alayne non plus torturée de haine, mais heureuse, détendue, ses yeux bleus rayonnant vers lui, ses bras blancs autour de son cou. Il voyait son corps, son corps ferme et doux dans son amour pour lui. Pourtant il n'avait pas été capable de lui épargner ce qui était arrivé entre eux. Et c'était à tort. La rupture de leur amour était sans raison, parce qu'aucune femme ne pourrait prendre sa place auprès de lui, et que lui n'avait pas de rival dans son cœur... Il avait aimé Clara, certes, il aimait toujours Clara. Ç'avait été une désolation de la voir partir, comme lorsqu'on perd une amie qui comprenait tout sans qu'on lui expliquât, qui l'acceptait tel qu'il était, sans ambition de le transformer. Leur période de passion amoureuse n'avait été pour lui que l'épanouissement d'un coquelicot flamboyant dans le grain plantureux de leur amitié. Le coquelicot avait été moissonné avec le grain et, maintenant que tout cela était passé, il avait pris la teinte sans éclat de la camaraderie.

Cela lui parut incroyable que Sarah lui ouvrît la porte... Incroyable que ce fût elle qui habitât cette maison. Durant une seconde, une image prit sa place. Celle de Pauline enfant avec ses jambes en fuseau, son renard favori dans les bras, ses cheveux noirs encadrant sa figure. Le cœur de Renny se contracta en pensant à ce qui, maintenant, encadrait cette figure. Et le petit renard était mort.

Sarah vit son désarroi:

— Vous avez l'air d'un brigand, dit-elle.

— C'est vrai?

Il sourit, essayant d'avoir l'air aimable.

— Oui, avec ce chapeau de clochard baissé sur les yeux et votre col relevé!

— C'était nécessaire. Il pleut des trombes.

Il enleva son chapeau et la pluie dégoutta des bords. Sarah regarda la tête de Renny exposée à la pleine lumière électrique. C'était pour elle la tête d'un ennemi, le type de l'ennemi invulnérable. Ces yeux brillants allumaient en elle une haine farouche.

Après une caresse embarrassée au pékinois, il suivit Sarah au salon. Elle s'assit, arrangea sa robe autour d'elle et toucha du doigt ses ondulations luisantes comme pour s'assurer qu'elle était bien coiffée. Il attendait qu'elle parlât, ce qu'elle fit d'une voix douce et presque implorante.

— J'espère que vous m'apportez de bonnes nouvelles de Finch!

Il la regarda d'un air hésitant.

— Pas précisément. Il ne veut pas continuer le traitement.

— Comment? Mais il avait si gentiment commencé!

Il ne put s'empêcher de dire d'un ton sarcastique:

— Cela pouvait vous sembler « gentil ». Mais pas à lui. Cela le rendait fou.

— C'est souvent comme cela au début, mais il en aurait ressenti le bien plus tard. Il va déjà mieux, le docteur me l'a dit.

— Evidemment, il doit le savoir, mais Finch n'est pas d'accord. Il refuse de retourner à la clinique et de revoir le docteur.

— Eh bien! Vous êtes content! s'écria-t-elle.

— Je ne peux pas dire que je le regrette: je le vois baisser depuis des semaines.

— Qu'est-ce qui va le remonter? Voulez-vous me le dire?

— Le repos.

— Le repos!

Elle cracha le mot avec mépris.

— Il ne fait que se reposer depuis des mois. Il faut que je le voie! Que je le voie tout de suite! Rien ne m'en empêchera.

— Sarah, vous ne pouvez pas le voir.

— Vous ne m'empêcherez pas.

— Je ne veux pas vous empêcher.

— Si, vous le voulez! Si, vous le voulez! dit-elle sans élever la voix mais en la chargeant de haine. Vous essayez de le détourner de moi. Vous voulez me voir filer seule.

— Quelle folie! Pourquoi aurais-je envie de vous séparer?

— Parce que vous êtes jaloux de son amour pour moi! Vous savez que cet amour l'a transformé!

Il la regarda avec étonnement.

— Ce que les femmes peuvent avoir dans la tête!...

Sarah posa ses coudes sur ses genoux, son menton dans ses mains, et se pencha vers lui. Il ne l'avait encore jamais vue dans cette attitude. Elle avait l'air à la fois familière et inconnue. Comme un cheval ombrageux, il fit moralement un écart devant elle.

— Vraiment vous haïssez les femmes! dit-elle. Voilà pourquoi vous séduisez tellement celles qui sont faibles. Moi, je vous vois exactement tel que vous êtes.

Et elle se pencha davantage comme pour le voir de plus près.

— Votre opinion sur moi est totalement fausse, répondit-il d'un air bougon. Je ne hais ni vous, ni aucune femme; mais il faut que je pense à mon frère. Ce pauvre garçon est malade.

— Ce pauvre garçon! interrompit-elle. Vous voilà bien! Vous voulez le garder en laisse! Vous le traitez comme un enfant. Moi, je vous dis que c'est un homme... et que c'est mon mari.

— Il le prouve bien, n'est-ce pas?

Renny découvrit ses dents, et elle eut envie de le battre.

— Il se conduit vraiment comme un mari! ajouta-t-il.

— Il le ferait s'il était débarrassé de vous!

— Sarah, au nom du Ciel, que voulez-vous que je fasse?

— Que vous me laissiez voir Finch.

Il répondit d'un ton péremptoire:

— Finch ne veut pas vous voir. Ce n'est pas la peine d'insister. Attendez que cela passe. Voyagez donc un peu. Le changement vous ferait du bien.

— Je pourrais aller rejoindre Alayne, n'est-ce pas? C'est cela. Dites-moi donc d'aller rejoindre Alayne!

— Vous dites des absurdités.

Elle se tordit les doigts.

— Oh! je pourrais être tellement heureuse ici, dans cette petite maison, si je l'avais, lui! Lui! Je ne demanderais rien d'autre!

— Même pas qu'il se remette à la musique?

— Notre vie serait une chanson.

Cette réponse embarrassait Renny.

— Vous parlez pour ne rien dire, Sarah. Il ne vous reste qu'à ajouter: « Et ils furent très heureux et ils eurent beaucoup d'enfants. »

Sa figure devint encore plus pâle. Elle se leva, alla jusqu'à la fenêtre et regarda le crépuscule.

— Vous croyez que je ne ressens jamais rien profondément, dit-elle le dos tourné. Mais vous vous trompez. Je parle sérieusement quand je dis que j'aime cet endroit. Je l'aime parce que c'est une partie de Jalna. Et c'est ainsi depuis le premier jour où j'ai vu Jalna.

Il s'approcha d'elle avec un sourire reconnaissant.

— Vraiment, Sarah? N'est-ce pas que Jalna est beau? Vous savez, je ne veux pas vous faire de peine, mais je trouve que vous avez été maladroite avec Finch. Et si je ne comprends pas votre attitude envers lui, je comprends votre sentiment pour Jalna.

Elle lui sourit à son tour de son petit sourire maléfique, qui la faisait ressembler à un félin quand il retrousse les lèvres.

— J'aime tellement Jalna que j'aspire à en devenir propriétaire.

Renny dressa les sourcils.

— Vraiment?

— Oui, je voudrais posséder Jalna.

— Il n'y a pas beaucoup de chances, Sarah.

— J'en ai peur. Voulez-vous rester dîner?

La pensée de prendre un repas avec Sarah dans cette maison lui était désagréable. D'ailleurs il n'aimait pas faire un vrai repas le soir; il était habitué à prendre simplement un peu de viande froide et un seul plat chaud, des biscuits et du fromage.

Le pékinois était si content de le voir partir qu'il se montra aimable, frotta son nez de velours plissé contre la main de Renny et dressa ce qu'il put de queue. Renny prit une poignée de poils fauves et les enroula doucement sur son doigt. Sarah le regardait avec un sourire énigmatique.

Encouragé par les bonnes dispositions du pékinois, Renny dit:

— A propos, Sarah, l'intérêt... Il y a longtemps qu'on vous le doit, je le sais... Cela s'accumule... Mais je vous le réglerai après le Concours hippique de New York. Je compte faire quelque chose là-bas avec cette nouvelle jument.

Elle eut un rire imperceptible.

— Vous ferez bien, dit-elle. Sinon je pourrais bien devenir votre propriétaire!

Il s'efforça de garder son sang-froid et dit d'un air incrédule:

— Certainement une idée comme celle-là ne vous est jamais entrée dans la tête!

— Bien souvent, répondit-elle froidement. Vous seriez étonné si vous saviez combien de fois j'y ai pensé.

L'incrédulité de Renny était mêlée d'orgueil.

— Il n'y a pas assez d'argent au monde pour acheter Jalna, dit-il avec une certaine dureté. Allons! Je ne peux pas croire que vous ayez eu une pensée pareille! Mais je suis content que vous aimiez Jalna! C'est une bonne vieille maison. Gran s'est donné beaucoup de mal pour la faire construire.

Sarah se croisa les bras, sans rien d'agressif et l'air résigné.

— Si je ne peux pas avoir Finch, dit-elle, j'essaierai d'avoir Jalna.

Tout le temps du retour, ces mots sonnèrent aux oreilles de Renny. Il foulait à grands pas l'herbe mouillée et les fougères en répétant tout haut:

— Essaie d'avoir Jalna. Oui, essaie! Essaie donc! Bon Dieu! Le toupet des femmes! Avoir Jalna! Elle voudrait que je lui en fasse cadeau! Elle a perdu la tête — si toutefois elle en a jamais possédé une!

Il traversa le pont en deux enjambées et grimpa le sentier sans ralentir son allure. Il ouvrit violemment la petite barrière et s'arrêta sur la pelouse, à bout de souffle, pour contempler la maison et s'assurer qu'elle était invincible. Penser que Sarah, cette créature singulière, cette espèce de vipère qu'avait épousée le petit Finch, osait jeter des regards de convoitise sur « la maison »! Il y avait de quoi faire éclater le toit, faire claquer les fenêtres sous l'outrage.

Mais la maison était là — il l'embrassait toute du regard — sereine, inébranlable. Sa forme massive était encore agrandie par l'entourage obscur d'arbres toujours verts. Il y avait de la lumière dans le hall, dans le salon et dans la chambre des petites filles. Celle du salon venait d'un grand feu clair. Les oncles étaient devant ce feu. Là-haut, on allait coucher les enfants. Et Finch?

Renny alla jusqu'à la façade du côté de la maison et chercha la fenêtre de son frère. Il n'y avait pas de lumière. Il était couché là, le pauvre petit, dans l'obscurité, seul avec ses pensées et sa peine!

CHAPITRE XVIII

Une journée d'Adeline

Adeline s'éveilla, ce matin-là, qui était clair et gelé, encore plus tôt que d'habitude. C'était drôle, c'était merveilleux ces rayons roses passant entre les feuilles rouges de la vigne vierge, qui pendant l'été avait commencé de broder un feston autour de la fenêtre. Les rayons du soleil tombaient sur le couvre-pieds myosotis que sa mère lui avait fait et qu'elle avait brodé elle-même. Adeline resta immobile un instant, en pensant qu'elle avait l'habitude autrefois de dormir dans la chambre de sa mère. Elle revoyait sa mère penchée au-dessus d'elle. Comme ses cheveux étaient brillants! Alayne... Elle s'appelait Alayne. Un jour elle reviendrait et apporterait des cadeaux... Mais Adeline aimait dormir dans cette nursery. Là elle faisait ce qu'elle voulait; il n'y avait personne pour dire: « Tu ne boiras pas plus », ou pour la regarder en faisant les gros yeux jusqu'à ce qu'elle s'arrête de rire comme une folle ou de crier. Elle pouvait faire ce qu'elle voulait avec Alma Patch et la petite Roma. Elle avait quatre ans maintenant et, dans la maison, personne ne lui en imposait, sauf son père, mais elle savait comment le prendre.

Elle ferma les yeux et resta à regarder les jolies couleurs qu'il y avait derrière ses paupières. Elle savait que, dans un moment, elle ferait quelque chose qui dissiperait l'immobilité de son corps, comme un petit coup de vent dissipe l'immobilité d'une mare. Elle sentait déjà les premiers frissons du mouvement courir en partant de ses pieds et remonter dans ses tendres muscles élastiques.

Elle éclata d'un rire comme une cascade de perles et sauta sur ses pieds. Debout sur son lit elle regarda, à l'autre bout de la chambre, Roma qui était enroulée comme un coquillage et qui dormait profondément. Adeline se remit à rire, bien fort cette fois et exprès, mais celle-ci se recroquevilla sur elle-même et s'enfonça dans son sommeil.

Adeline s'amusa alors à sauter sur place, grisée par la joie de rebondir sur le matelas, ses cheveux roux flottant, ses yeux bruns étincelant, tout son être si parfaitement reconstitué par le repos de la nuit qu'il lui semblait impossible d'être jamais fatiguée. Elle sauta si haut qu'elle faillit culbuter. Ce qui la calma un peu. Elle mit ses mains sur les barreaux de son lit et regarda au-delà. Elle découvrit un endroit usé sur le tapis, qu'elle n'avait pas encore remarqué, et elle eut envie de cracher dessus. Elle fit une provision de salive dans sa bouche, et la laissa filer entre ses lèvres roses; mais elle manqua le but. Elle essaya de reprendre de la salive, mais il faut croire qu'elle avait épuisé sa provision.

Résolument elle leva une jambe par-dessus le bord de son lit, virevolta sur son ventre et glissa vers le sol.

Sa chemise de nuit s'accrocha et son corps délicieusement potelé fit une petite lueur rose dans l'air glacial. Elle resta suspendue une seconde, puis se trouva sur ses pieds et trotta vers la fenêtre.

Elle aperçut sur le rebord un petit papillon bleu qui s'était trompé de saison et qui ouvrait et fermait doucement ses ailes comme deux éventails minuscules. Un sourire malin lui mit des fossettes sur les joues. Elle posa sa main, les doigts repliés au-dessus du papillon qui ferma ses ailes à l'approche du danger. Adeline abattit sa main et la ferma. Elle sentit que l'insecte était vivant, et elle serra les doigts. Puis elle rouvrit la main, tout doucement, la ferma de nouveau après y avoir jeté un coup d'œil. Alors elle fronça les sourcils d'un air cruel, mit sa main fermée entre ses genoux et la pressa, poing et genoux ensemble, pour augmenter sa force. Mais tout à coup une sorte d'inquiétude se peignit sur ses traits; elle cessa son manège, étendit sa paume à plat et la contempla longuement...

Elle essuya sa main contre sa chemise. Elle se sentit seule et fit la moue.

Mais elle aperçut Roma et galopa vers elle. Elle passa sa petite tête entre les barreaux et l'approcha de celle de sa cousine. Que c'était drôle cette figure, avec ces cils collés ensemble, les deux petits trous ronds du nez et la bouche un peu ouverte! Elle regarda de tout près cette bouche, et essaya de rire dedans. Leurs souffles se mêlèrent.

— *Ah! non, non, non!* [1] dit Roma en la repoussant.

[1] En français dans le texte.

Mais Adeline refusa de s'en aller. Elle se mit à rugir comme un lion, et l'instant d'après elles se battaient en riant.

Alma, qui arrivait pour les habiller, considéra Adeline avec appréhension. Elle apportait un broc d'eau chaude qu'elle versa dans la baignoire.

— Je ne veux pas me laver, dit Adeline.

— Juste la figure, supplia Alma.

Adeline attrapa une serviette de toilette, la trempa dans le pot à eau froide et frotta jusqu'au sang ses joues fraîches, puis elle s'essuya avec un coin de la sortie de bain. Alma extirpa Roma de sa chemise de nuit et ce petit corps blanc, minuscule échantillon de l'espèce humaine, frissonna à côté de la baignoire.

Adeline en profita pour courir vers l'armoire où on rangeait sa culotte de cheval et sa veste. Elle ouvrit la porte à deux battants. Alma se précipita, elles luttèrent un instant.

— Je veux mettre ça, tempêta Adeline.

— C'est défendu. On ne s'habille pas comme ça dès le matin, déclara Alma.

Roma se mit à se frotter avec le savon transparent comme de la gelée.

Adeline se coucha par terre, déjà prête à se rouler et à crier, mais elle changea d'idée, se releva et courut à une chaise où étaient étalés les vêtements qu'elle avait portés la veille. C'était une culotte trop grande et un jersey qui avaient appartenu à Maurice. Alma la suivit d'un œil soulagé et réprobateur.

— Je croyais, dit-elle, que vous auriez voulu mettre une belle robe pour avoir l'air d'une dame.

— Il faut que je monte à cheval, répondit Adeline. Aidez-moi à mettre cela. Comme ça, j'économiserai la tenue neuve.

Alma l'aida à mettre la culotte dont le fond lui tombait aux genoux et elle retroussa les manches du chandail sur les petits bras blancs et ronds.

— Regardez donc Roma qui a eu peur, dit Adeline.

Roma, enduite de savon, tremblait comme une feuille. Alma accourut et la frictionna avec une serviette.

— *Froid, froid*[1], caqueta la petite fille.

— Elle vient d'un pays chaud, expliqua Adeline.

Et, les mains dans ses poches, elle partit en se dandinant.

— Et vos cheveux! gémit Alma. Vos cheveux, on dirait un tas de foin.

Adeline claqua la porte et alla se pavaner dans le couloir. A la porte de Finch elle s'arrêta et colla son œil au trou de la serrure. Elle voyait le lit qui faisait une bosse.

— Bonjour, oncle Finch! cria-t-elle.

— Bonjour, chérie.

— Je peux entrer?

— Pas aujourd'hui, Adeline.

— Vous allez mieux? Vous serez bientôt guéri?

— Oui, bientôt.

Elle essaya de tourner le bouton. Elle aurait aimé folâtrer avec lui sur ce lit, mais c'était fermé à clé.

[1] En français dans le texte.

— Ecoutez bien: je vous envoie un baiser.

Elle colla sa bouche au trou de la serrure et l'embrassa de loin, plusieurs fois. Finch fit des bruits de baisers, de son lit.

— Est-ce que cela vous fait du bien?

— Oui.

— Je vais monter mon poney.

— Bien.

— Au revoir!

— Au revoir.

Elle descendit l'escalier et regarda dans la chambre de son père. La voyant vide, elle eut une moue de déception. Elle alla à la porte d'Ernest et l'entendit ronfler consciencieusement. Restait la porte de Nicolas. Elle y tambourina.

— Entrez, entrez! rugit la voix caverneuse.

Nicolas était assis dans son lit et buvait une tasse de thé, ayant sur les genoux un petit plateau avec une théière. Elle sauta en s'accrochant au bord du lit.

— Oncle Nick! Oncle Nick!

Les grosses moustaches lui grattèrent la figure. Il passa un bras autour d'elle et la serra contre lui.

— Petite coquine!

— Je veux vous dire quelque chose tout bas.

Il leva les sourcils, jouant la surprise.

— Tout bas? Mais pourquoi? Nous sommes seuls!

— Il faut que je le dise tout bas. Je peux monter sur votre lit?

Elle y grimpait déjà.

— Non, non!

Il la repoussa et se pencha vers elle. Elle tourna la grosse tête grise et se mit bien en face de l'oreille. Elle y colla sa bouche et chuchota:

— Est-ce que je peux avoir du thé?

— Du thé? Du thé? Toi? Tu voudrais ma pauvre tasse de thé?

— Oui!

Elle sourit pour se concilier ses faveurs.

Il goûta le thé versé dans sa tasse, y ajouta du lait et la lui tendit. Elle but goulûment, rougissant sous le coup de cette chaleur inhabituelle et roulant des yeux vers lui.

Elle serait restée là plus longtemps, mais il se débarrassa d'elle en admirant son costume de cheval et le labeur qu'elle avait à accomplir aujourd'hui. Stimulée par le thé, elle descendit dans la salle à manger.

Elle tira un coup sur le cordon de sonnette, Wragge monta du sous-sol et lui fit un sourire admiratif.

— Bonjour, mademoiselle.

— B'jour. Je veux mon déjeuner.

— Descendez donc au sous-sol. La cuisinière vous le donnera.

— Je veux le prendre ici.

Elle grimpa sur une chaise et lui tendit sa serviette.

— Mettez-la-moi! commanda-t-elle.

Il la lui attacha sur la nuque, tandis qu'elle relevait ses boucles.

— Qu'est-ce qui vous plairait, demanda-t-il.

— Des saucisses!

— Ah! Il n'y en a pas une seule.

— Il y en a eu.

Elle désignait l'assiette de son père.

— Comment le savez-vous?

— Il a laissé une miette. Je l'ai mangée.

Rags eut l'air scandalisé.

— Vous? La maîtresse de la maison, vous picorez dans les assiettes des autres comme un moineau?

— Des saucisses, des saucisses! Je veux des saucisses!

Elle se recula dans le fond de la chaise, mit sa petite bottine carrée du bout sur la table et la frappa du pied.

— Si votre mère vous voyait!...

Mais en réalité il s'amusait beaucoup. Il dégringola l'escalier de la cuisine et remonta avec deux saucisses et des pommes de terre frites sur une grande assiette. Il la retrouva assise toute droite et mangeant un toast froid enduit de confiture d'oranges amères. Rags le lui enleva et mit l'assiette en face d'elle. Sa femme avait coupé les saucisses en petits morceaux qui convenaient à l'enfant.

— Et quels sont vos projets pour aujourd'hui? demanda-t-il, accoudé au dossier d'une chaise et en la regardant joyeusement dévorer.

— J'ai du travail, répondit-elle les joues pleines.

— Quel genre de travail, si ce n'est pas indiscret?

— L'entraînement des poneys.

— Vous les préparez pour le concours?

— Oui.

— Le gris vous donne du boulot?

— Ha! ha!

Elle éclata de rire.

— Je n'ai pas peur!

— Vous êtes ce qu'on appelle une gaillarde.

— Oh!

— Et, quand vous serez grande, vous aurez une rude dose de sex-appeal — ou je veux bien être pendu.

— Ha! ha! ha!

— Vous êtes belle fille, vous savez — d'un certain sens. Evidemment pas du type star de cinéma qui, je dois l'avouer, me plaît particulièrement.

— Ha! ha! ha! ha!

— Voyons, il ne faut pas rire comme ça. Vous allez vous étouffer. Et puis il n'y a pas de quoi rire. J'essaie d'avoir une conversation sérieuse avec vous.

— Non, c'est pas vrai. Vous êtes un farceur. J'aime les farces.

— Vous n'avez jamais rien dit de plus vrai. Je n'ai jamais vu personne qui aime autant s'amuser que vous. Un peu de confiture?

— Non. Aidez-moi à descendre.

— S'il vous plaît, observa-t-il.

— S'il vous plaît.

— Et vos grâces?

Docilement elle baissa la tête, croisa les mains et murmura:

— Pour ce que nous avons reçu, que Dieu nous rende sincèrement reconnaissants. Pour l'amour du Christ. *Amen.*

Il la mit par terre, lui essuya la bouche et lui enleva sa serviette.

— Bonne journée, dit-il. Faites attention de ne pas tomber et à ne pas vous casser le cou.

Elle se retourna sur le seuil, avec sa culotte bouffante et son vieux chandail vert, et elle lui dit au revoir de la main.

Après son départ il regarda le portrait de la grand-mère pendu au-dessus de l'armoire.

— Un chien de la vieille race s'il en fut! dit-il.

Dehors, l'air était si vif, si brillant, qu'Adeline ne sut pas quoi faire. Elle ne se rappelait pas avoir jamais vu un matin comme celui-là, si glacial à l'ombre, si étincelant au soleil, si extraordinaire et si sauvage. Sous le vieux poirier de la pelouse il y avait quelques poires tombées dans l'herbe froide, et des cônes luisants sous les arbres qui demeurent toujours verts. Adeline se mit à courir en rond.

Elle courut de plus en plus vite, les yeux brillants comme ceux d'un animal sauvage, le cœur battant comme un petit moteur. Elle finit par tomber étourdie, et le monde se mit à tourner autour d'elle. Elle était le cœur et le centre du monde, c'était elle qui le faisait tourner. Quand elle tomba, le ciel se pencha sur elle, étonné. Tous les petits soucis gelés des bordures la regardèrent avec stupéfaction; elle renifla leur odeur déplaisante. Son jersey sentait le cheval. Elle poussa un cri de joie.

Elle se roula sur l'herbe en criant et en jetant en l'air ses bras et ses jambes.

Le vieux *Merlin*, qui parfois maintenant laissait Renny et *Floss* sortir sans lui, en fut troublé dans son rêve devant la porte, au soleil. Il traversa la pelouse et vint lécher la nuque d'Adeline qui était à plat ventre. Elle se retourna et regarda les yeux aveugles du chien qui frémissait de plaisir d'être près d'elle. Il tendait une langue pendante, prêt encore une fois à la lécher. Comme elle l'aimait!

Pour le lui montrer, elle saisit à pleines mains les poils ondulés de son cou et lui fit baisser la tête. Elle lui riait au museau, la bouche grande ouverte, bredouillant des petits mots tendres et incohérents. Puis elle lui donna des coups de pied par en dessous, tout en tirant de toutes ses forces sur son chandail.

Tout à coup *Merlin* poussa un gémissement de douleur et s'éloigna. Il s'assit sur les marches du perron d'un air offusqué. Puis il leva une patte de devant et se lécha les côtes par en dessous.

Adeline restait sur le ventre, les coudes enfoncés dans l'herbe, les yeux fixés sur lui, et un sourire joyeux courait sur sa figure. Elle se mit à arracher des poignées d'herbe et à se les mettre sur la tête. Les brins menus tombaient sur sa figure comme une ondée et lui chatouillaient le cou. Elle se leva et s'achemina vers l'écurie. En route elle ramassa une poire et la mit dans sa poche.

Elle avança les lèvres et répéta:

— Vous voudriez? Voudriez-vous?... ne s'adressant à rien ni à personne de précis.

Et elle se donna une tape sur la cuisse. Ce geste lui fit découvrir qu'elle était sur un poney, et elle prit le galop à toute vitesse.

Elle s'aperçut alors que sa culotte glissait. Elle la remonta et la retint avec sa main.

Et, à ce moment, elle s'effaça pour laisser Wilf le nouveau garçon d'écurie passer dans la porte, menant un cheval à la bride. Le cheval l'aperçut, fit un écart, se cogna la hanche contre le battant de la porte et se mit à ruer.

Adeline lança un regard enflammé au valet d'écurie.

— Pourquoi ne montes-tu pas dessus, idiot? dit-elle.

Wilf eut l'air confus et Wright, surgissant à ce moment-là, sourit.

— Vous avez raison, mademoiselle, dit-il. Je n'ai jamais vu de type plus maladroit.

Adeline passa l'inspection du cheval et partit vers le bureau de son père.

— Est-ce que vous viendrez nous aider pour le dressage? cria Wright réjoui par le spectacle qu'elle donnait de dos.

— Et comment! répondit Adeline.

A la porte du bureau, elle donna un coup pour remonter sa culotte et la retint en mettant son poing dessus.

— Qui est là? dit Renny.

Elle fit de sa figure l'emblème exact de la douceur et elle passa la tête par la porte entrebâillée.

— Je fais des comptes, dit-il. Il faudra que tu restes tranquille.

— Cela m'est égal, répondit-elle.

Et elle entra sur la pointe des pieds.

Elle aimait cette pièce plus que toutes celles de la maison. Le bureau de chêne clair, jonché de vieux papiers plus ou moins crasseux, le fauteuil tournant où Renny s'asseyait, les lithographies des chevaux de course sur les murs, l'affreux poêle qu'on allumait en hiver étaient pour Adeline des objets admirables et en rapports étroits avec l'être qu'elle aimait le plus au monde.

Floss vint lui dire bonjour. Elle la caressa gentiment.

— C'est très bien, dit Renny avec un regard approbateur.

— C'est toujours comme cela que je fais, dit-elle avec une fausse modestie.

Il la regarda à travers ses sourcils.

— Viens m'embrasser!

Elle se jeta sur lui et lui prit les mains.

— Je veux vous baiser la main, dit-elle.

Elle le fit d'abord avec une grande délicatesse, comme si c'était une chose fragile, puis ses baisers devinrent de plus en plus fervents et elle pressa ses lèvres avec ardeur sur le dos puis sur la paume de cette main bien-aimée. Elle finit par appuyer ses doigts sur l'endroit où elle avait posé ses lèvres en dernier et regarda son père gravement, au fond des yeux.

— Je vous aime, papa.

Il la serra plus fort dans ses bras.

— C'est vrai? Maintenant il faut rester tranquille pendant que je finis ces comptes. Ensuite nous irons travailler.

Elle grimpa sur une chaise et sortit la poire de sa poche. C'était une poire d'hiver, si dure qu'Adeline ne pouvait en arracher que d'infimes parcelles, mais cela avait bon goût et cela l'occupait. Elle mordait avec ses dents du fond, et choisissait avec attention l'endroit où elle mordrait la prochaine fois.

Renny lui jeta un coup d'œil.

— Ne mâchonne pas si bruyamment. C'est mal élevé.

Elle le regarda, interloquée, et avala incontinent tout ce qu'elle avait dans la bouche. En balançant ses jambes contre la chaise, elle regarda les portraits des chevaux et prononça leurs noms tout bas.

— Cesse de donner des coups de pied dans la chaise! Je fais des additions.

Elle s'immobilisa, comme paralysée, la poire entamée à la main. Elle s'absorba dans la contemplation de Renny et admira les plis qu'il avait sur le front. Désireuse d'en avoir autant sur le sien, elle fronça les sourcils et tâta son front velouté du bout des doigts pour se rendre compte du résultat.

Quand elle était de bonne humeur, elle était capable de rester tranquille plus longtemps que la plupart des enfants de son âge. Elle finit la poire aussi silencieusement que possible, s'essuya les mains sur le velours côtelé de sa culotte, puis attendit patiemment en ayant de plus en plus froid.

Elle avait les joues violettes quand, enfin, Renny ferma le tiroir de son bureau avec fracas et sauta sur ses pieds. Dans cette pièce basse, il lui paraissait immense de carrure et de force. Il la saisit, la souleva et l'embrassa.

— Mais comment es-tu habillée? Tu es en train de perdre ta culotte.

Il la reposa par terre et fit ce qu'il put pour remettre en ordre ses vêtements. Dans l'écurie, ils rencontrèrent Wright. Renny dit à Adeline:

— Tu peux serrer la main de Wright, Adeline. Il vient d'avoir un joli petit bébé.

Adeline tendit la main au palefrenier.

— Mes meilleurs vœux, dit-elle.

Les deux hommes échangèrent un coup d'œil joyeux.

— Je veux voir le bébé. Est-il dans l'écurie?

— Pas encore, répondit Wright, mais vous pouvez venir le voir. Puis-je l'emmener, monsieur? Ma femme sera fière de le montrer.

— Bien, mais ne restez pas longtemps.

Wright prit la main d'Adeline; ils traversèrent la cour et montèrent l'escalier de l'appartement de Wright au-dessus du garage. La vue de l'enfant remplit Adeline d'excitation et de délices. Elle n'eut qu'un seul regard pour la figure de Mrs Wright, d'un blanc de chaux sur l'oreiller. Elle pouponna, serra le bébé contre elle, l'embrassa, essaya de l'arracher à sa mère pour le porter.

— Non, non! dit Wright. Il est trop petit.

— C'est un garçon ou une fille?

— Un garçon.

— Comment s'appelle-t-il?

— Il n'a pas encore de nom.

— Pas de nom?

Elle était suffoquée.

— Voulez-vous lui en donner un, mademoiselle?

— Oui. Il faut l'appeler Jim.

— Cela te va-t-il, madame? demanda Wright.

— Jim, c'est un joli nom.

— Entendu, alors. Il s'appellera Jim.

— J'en voudrais un comme celui-là, qui soit à moi toute seule.

— Vous êtes trop petite.

— Il n'y a que les grandes personnes qui puissent en avoir?

— Oui.

— Les bébés, c'est gentil, mais j'aime mieux les poulains.

— Ah! vous êtes originale.

— Ma maman est partie. Elle est allée chercher un bébé juste comme le vôtre. Seulement plus petit. A peu près grand comme ça.

Elle écartait les mains, à quinze centimètres l'une de l'autre.

Wright et sa femme se regardèrent, puis il emmena Adeline pleine d'importance au paddock où étaient Piers et Mooey, qui montait le poney gris. Piers venait de houspiller Renny au sujet de la dernière fourniture de fourrage qu'il lui avait livrée. Un valet d'écurie fixait bas les barrières blanches qui devaient servir au dressage des chevaux.

Le poney gris était magnifique, avec sa robe luisante et une étoile blanche sur le front. On l'entraînait pour en faire un sauteur. Mooey, qui le montait, faisait un petit temps de trot en plat, regardant anxieusement son père et son oncle.

— Voilà le moment, cria Piers. Vas-y!

Mais il fut mécontent du parcours de son fils, quoique celui-ci eût sauté correctement.

— C'est ton poney qui fait tout! Si tu n'étais pas

dessus, ce serait tout comme! De l'énergie, bon Dieu! Tu n'as donc pas de fesses pour t'asseoir?

Le poney tournait tout autour du paddock en sautant les barrières, ses yeux intrépides comme éclairés par la blague qu'il allait faire. Piers stimulait sans arrêt son fils. Il fallait qu'il maîtrisât son poney, qu'il prît mieux les obstacles, qu'il ne se laissât pas désarçonner — ce qu'il savait bien que le poney méditait de faire. Et Mooey, en effet, fut jeté par terre, mais il se releva immédiatement, rattrapa le poney et se remit en selle, tournant un sourire contraint vers Piers.

Ce fut à ce moment qu'Adeline apparut, sortant de l'écurie, montée sur le vieux poney de Wakefield. Elle serrait les genoux, une moue orgueilleuse aux lèvres.

— Regardez-la! s'écria Piers. Regardez-moi ces pieds et ces jambes! Parfaitement en place, ma parole! Regardez-moi ces mains et ces poignets! Adeline, assouplis tes poignets, à peine un peu plus. Elle fera une rude amazone!

Il sourit triomphalement à Renny.

— Ce n'est pas elle qui se ferait balancer en l'air comme un oreiller de plumes!

— Je veux sauter! cria Adeline.

Elle mena son poney droit à l'une des barrières.

— Attention à elle! cria Renny à Wilf qui bondit et mit la barrière par terre.

— Animal! dit Adeline à l'homme au moment où son poney volait comme une sauterelle au-dessus de rien. Je veux sauter!

Elle regarda son père avec des yeux furibonds.

— Apporte-lui la barre, Wilf, dit Renny.

Le lad partit en courant chercher la barre blanche sur laquelle Adeline avait l'habitude de s'entraîner. Mais elle la considéra avec dédain et, au moment qu'elle était mise en bonne place, elle tourna la tête de son poney vers un des autres obstacles.

On eût dit que l'envie de sauter était dans l'air, par ce temps froid d'automne. Le vieux poney ne demandait pas mieux que montrer tout ce qu'il savait faire. Adeline remuait les bras, comme elle l'avait vu faire à Wright, qui croyait que cela aidait les chevaux. Elle tirait sur la bouche du poney, et Renny et Piers la virent juste à l'instant qu'elle plongea sur les oreilles du cheval qui sauta légèrement l'obstacle. Puis il ralentit un peu pour la laisser reprendre son assiette. Elle poussa un cri de triomphe en passant au petit galop devant les hommes et en piquant droit sur Mooey.

Le poney gris tressaillit de joie. Encore une bonne blague à faire! Il rua, baissa la tête, encensa et envoya Mooey en l'air.

— Bon Dieu! grommela Piers. Ce garçon est fait pour les chevaux à bascule!

Renny s'avança et saisit la bride du poney d'Adeline, tandis que celui de Mooey continuait de ruer et de galoper sur toute la longueur du paddock.

Mooey se releva, la figure couverte de boue et en se frottant le genou.

— T'es-tu fait mal? demanda Renny.

— Non, dit Mooey prenant le parti de mentir, mais non sans lancer un regard furieux à Adeline.

Patience Vaughan apparut sur le poney qu'elle

devait présenter en concours, et l'entraînement continua. Le soleil dispersa la brume et se mit à briller, presque aussi chaud qu'en été. L'herbe du paddock parut verte de nouveau et les endroits foulés par les sauts luisaient de boue. Les poneys, l'un après l'autre, passèrent à l'entraînement.

Adeline, cajolée, admirée et arrogante, gênait tout le monde. Il fallait à chaque instant la sauver d'un danger. Elle triomphait, heureuse d'un bonheur animal, instinctif. Elle ne voyait rien au-delà de cette matinée.

Pourtant celle-ci se termina, et Piers lui demanda si elle voulait venir déjeuner chez lui. Renny l'avait aidée à mettre pied à terre, et il écartait doucement les cheveux roux de son front brûlant.

— Tu veux y aller? demanda-t-il.

— Non. Je veux rester avec vous.

— Mais je vais déjeuner à Stead.

— Je vais chez l'oncle Piers, alors.

« Le Refuge est un endroit agréable, pensait-elle, petit et plein de soleil, avec des zinnias et des soucis jusqu'à la porte. » Et bébé Philip qui courait, qui tombait, qui se relevait tout seul. Elle aimait aussi Pheasant, sa robe jaune et son collier de grains qui ressemblaient à des baies rouges.

Pheasant lui fit sa toilette et la coiffa.

— Avez-vous jamais vu des cheveux comme cela? dit-elle à Piers, les faisant mousser sous le peigne. Et quel teint! Oh! je voudrais avoir une petite fille!

— C'est dommage que Mooey n'en soit pas une! répondit Piers.

— Est-ce qu'il n'a pas été brillant, ce matin?

— Moi, je l'ai été, dit Adeline.

— Tu peux le dire! Mais lui, il a ramassé deux pelles, et vraiment sans raison.

Pheasant regarda son fils aîné avec un air de reproche et de pitié, quand il vint à table. Il s'assit un peu raide, évitant les yeux de sa mère. Elle se pencha sur lui et lui dit à l'oreille:

— Il y a du maïs, ce matin.

Sa figure s'éclaira et il lui jeta un regard reconnaissant, non pas pour lui avoir fait faire le plat qu'il préférait, mais à cause de la douceur avec laquelle elle le réconfortait.

Après le rôti de porc servi avec des pommes de terre et de la marmelade de pommes, on apporta du maïs dans un grand plat. Les épis chargés de grains moelleux étaient enfouis dans une serviette d'un blanc de neige. Les yeux d'Adeline se mirent à briller quand Pheasant choisit un épi pour le lui donner.

— Golden Bantam, dit-elle en se léchant les lèvres.

— Non! C'est du Country Gentleman, dit Mooey ravi de la contredire.

Le dressage l'avait rendu nerveux. Il étala un morceau de beurre le long de son épi et, dès qu'il eut fondu, enfonça ses dents dans les grains.

— Moi! moi! cria le petit Philip.

— Non, non, chéri! dit Pheasant. Tu es trop petit.

Philip se rejeta dans le fond de sa haute chaise de bébé, ses yeux bleus remplis de rage et de désespoir.

Piers montrait déjà son favoritisme pour ce dernier-né de ses enfants. Il lui mit un épi entre les mains et sourit en voyant le bébé s'y attaquer.

— Bien, dit Pheasant, mais s'il a des coliques cette nuit, c'est vous qui le soignerez.

Philip roula vers elle des yeux extasiés par-dessus son butin.

Nooky savait qu'il ne digérait pas le maïs, et il mangeait ses pommes de terre bouillies d'un air pensif. Il pensait à l'endroit où il avait caché son dernier trésor: un nid de canari sauvage à deux étages, avec un œuf non éclos et une serine couveuse en bas, quand la voix d'Adeline vint le distraire de sa méditation. Il allait pouvoir s'amuser avec elle ce jour-là: ici, il était chez lui, et moins intimidé par elle qu'à Jalna.

Pheasant les fit se reposer ensemble sur un grand lit, loin du bébé. Ils se roulèrent, rirent et poussèrent des cris jusqu'à ce que Nooky ait les joues comme une rose sauvage, et que les yeux d'Adeline étincellent comme ceux d'un petit animal. Mooey était parti dans les bois.

Après le goûter, Renny vint reprendre Adeline. Il attacha son cheval et prit une tasse de thé avec Pheasant qui avait le bébé sur ses genoux.

— Philip est bien sage aujourd'hui, dit-il.

— Oui. Il se remet à peine du maïs que Piers lui a donné à déjeuner. Piers est tellement faible et imprudent avec les enfants!

— Vous devriez le surveiller! dit Renny sévèrement.

— Le surveiller? Est-ce qu'Alayne pouvait vous surveiller?

Le nom d'Alayne était lâché avant qu'elle ait pu

s'en rendre compte, mais cela n'avait sûrement aucune importance puisque Renny n'avait jamais avoué la moindre brouille entre eux! Pheasant avait bien envie d'ailleurs de le forcer à quelques confidences.

Surpris et troublé, il la foudroya du regard pour bien lui montrer qu'il n'admettait aucune ingérence dans ses affaires. Puis, brusquement, il répondit à la question de Pheasant par une autre question et si adroitement posée qu'elle exigeait une réponse directe.

— Vous avez de ses nouvelles régulièrement, n'est-ce pas?

— Oui.

— Vous dit-elle quand elle revient?

« Très bien! pensa Pheasant. A deux on peut jouer à cache-cache. » Et elle demanda à son tour:

— Est-ce qu'elle vous manque?

— Non.

Il lui lança un nouveau regard foudroyant, tandis que le sang montait à sa figure déjà haute en couleur.

— C'est bien malheureux!

Il se leva brusquement et regarda son bracelet-montre.

— Où est Adeline? demanda-t-il.

Question inutile, car les enfants faisaient un vacarme infernal au-dessus.

Pheasant sortit dans le hall et appela:

— Nooky! Fais descendre Adeline! Son papa est là!

Ils faisaient trop de bruit pour l'entendre et elle monta jusqu'au milieu de l'escalier en appelant son fils. Le tumulte s'arrêta et les enfants apparurent, cramoisis et rieurs. Nooky était si heureux qu'il courut chercher son nid d'oiseau pour le montrer à Adeline. Il le lui fit admirer fièrement en insistant sur l'œuf prêt à éclore que couvait la serine.

— Il ne faut pas y toucher, dit-il.

Mais Adeline le lui avait déjà arraché.

Pheasant essuya les petites mains toutes collantes de jaune d'œuf et Renny l'emmena. Fou de désespoir, Nooky se roulait par terre. Philip trouva un morceau de coquille d'œuf et le mangea.

Le retour à Jalna fut pour Adeline un moment de bonheur parfait. Elle sentait sous elle le grand cheval tout-puissant, derrière elle le rempart musclé du corps de son père. Quand la bête tournait la tête, elle voyait l'éclat de ses dents contre le mors. Le bras de son père était ce qu'il y avait de plus fort au monde. L'air glacé la grisait. C'était la première fois qu'elle voyait la nouvelle lune étinceler dans le ciel pendant qu'elle était à cheval! Elle chanta de toute la force de ses poumons, se balança à droite et à gauche pour éprouver la force de ce bras merveilleux. Elle aurait aimé continuer cette promenade éternellement.

Mais Renny ne l'emmena même pas jusqu'à l'écurie. Il la mit par terre devant la porte de la maison et Wragge cria à Alma par l'escalier du sous-sol qu'elle était rentrée. Il n'y avait rien d'autre à faire qu'à aller se coucher. Adeline en voulut au monde entier.

Elle monta l'escalier en se faisant traîner par la main. Elle était monstrueuse, déclara Alma, avec son chandail déchiré et sa culotte qui lui battait les talons. Et il faudrait qu'elle fût très sage, parce que Roma était endormie.

Elle se rendit compte qu'elle était très fatiguée. Elle pouvait à peine mettre un pied devant l'autre. A la porte de sa mère elle s'arrêta et tendit son petit doigt poisseux et sale.

— Je veux la voir, dit-elle.

— Eh bien! Vous ne la verrez pas, dit Alma. Elle est partie à des centaines de kilomètres.

— Je sais. Elle est allée chercher un bébé. Comme celui de Wright. Juste grand comme cela.

Elle écarta ses mains à cinq centimètres l'une de l'autre. Alma étouffa un rire.

— Oh! vous en dites, des bêtises!

— Je sais ce que je dis, trancha Adeline.

Elle se tint très sage et très tranquille pendant qu'on la déshabillait et pendant sa toilette. Tout à coup elle s'échappa et courut, toute nue, passer son nez entre les barreaux du lit où Roma dormait roulée en boule, avec une petite mèche de cheveux, qui avaient l'air blancs, dressée sur son front pâle. Adeline tendit les lèvres pour l'embrasser, mais Roma était trop loin.

Quand la lumière fut éteinte, elle se sentit soudain très petite et abandonnée. Mais elle se rasséréna en pensant à un petit papillon bleu qu'elle avait vu, très longtemps avant... le matin même... ouvrir et fermer ses ailes comme un éventail. Elle se demanda ce qu'il avait pu devenir.

CHAPITRE XIX

Alayne dans sa nouvelle vie

La vie, dans la charmante petite maison au bord de l'Hudson, n'était pas aussi agréable qu'Alayne se l'était figuré. Non qu'elle se fût attendue à y trouver le bonheur; mais elle comptait sur la paix et sur la vie simple qu'elle avait connues autrefois. Au contraire, elle découvrit que la solitude avait transformé tante Harriet. Après avoir vécu entièrement dévouée à sa sœur, elle avait changé et ne pensait plus qu'à elle. Un rien la contrariait: le fait d'ouvrir une fenêtre qu'elle avait fermée, un peu de désordre sur un canapé, un journal négligemment jeté par terre. Evidemment Alayne était moins méticuleuse qu'autrefois. A Jalna elle passait à la fois pour un modèle d'ordre et pour un tyran qui voulait le faire régner autour d'elle; mais, ici, elle était prodigieusement agacée de voir sa tante s'agiter pour des choses qui n'en valaient pas la peine. Cela l'agaçait par exemple que miss Archer empêchât la femme de chambre d'épousseter les porcelaines qu'à Jalna les Wragge auraient manipulées comme une chose toute naturelle. Certains jours elle s'horripilait de l'exiguïté de la table sur laquelle elles prenaient leurs repas, qui l'obligeait trop à voir la préparation fastidieuse que miss Archer faisait subir à chaque bouchée. Mais, la plupart du temps, elle lui était reconnaissante que sa maison fût un refuge pour elle, et tel que nulle part ailleurs elle n'aurait pu trouver pareille atmosphère affectueuse et familiale.

Toutes deux évoquaient ensemble, pendant des heures, le temps passé. Elles rappelaient les moindres détails du séjour qu'étant petite Alayne avait fait chez ses tantes. Ses mots d'enfant étaient ressassés indéfiniment, au cours des longues soirées d'automne. En les écoutant elle ne pouvait pas s'empêcher de trouver qu'elle était à cet âge autrement plus intelligente et spirituelle que ne l'était actuellement sa fille. Certaines autres fois, elle avait le sentiment d'avoir été une petite poseuse.

Après avoir épuisé toutes les histoires de l'enfance d'Alayne, miss Archer s'attaquait à son propre passé, au temps de sa sœur et de son frère, le père d'Alayne. Elle exhibait de vieilles photos, des daguerréotypes, et rappelait le prix exact et la coupe des vêtements de l'époque. Elle racontait la vie de ses parents et grands-parents, versait des larmes sur la mort pathétique d'un fils de son arrière-grand-mère décédé en bas âge. Ainsi, plongée dans l'intimité de ses propres ancêtres, Alayne ne s'étonna plus de s'être sentie étrangère au milieu des Whiteoak.

Elle se remémora les têtes du vieil album de photographies à Jalna et les anecdotes qu'elle avait entendu répéter sur chacun. Nicolas grommelant:

— Ce vieux polisson! Il faisait le scandale de County Meath et c'est tout dire!

Ernest s'écriant:

— Cela, c'est Fanny Whiteoak. Une beauté, mais quel caractère! Son mari la battait et il n'y avait rien à dire.

Alayne se demandait quand sa tante se rendrait compte de son état. C'était extraordinaire qu'elle n'eût rien remarqué; mais il faut dire que miss Archer n'avait jamais eu aucun contact avec la maternité. Pourtant elle avait très souvent l'air préoccupé. Peut-être, se dit Alayne, tante Harriet se fatiguait-elle de cette vie en commun, et, un jour, elle lui posa carrément la question.

Miss Archer fondit en larmes.

— Non, non, ma chère Alayne, dit-elle en sanglotant, votre présence ne peut me donner que de la joie! Ce sont mes placements qui me tourmentent. Mes valeurs baissent à vue d'œil.

Alayne était abasourdie.

— Avez-vous vu votre homme d'affaires? demanda-t-elle.

— Oh! oui. Il a fait tout ce qu'il pouvait, mais comment aurait-il pu savoir que mes valeurs allaient s'effondrer? Il est extrêmement contrarié.

Son charmant vieux visage tremblait et ruisselait de larmes.

— Allons! dit Alayne, il faut garder son sang-froid et voir les choses à fond.

Elles examinèrent la situation, et virent qu'elle était pire encore que ce qu'elle craignait. La pièce se mit à tourner autour d'Alayne comme il arrivait maintenant dès qu'elle avait une émotion; mais elle ne cessa pas de tapoter doucement le dos replet de sa tante.

— Ne vous désolez pas! Tout s'arrangera. J'ai de quoi vivre pour toutes les deux et vos valeurs remonteront. Je suis sûre qu'elles remonteront.

En son for intérieur elle était sûre du contraire et elle était portée à voir tout en noir. L'argent qu'elle avait si cruellement refusé à Renny, de peur de le voir filer entre ses mains gaspilleuses, elle le voyait fondre dans l'entretien de cette maison et il n'en resterait rien pour son enfant — pour *ses* enfants! Terrorisée, elle chassa la pensée que son revenu lui-même pourrait fondre et qu'elles n'auraient plus de quoi vivre. Evidemment elle pourrait toujours demander une situation à son vieil ami, Mr Cory, l'éditeur. Elle était sûre de l'obtenir, mais qui prendrait soin du bébé pendant qu'elle serait dehors? Certainement pas tante Harriet qui ne connaissait rien aux enfants et qui était en tout cas trop vieille. Non: il faudrait prendre une nurse. Elle se représentait sa tante et elle-même vivant dans un appartement de New York et réveillées la nuit par les pleurs d'un enfant.

Oh! Pourquoi était-elle dans cette situation? Elle se contractait moralement en pensant à tout ce qu'elle impliquait. Si seulement elle avait surpris Renny avant... Une seconde, l'idée lui traversa l'esprit que, peut-être, il aurait mieux valu qu'elle ne surprît pas Renny, puisque tout était déjà terminé entre lui et Clara. Fièrement, bravement elle écarta cette faiblesse. Elle était heureuse d'avoir découvert sa trahison, heureuse d'avoir quitté cette position dégradante, heureuse de lui avoir enlevé le pouvoir de penser: « Je l'ai trompée, et puis après? Un homme se doit de faire une petite frasque hors de la vie conjugale. Ma petite frasque, à moi, a été bien réussie. » Et comment aurait-elle pu savoir s'il n'était pas de nouveau infidèle?

Alayne était farouchement décidée à cacher ses espérances à la famille de Jalna. Elle ne savait pas pourquoi, le souvenir de Minny cachant la naissance de son enfant à Eden lui trottait dans la tête. Elle fit un rapprochement entre elle et Minny et en vint à penser qu'elle aurait une fille, avec une chevelure blond pâle comme celle de Roma. Elle se vit mourant en lui donnant le jour et tante Harriet emmenant l'enfant à Jalna. Ce serait une petite compagne pour Roma.

Dans cet automne sinistre elle trouvait à se repaître de sa mélancolie d'amères consolations. Sa santé s'améliorait et elle se forçait à faire de longues promenades à pied pour le bien de l'enfant à naître. Elle marchait tout l'après-midi et c'était pendant ce temps-là que le facteur passait chez elle. En rentrant, elle avait peine à refréner son impatience de voir s'il lui avait apporté une lettre du Canada. Elle se disait que c'était la lettre de Pheasant qu'elle attendait, et des nouvelles d'Adeline, mais en réalité elle espérait toujours une lettre de Renny — une lettre lui demandant ou même la suppliant de revenir. La vue du timbre du Canada lui faisait bondir le cœur.

Mais la lettre était toujours de Pheasant. C'était une correspondante fidèle. Elle n'écrivait qu'à Alayne, et se sentait gonflée d'importance quand elle s'asseyait pour lui faire la gazette détaillée de Jalna. Alayne emportait toujours la lettre dans sa chambre et en faisait une première lecture; ensuite, elle lisait à sa tante les passages qu'elle avait choisis.

Si miss Archer pensait qu'elle lui cachait certaines choses, elle ne le lui montrait pas. D'ailleurs il lui eût été impossible de reprocher quoi que ce fût à Alayne. Alayne avait droit à son indépendance et la pensée d'empiéter sur celle-ci aurait révolté sa tante. Dans sa famille, on respectait la liberté les uns des autres. Quelques passages des lettres de Pheasant permettaient à miss Archer de comprendre combien la pauvre Alayne avait dû souffrir dans son entourage et à quel point cet entourage l'avait marquée: il n'y avait qu'à l'entendre lire, sans sourciller, des choses qui autrefois l'eussent indignée.

Miss Archer cependant n'arrivait pas à comprendre l'attitude d'Alayne envers la petite Adeline. Alayne lui paraissait manquer de la tendresse et de la sollicitude les plus naturelles. Un jour, elle lui dit:

— N'avez-vous pas peur, ma chère Alayne, qu'en grandissant Adeline ne se détache tout à fait de vous? Ne croyez-vous pas que nous pourrions obtenir qu'elle vienne nous voir?

Alayne s'était récriée de façon déconcertante.

— Adeline ici? Vous ne savez pas ce que vous proposez! Elle vous rendrait folle dans cette petite maison! Quant à la voir se détacher de moi en grandissant... elle n'a jamais rien eu de moi! Depuis son plus jeune âge, je ne suis jamais arrivée à rien avec elle.

En disant ces mots, elle vit le personnage de miss Archer disparaître de sa vue et, à sa place, elle distingua la silhouette haute et maigre de Renny, les lèvres infléchies par un air embarrassé. Elle lui avait si souvent lancé ces mots-là à la figure!... L'air lui devint irrespirable. Elle se leva, alla jusqu'à la fenêtre dont un vasistas était ouvert au-dessus des bouffées chaudes du radiateur.

— Vous devez me considérer comme une mère dénaturée, ajouta-t-elle, mais je ne suis vraiment pas en état de la prendre auprès de moi actuellement. Plus tard, je ne dis pas non.

Elle se redressa pour aspirer une bouffée d'air frais. Sa silhouette paraissait étrange, comme déformée... Miss Archer poussa un gémissement. La révélation qu'elle venait d'avoir était pour elle un coup de massue.

— Alayne... Mais, vous... Oh! ma chère Alayne.

Elle devint cramoisie. La vie devenait soudain une chose atroce et indécente.

— Oui, répondit Alayne froidement. Je vais avoir un bébé. Je n'y peux rien. Cela ne sert à rien d'en faire un drame!

Elle n'avait jamais parlé à sa tante sur ce ton. Miss Archer en fut blessée et le montra. Alors Alayne alla prendre sa tante dans ses bras.

— Ne m'en veuillez pas, tante Harriet! Je ne suis plus moi-même, ces jours-ci. Je me suis tellement tourmentée que je ne savais plus quoi devenir.

Miss Archer la serra contre elle.

— Ma pauvre enfant! C'est tellement horrible! Penser que... quand vous saviez qu'il vous était infidèle...

Elle ne pouvait s'empêcher de manifester un peu de rancune.

— Mais je ne le savais pas! Je ne le savais pas encore! Vous n'imaginez pas que j'aie pu me rapprocher de lui après les avoir découverts ensemble tous les deux!

— Saviez-vous que vous étiez... dans cet état... quand vous avez quitté Jalna?

— Non. C'est ici que je suis allée chez le docteur.

— Mais vous auriez dû vous confier à moi! Ne pas supporter cela toute seule! Oh! ma pauvre petite fille! Quelles épreuves vous avez traversées!

Miss Archer se mit à pleurer, mais tout en continuant à parler.

— Quand je pense à tous les espoirs et aux projets de vos parents! Ils étaient tous les deux convaincus que vous auriez une existence brillante. Oh! pourquoi faut-il que vous ayez rencontré Eden? Sans lui, vous n'auriez jamais fait la connaissance de cet homme. Je me refuse à prononcer son nom! Je suis pourtant chrétienne, mais il me semble que rien ne le punira comme il faut. Il mérite de souffrir.

— Il n'est pas pire que beaucoup d'autres, dit Alayne d'un ton fataliste.

Elle se sentait lourde et fatiguée; elle en avait assez de cette conversation.

Miss Archer, au contraire, était incapable de s'arrêter. Elle s'en prenait plus à Renny qu'à l'état d'Alayne qu'elle n'arrivait pas encore à admettre, et c'est sur la tête de Renny qu'elle déversait toute son amertume.

Alayne se réjouit quand elle entendit le facteur.

Elle espérait qu'il arriverait une lettre d'une vieille amie de tante Harriet et que cela lui changerait les idées. Pour une fois, elle ne chercha pas de timbre canadien. Mais il était là, sur une enveloppe de Pheasant.

Contrairement à son habitude, elle n'emporta pas ce jour-là la lettre dans sa chambre, et elle se mit à la lire tout haut.

— *Ma chère Alayne,*

» *Il y a des semaines que j'ai l'intention de vous écrire, mais il y a tellement à faire à cette époque, avec les préparatifs pour l'hiver, les rhumes à soigner et la fête de la moisson! Et puis toujours ce concours hippique! Nous ne nous en sommes pas mal tirés. La nouvelle jument de Renny est certainement indressable. Elle s'est mise sur ses postérieurs pendant toutes les épreuves et n'a rien gagné. Pourtant il a grande confiance en elle. Piers essaie de lui faire entendre raison, mais vous savez comment il est quand il s'entiche de quelque chose. Nous avons eu un premier prix dans l'épreuve des* Corinthian, *deux premiers prix et un troisième dans les chevaux de chasse de poids moyen. Les poneys de polo se sont très bien comportés et nous avons fait quelques bonnes ventes après le concours. J'ai surtout été enchantée par la performance de Mooey — Piers le juge toujours si sévèrement! Naturellement, Patience est une amazone-née et la foule lui a fait ovation. Mais attendez que votre petite Adeline s'en mêle: elle décrochera tout! Déjà maintenant elle monte n'importe quel poney et elle semble vissée dessus. C'est l'incarnation de la santé et de la beauté. Malheureusement Nooky n'a pas le même estomac qu'elle; mais c'est un vrai chou, et il demande souvent quand sa petite tante Alayne va revenir. Philip devient un grand garçon. C'est un chien de la pure race Whiteoak.*

» *Pour en revenir au concours hippique, vous rappelez-vous la voiture que les grands-parents avaient fait faire en Angleterre dans l'ancien temps? Elle était dans la remise, couverte de poussière et de toiles d'araignées. Piers l'avait nettoyée, astiquée, fait reluire au point qu'elle étincelait positivement. Et moi, avec une tournure et un petit canotier sur l'œil, j'étais perchée sur le siège du cocher. La paire de chevaux bais rutilait; ils ont fait le tour de la piste en steppant et en faisant sonner leurs harnais. Renny a reconnu que je les avais bien en main et j'ai certainement eu des masses d'applaudissements. Cette jeune jument baie est une grande déception. Elle a été...*

Alayne s'arrêta de lire, toussa, chercha son mouchoir.

— Vous n'êtes pas en train de vous enrhumer, j'espère, ma chère Alayne, dit miss Archer.

— Non. Ce n'est qu'un chatouillement. Voyons ce que... Oh! oui...

— Vous parliez d'une jument. Comme Mrs Piers se connaît en chevaux!

— Voyons ce qu'elle dit. Ah! j'y suis.

» *La fête de la moisson a été magnifique. J'avais orné les fonts baptismaux de masses de raisins noirs avec leurs feuilles. C'était ravissant, mais Meg a trouvé que la vigne, ce n'était pas le genre et que cela conve-*

nait mieux à des orgies et des bacchanales qu'à ce qui servait à des nouveau-nés innocents. Avec miss Pink elle a décoré l'autel de dahlias et de glaïeuls. Piers avait fait des choses magnifiques avec des potirons et des épis de maïs, et Renny a tout enfoncé avec des branches d'érables à feuilles rouges d'un effet fantastique. On ne pouvait rien voir de plus beau.

— J'ose espérer, interrompit miss Archer, qu'il a la pudeur de ne pas mettre les pieds à l'église.

— Pourquoi? demanda Alayne brusquement.

— Ah! Je ne m'attendais pas à cette question de votre part!

— Il n'a jamais dû manquer le service du dimanche puisque c'est lui qui lit la Bible.

— Et cela ne vous paraît pas horriblement hypocrite?

— Non. Les Whiteoak se considèrent dans cette petite église comme chez eux — qu'ils fassent ou non des bêtises.

— Vous parlez d'eux comme si c'étaient des enfants!

— Ce sont des enfants, en quelque sorte. C'est-à-dire qu'ils sont tout près de la nature.

— Mais on n'a jamais le droit de considérer son église comme sa propriété de famille! La religion est universelle!

— Moi, je n'en ai aucune.

— Oui; mais je veux dire: en théorie.

— Les Whiteoak se moquent de la théorie. Cette église est une part de leur vie — absolument comme Jalna.

Elle revint à sa lettre, se sentant reprise par son ancienne vie et à peine consciente de la présence de sa tante. Elle lut en silence.

— Vous ne me direz pas la fin de la lettre? Je m'intéresse toujours tellement à cette famille!

— Oh! Il n'y a presque rien de plus. Elle me dit combien Wakefield leur manque, et elle parle de la maladie de Finch. Le pauvre garçon n'a pas l'air de se remettre très vite.

Alayne n'avait pas sa voix normale et ses yeux s'étaient mis à briller mystérieusement. Miss Archer la regarda attentivement.

— Eh bien! je vais vous dire, reprit Alayne d'une voix tremblante. Il vient à New York, Renny!

— J'en étais sûre! Alayne, de la dignité!

— Oh! ce n'est pas pour me voir! C'est pour le concours hippique à Madison Square Gardens, vous savez. Il vient pour monter ce terrible cheval dont parle Pheasant.

— Très bien, très bien, chérie, dit miss Archer pour la calmer. Je lui souhaite beaucoup de succès, sincèrement.

— Tante Harriet, il faut que je le voie! Pas pour lui parler. Je ne veux pas qu'il sache que je suis là. Mais il faut que je le voie monter. J'ai absolument besoin de l'apercevoir une dernière fois. Je ne peux pas vous dire pourquoi, mais il le faut. Vous serez contente de venir avec moi, n'est-ce pas, tante Harriet? C'est un spectacle que vous n'avez jamais vu. Ce sera du nouveau pour vous, même si cela ne vous amuse pas particulièrement.

Miss Archer ne se tenait pas de joie. Elle adorait la nouveauté et tout valait mieux que de se confiner chez soi à pleurer la perte de ses revenus. Elle tremblait d'imaginer ce qui lui serait arrivé si Alayne n'avait pas été là pour la réconforter. Et puis ne fallait-il pas distraire Alayne et céder à ses caprices? Si elle tenait à voir son horrible mari faire des galipettes avec un cheval impossible, eh bien! il fallait y aller. Ah! si Alayne n'avait pas attendu cet enfant!... Là était le point noir qui assombrissait tout. Quand Harriet Archer y pensait, elle s'enflammait d'une haine qui l'effrayait elle-même. Un jour, dans le secret de son cabinet de toilette, elle se surprit à s'écrier: « Ce serait bien fait s'il tombait et cassait son affreuse tête rousse! » d'une voix âpre qui n'était pas du tout la sienne.

Elle se regarda dans la glace et vit sa figure boursouflée par la haine et sa bouche toute déformée. Elle contempla son image avec stupeur. Pour la première fois, elle découvrait en elle un être nouveau dont elle n'avait jamais soupçonné l'existence — un être vindicatif, capable de souhaiter du mal à son prochain. Mais il n'y avait pas de honte à avoir: elle lui voulait du mal simplement parce que lui-même avait fait souffrir et parce qu'il serait la cause de souffrances encore pires pour l'être que miss Archer aimait le plus au monde. Elle se laissa donc aller à répéter:

— Ce serait bien fait pour lui s'il se cassait la tête, à ce maudit concours!

Mais elle fut frappée d'horreur à la pensée de ce

que cette vision pourrait signifier pour Alayne, dans l'état où elle était. Cela pourrait être sa fin, et celle de son enfant à venir. Non, ce ne serait pas prudent, il ne fallait pas risquer qu'elle assistât au moindre accident. Il fallait renoncer à ce concours hippique.

Mais Alayne était entêtée; elle avait décidé qu'elle irait.

— Dans votre situation délicate, c'est dangereux! Imaginez un instant qu'un accident arrive... Pas à Mr Whiteoak, bien sûr, mais à un cavalier quelconque. Quel choc pour vous!

— Tante Harriet, si j'ai survécu à ce que j'ai traversé jusqu'ici, rien ne peut me faire mal, et le changement me fera du bien.

Il était vrai que ce seul projet semblait lui faire du bien. Etait-ce cela, ou la conséquence naturelle de son état? Elle prenait de l'équilibre et de la résistance. Son appétit était excellent, son teint clair, et elle avait envie d'activité. C'était heureux car, la plus stricte économie leur étant devenue nécessaire, elles s'étaient séparées de leur seule domestique et faisaient elles-mêmes le travail de la maison. Alayne découvrit que cela l'amusait beaucoup. La maison était petite et tout y était facilité par le confort dû à l'électricité, aux bons écoulements et au chauffage central. Toutes deux faisaient le ménage à leur convenance et éprouvaient une grande satisfaction à ne rien voir gaspiller et à n'avoir aucun motif d'énervement. Alayne citait inlassablement les inventions perverses des Wragge: comment, un doux matin d'automne, elle avait vu flamber un feu énorme et comment, un jour de pluie glacée, elle avait découvert qu'il n'y avait qu'une poignée de charbon dans le foyer pour lutter contre le froid; comment, les jours où les oncles prenaient le thé dans leur chambre, on leur montait une énorme théière du meilleur thé — il y en avait au moins pour six; comment on ne faisait jamais rien des restes, qui étaient jetés dans la pâtée des chiens; comment Rags passait des heures à nettoyer l'argenterie, mais ne balayait jamais sous les meubles; quel pouvoir ils avaient de rendre folle — folle à lier — une bonne maîtresse de maison qui arrivait de la Nouvelle-Angleterre. Miss Archer ne se lassait pas d'entendre raconter ces exploits maléfiques. Toutes deux s'en amusaient au point d'oublier leurs propres malheurs.

Elles rivalisaient l'une l'autre dans la confection des petits plats fins et, presque tous les jours, elles téléphonaient pour avoir un demi-litre d'ice-cream. Alayne ne s'en rassasiait pas.

Elles décidèrent de passer la nuit du concours à New York, chez une amie de longue date, Rosamund Trent. Et Alayne déclara, avec la promptitude de décision que miss Archer était maintenant habituée à lui voir, qu'elles prendraient un train matinal pour New York et qu'elle s'achèterait un chapeau et un manteau avant le concours. Elle en avait assez, disait-elle, d'être aussi mal fagotée.

Rosamund Trent fut grisée de retrouver Alayne, mais elle fut frappée de son changement physique, qu'elle aperçut du premier coup d'œil. Elle dit à miss Archer:

— Quand nous aurons fini nos courses, il faut que j'emmène Alayne dans mon adorable institut de beauté. Je n'ai jamais vu ses cheveux si ternes. Elle a toujours un joli teint, mais quels cernes sous les yeux et, je regrette de le constater — quelles rides autour de sa bouche! Mrs Sonia fera des merveilles.

Quand elle se trouva seule avec Alayne, Rosamund Trent la serra sur son sein corseté.

— Oh! ma pauvre chérie! Quelle aventure! Mon cœur souffre avec vous!

Alayne était ravie d'être plainte et de voir quelqu'un pleurer sur son sort. Elle avait oublié tout cela en vivant à Jalna. Quand elles sortirent pour faire leurs courses, l'air était vif et tonifiant, le soleil étincelait entre des nuages rouges qui passaient vite.

Rosamund Trent voyait grand, surtout quand il s'agissait de l'argent des autres. Elle n'eut de cesse qu'Alayne eût acheté un manteau très chic, genre militaire, mais garni de fourrure, et un petit chapeau bien parisien, tout à fait assorti. La coupe du manteau dissimulait les formes et le tout était noir, ce qui lui avait toujours été parfaitement.

Etendue, l'esprit vague, dans une cabine au milieu du tourbillonnement de l'institut de beauté, livrée aux manipulations de mains expertes Alayne se demanda quelle impulsion l'avait menée à dépenser son argent et son temps de cette façon et pour ce motif. Elle n'en savait réellement rien. Il lui semblait que sa nature s'était rebellée contre cette période sombre et triste, dépourvue de tout souci de beauté, qu'elle venait de vivre. Elle avait été alourdie et molle à tous points de vue, elle avait été entraînée par le poids de ses pensées pendant très longtemps! Maintenant, au cours de cet après-midi fiévreux, avec de la bousculade autour d'elle, elle faisait comme si tout allait bien, comme si elle était plongée dans le bonheur et le bien-être, au lieu de... Elle remua la tête entre les mains de la masseuse et un soupir lui échappa. Elle avait oublié que ses cheveux pouvaient se transformer en ondulations légères et en bouclettes pleines de reflets. Le traitement l'avait rafraîchie, et le léger maquillage si adroitement fait lui rendait les yeux brillants et la rajeunissait de dix ans.

Des monceaux de papier de soie remplissaient la petite chambre, chez Rosamund Trent. Celle-ci et miss Archer furent délicieusement surprises quand Alayne apparut, prête pour le concours hippique. Elle était ravissante, lui dirent-elles, mais toutes deux pensaient que sa situation était tragique et se demandaient comment elle allait orienter sa vie.

Alayne paraissait aussi insouciante qu'une enfant. A la table voisine de la leur, au restaurant où elles dînèrent, il y avait un jeune homme seul qui n'arrivait pas à détacher ses yeux d'Alayne. A chaque instant, l'une des trois femmes s'apercevait qu'il couvrait Alayne de coups d'œil admiratifs. La pensée qu'elle pouvait attirer l'attention d'un homme — d'un jeune homme habitué à la compagnie de femmes vivant pour leur seule apparence — mettait Alayne dans une sorte de gaieté désordonnée. Elle commanda du vin et se demanda une douzaine de fois ce que penserait Renny s'il la découvrait là; mais c'était le dernier endroit où elle risquait de lui voir mettre les pieds. Il avait les siens, attitrés, et que fréquentaient les hommes de son espèce. Que faisait-il à cette heure-là? Etait-il rendu nerveux par l'approche du concours? A la pensée de Renny, une contraction — de haine ou de peur? elle l'ignorait — lui donna un battement de cœur. Elle leva son verre de vin d'une main qui tremblait, mais força ses lèvres à sourire à Rosamund qui la regardait. Résolument, elle chassa la pensée de Renny-homme et s'appesantit sur celle de Renny-cavalier. Elle éprouvait un sentiment d'orgueil à l'idée que tante Harriet et Rosamund Trent verraient ce soir de quelle classe de cavalier il était.

Elle resta silencieuse avec ses deux compagnes en attendant un taxi devant le restaurant. Un vent froid et tumultueux courait entre les grands buildings. Dans le taxi elle ne parla pas davantage. Autour d'elle, tout lui semblait un rêve; elle se demanda où elle allait et pourquoi elle y allait; elle n'arrivait pas à écouter ce que disait Rosamund Trent. Toute son attention était concentrée sur le mystère de vie qu'elle portait en elle. Merveilleux, inexorable petit être, quatrième passager invisible dans le taxi... Le visage qu'elle lui prêtait passa devant elle, doux, blanc comme un œuf, avec de jolis cheveux pâles pareils à ceux de Roma. Pourquoi pensait-elle toujours à Roma dès qu'elle pensait à son enfant? Mais elle ne pensait à lui que de très loin, et froidement; elle n'avait aucune tendresse dans le cœur pour lui.

Miss Archer la regarda avec inquiétude, pendant que Rosamund Trent prenait les billets. (Alayne lui avait glissé l'argent dans la main.)

— Vous sentez-vous bien, chérie? Vous êtes tellement silencieuse!

Alayne se força à sourire.

— Je vais très bien. C'est cette foule. J'ai perdu l'habitude d'être mêlée à des hordes pareilles.

— C'est étonnant, merveilleux! Je n'aurais jamais imaginé... Quelle foule intéressante! Tous les milieux!

Elles eurent de bonnes places grâce à Rosamund. Tout autour d'elles s'étageaient des rangées indéfinies de têtes. En dessous s'étendait le terrain, avec ses barrières blanches et ses obstacles. Il y avait une épreuve en cours et, au moment où elles arrivaient à leurs places, une tempête d'applaudissements éclata et l'orchestre se mit à jouer. Il y avait dans l'air une sorte de vitalité animale, presque effrayante pour miss Archer; pourtant tous ces gens avaient l'air respectables.

Alayne, très maîtresse d'elle-même à présent, consulta le volumineux programme. Elle feuilleta les pages d'un œil compétent pour chercher ce qu'elle voulait.

— Comme elle est amusante, n'est-ce pas, miss Archer? Les concours hippiques n'ont plus de secrets pour elle, dit Rosamund.

Alayne vit le nom de Renny plusieurs fois répété, plusieurs jours de suite; elle vit les chevaux qu'il montait. Tout ce qu'elle avait appris des chevaux, sans s'en rendre compte, mettait un univers entre elle et ses deux compagnes. Cette soirée-là était la cinquième. Elle trouva le nom de Renny.

Champion Sweepstake. Prix de mille dollars.
N° 56 Mrs Spindles, *jument alezane, 1 m 65, cinq ans.*

R. C. Whiteoak.

C'était tellement curieux de voir son nom là! Tellement curieux! Tellement curieux! Et penser qu'elle allait bientôt le voir en chair et en os. Il y avait un siècle qu'elle ne l'avait pas vu. Tout le monde ici devait deviner qu'elle était venue pour le voir!

Il y eut d'abord une épreuve entre équipes d'officiers étrangers, Français, Italiens, Sud-Américains; puis une exhibition de la Police royale canadienne montée, en tuniques rouges, chapeaux à grands bords et culottes noires. Ils étaient rutilants et parfaits de précision dans leurs mouvements d'ensemble. Miss Archer joignit ses applaudissements frénétiques à ceux de la foule.

Alayne était assise toute droite, les mains croisées. Tout ce qu'elle voyait n'avait ni réalité, ni raison d'être, ni consistance, tant qu'il n'était pas là. Elle le découvrit du premier coup d'œil parmi les autres cavaliers, montant avec aisance la grande alezane maigre, toujours avec ses mêmes épaules tombantes. Elle reconnut sa veste noire (elle savait exactement à quel endroit de son armoire il l'accrochait), ses bottes (elle les voyait par rangées, avec leurs embauchoirs de bois). Elle était émerveillée d'étonnement qu'il pût être là, l'air tellement naturel en faisant prendre sa place à sa jument, sans paraître se douter du regard qui le transperçait. La jument avait figuré dans plusieurs épreuves durant la semaine, et il était évident que quelques spectateurs la reconnaissaient et la regardaient avec amusement, mais ils n'en admiraient pas moins ses belles épaules, sa belle ligne de flancs, son encolure de fer et sa petite tête intelligente. Les yeux de la bête étincelaient comme pour répondre à l'amusement de la foule. Il lui serait difficile de battre ses concurrents! Elle prit un galop aisé sur le tan et sauta la première barrière avec beaucoup de force en réserve. Mais à peine eut-elle retouché terre qu'elle sembla prise d'une lubie perverse; elle rua et se dressa sur ses postérieurs pour aller vers l'obstacle suivant.

Un soupir haletant suivi d'un éclat de rire s'éleva des rangées de spectateurs. Elle ne pourrait certainement pas sauter la deuxième barrière! Mais on racontait des choses curieuses sur elle, et tous retinrent leur souffle pour voir ce qu'elle allait faire. Son cavalier s'attendait évidemment à cette fantaisie, car il devint écarlate, mais il paraissait calme et il dirigea sa monture vers la barrière à franchir.

Presque au moment de sauter, la jument se ramassa sur elle-même, mesura l'obstacle d'un coup d'œil, baissa la tête, lança une ruade et sauta, encore avec quelques centimètres de marge.

Un tonnerre d'applaudissements éclata, que la jument accueillit avec un air espiègle et provocant et l'homme avec un sourire embarrassé, mais triomphant. De nouveau elle se mit sur ses postérieurs, de nouveau elle parcourut la piste à petits pas minaudiers, de nouveau elle se ramassa sur elle-même et vola comme un éclair au-dessus de l'obstacle. Les applaudissements remplirent l'enceinte jusqu'au toit. La foule aimait la jument parce qu'elle était extraordinaire, fantasque et merveilleusement douée.

Alayne décroisa ses mains et prit celles de ses compagnes, à sa droite et à sa gauche. Elle agrippa leurs doigts, et les siens semblaient de fer tant elle serrait fort. Elle rit à gorge déployée quand la jument, dressée sur ses postérieurs, s'en alla d'un pas majestueux hors de l'enceinte, et disparut. Elle imaginait le flot d'imprécations joviales qui allaient jaillir au-dessus de sa tête quand cheval et cavalier seraient rendus à leur tête-à-tête.

— Va-t-on lui donner le prix?

— Oh! On devrait.

— Mais l'oseront-ils? Avec un cheval pareil!...

— Sacré phénomène!

— Et l'homme, quel cavalier!

— Il faudra un barrage entre les premiers.

Alayne buvait ces commentaires. Elle observait avec passion les gens qui l'entouraient, elle parlait avec passion à ses voisines, ahuries de la voir ainsi hors d'elle et au comble de l'excitation. Une plaque brillante brûlait sur ses joues. Elle voulait que tout le monde sût que cet homme était — ou avait été le sien.

Soudain, à une certaine distance, debout dans un

groupe, elle aperçut Piers, riant et parlant, l'air incroyablement naturel.

Au cours du barrage, tous les autres concurrents firent des fautes, tandis que la jument n'effleura pas une barre, quoique à plusieurs reprises elle se fût approchée de l'obstacle de son allure fantasque. L'assistance déborda de joie en voyant qu'on lui décernait le prix. La bête était immobile, magnifique et fière; son cavalier scrutait l'assistance comme pour y chercher une figure connue.

Mais cette figure, tendue et pâle, était aussi invisible pour lui qu'une goutte d'eau dans la mer.

Le voyage de retour parut interminable. Il se mit à neiger. Il y avait déjà eu quelques flocons, mais c'était la première fois que la neige tombait pour de bon. Les flocons collaient aux vitres du taxi, qui n'était pas des plus confortables, et un courant d'air glacé amenait un froid mortel. Miss Archer n'arrêta pas de parler du concours avec une certaine nervosité. Elle avait une peur terrible de prendre froid, et cette soirée extraordinaire lui avait troublé l'esprit. Elle fut heureuse dès qu'elle eut mis le pied dans le train électrique. Elle se cala dans un coin et ferma les yeux. « Impossible de faire la conversation. Alayne est bien fatiguée, pauvre fille! Comme elle était jolie pendant le dîner! et au concours! J'aime bien ce col de fourrure, il lui va. Quelles drôles de choses je vois en fermant les yeux! Toutes ces lumières et ces couleurs... ces chevaux bondissant et caracolant. Est-ce bien le mot? Et cet homme! Ensuite j'ai senti quelque chose de très humain en lui... quand il était immobile sur son cheval. Mais je ne suis pas habituée à ce genre d'homme, et c'est le dernier que je choisirais pour mari — si toutefois j'en choisissais un. Il a un dos vraiment admirable, qui a quelque chose de... Et comme il montait cet impossible cheval! Je n'ai jamais prononcé le mot: jument. C'est curieux comme, dans certains cas, le nom des animaux mâles est plus joli et, dans d'autres, celui des femelles. J'aurais voulu qu'Alayne eût envie de souper chez Rosamund Trent. Ç'aurait été amusant; mais Alayne n'en fait jamais qu'à sa tête. Je me demande si, peut-être... »

Jusqu'au fond de l'âme, Alayne était vide de pensées. Elle était affalée dans son coin, regardant droit devant elle, sans rien voir, sans rien sentir que le poids de son corps et son épuisement moral. Elle avait les pieds plantés sur le plancher du wagon et, par là, les vibrations du train l'atteignaient jusqu'à la moelle.

La neige volait derrière le carreau embué. Le quai de la petite gare en était couvert et tout blanc. Le taxi qu'elles avaient commandé les attendait. Enfin elles se retrouvèrent dans leur living-room.

— Etes-vous contente de votre voyage? demanda miss Archer par-dessus son café bouillant.

— Oui, très contente.

— Cela vous fait-il plaisir qu'il ait gagné le prix?

— Oui. Beaucoup... Comment le trouvez-vous, tante Harriet?

— Ma chérie, je trouve qu'il a l'air violent. Je comprenais votre amour pour Eden, mais... celui-là...

— Celui-là... répéta Alayne. En effet, je crois que vous ne pourriez pas le comprendre.

Dans sa chambre, elle enleva soigneusement son chapeau neuf et son manteau. Puis, comme si elle-même était de moindre importance que ses vêtements, elle se jeta passionnément sur le lit et pleura tard dans la nuit.

CHAPITRE XX

L'arrivée de l'hiver

Meg et Maurice étaient en train d'effacer du mieux qu'ils pouvaient les ravages qu'un été d'hôtes payants avait faits dans leur living-room. Tout en souhaitant d'avoir des pensionnaires aussi agréables l'été suivant ils découvraient qu'il était bien plaisant de se retrouver seuls chez eux et de se laisser aller sans penser à l'opinion d'étrangers.

Tandis que Patience étudiait son piano en écrasant la pédale forte, Meg nettoyait une tache du papier de tenture au-dessus du divan, là où un gentleman à cheveux pommadés avait pris l'habitude d'appuyer sa tête, et Maurice, en vieille veste de chasse, recouvrait d'étoffe fraîche un fauteuil démodé, en noyer sculpté. Le bruit aigu du marteau ne troublait nullement Patience. Un canari, que touchait dans sa cage le dernier et pâle rayon du crépuscule, chantait lui-même de toutes ses forces. Meg frottait.

— Ah! C'est beaucoup mieux, n'est-ce pas? Vraiment, je désespérais presque d'y arriver. Regardez, Maurice... Maurice! Regardez! Etes-vous sourd?

Assis sur ses talons, Maurice admira obligeamment le travail de sa femme.

— Vous avez certainement obtenu un très bon résultat. J'espère que ce vieil idiot n'aura pas l'idée de revenir l'année prochaine. Il a taché le mur, il a brûlé ce fauteuil avec sa cigarette... Il n'avait jamais l'air tout à fait réveillé.

— Mais il était tellement gentil et il savait tant de choses intéressantes!

— S'il s'était contenté de les garder pour lui!

— Maurice, ne soyez pas ingrat! Pensez à l'argent qu'il nous a rapporté! Et, à cause de son mauvais estomac, il ne mangeait guère que ce qu'il recevait par la poste!

— Mais regardez les dégâts qu'il a faits sur le papier et sur ce siège!

— C'est insignifiant. Rappelez-vous qu'il nous a laissé plus de cent dollars!

— Je ne vois pas comment vous calculez cela, dit-il en reprenant son marteau.

— Eh bien! Six semaines à...

— Il n'est pas resté six semaines.

— Bien sûr que si! Ne vous rappelez-vous pas que le jour de son arrivée...

— Je n'entends pas.

— Pourquoi continuez-vous à taper quand je parle?

— Il faut bien que ce fauteuil soit recouvert! Il a également cassé les ressorts.

— Quoi?

— Il a également cassé les ressorts. Mon père s'est assis dans ce fauteuil pendant soixante-dix ans...

— Quelle sottise! Vous ne le voyez pas assis là au biberon.

— Pourquoi pas? dit Maurice en la regardant d'un air goguenard.

— Alors, qu'est-ce qu'il pesait à cet âge-là? En tout cas, votre père n'a jamais eu la belle corpulence de mon père, ni de mon grand-père.

— Bon Dieu! Je ne crois pas qu'ils soient jamais venus s'asseoir dans ce fauteuil!

— Mais quel rapport ont-ils avec la question? Je vous le demande!

— Pourquoi les mêlez-vous à la discussion?

— Je ne les mêle pas. Je faisais une comparaison.

— A quoi cela sert-il, les comparaisons?

— Qu'est-ce que vous dites? Pourquoi marmottez-vous?

— Moi, je marmotte? Si vous étrangliez ce canari vous entendriez ce que je dis.

— Pas plus tard qu'hier vous disiez qu'il n'avait pas poussé un son depuis des semaines.

— Quoi?

— Patience, ma chérie, veux-tu mettre la pédale douce?

Patience virevolta sur l'antique tabouret. La sonnette de la porte tinta. Elle courut regarder par la fenêtre.

— C'est l'oncle Piers!

— Brrr! dit Piers en entrant. Il fait froid, je vous assure. Nous allons vers une bonne chute de neige.

— Oui, dit Meg. J'étais justement en train de remarquer un grand nuage rouge au-dessus du coucher de soleil. Je le comparais intérieurement au soleil qui illumine notre existence malgré les nuages...

Maurice la regarda avec ébahissement.

— Je vois que le moral est bon, dit Piers.

Il s'assit et prit Patience sur ses genoux. Elle frotta sa joue contre la joue ferme et froide de son oncle.

— Oh! dit-elle. Comme c'est bon! Comme c'est froid!

— Il a toujours eu bonne mine, dit Meg. J'étais comme cela dans ma jeunesse, mais j'ai eu une grande émotion et une maladie terrible qui m'ont fait perdre mon teint.

Maurice la considérait toujours avec une sorte de stupeur.

Piers interrogea Patience.

— Est-ce que tu travailles bien?

Elle sourit sans répondre. Meg le fit pour elle.

— Elle étudie très bien son piano maintenant que les pensionnaires sont partis, je ne pouvais pas beaucoup insister là-dessus pendant qu'ils étaient là. Et Maurice se rend compte que cela valait la peine de faire des sacrifices pour lui donner un bon professeur. Il commence à apprécier son talent.

Maurice regarda Meg.

— C'est lamentable, dit-il, qu'avec un musicien comme Finch dans la famille, nous ayons des leçons de piano à payer.

— Oui, n'est-ce pas? appuya Meg. Quand je pense aux mois et aux mois qu'il a passés à la maison, et à tout ce qu'il aurait pu apprendre à Patience pendant ce temps-là!... Enfin, c'est décourageant — pour ne pas dire plus.

— C'est la santé de Finch qui me décourage, répondit Piers d'un air lugubre. Je ne sais pas ce qu'il va devenir. Les semaines et les mois passent, et il mène la même épouvantable vie. Voulez-vous que je vous dise carrément ce que j'en pense? Il va vers le sana, ou vers la tombe, je ne sais pas lequel des deux.

— Oh! Ne dis pas cela! s'écria Meg. Pas devant la petite! Ne le pense même pas, Piers! Nos pensées influent sur les malades... Je suis sûre que Finch n'a besoin que d'un repos complet. C'est l'opinion de Renny.

— Je ne comprends pas Renny, dit Piers. Il laisse ce garçon s'affaiblir de plus en plus. Il ne fait rien. Est-ce par fatalisme ou par insouciance? Je ne sais pas. Quant à moi, je suis absolument découragé. J'ai été le voir hier. Il était couché dans son lit, parfaitement paisible. Pas un livre, pas un journal, pas une cigarette, rien pour le distraire. Je lui ai dit:

» — Comment va ta tête?

» Et il m'a répondu:

» — Beaucoup mieux. Je ne souffre plus que de temps en temps.

» Alors, je lui ai demandé s'il ne pensait pas qu'il ferait mieux de se lever, et il m'a dit que, s'il se levait, cela ferait revenir ses douleurs, et qu'il voulait rester seul et qu'on lui fiche la paix. Et, quand je lui ai dit ce que j'en pensais, ses larmes se sont mises à couler, mais comme ça, tout naturellement, sans qu'il ait l'air de lutter. C'était épouvantable.

— Patience, dit Meg, va dire à Katie d'apporter le thé. Je n'aime pas qu'elle entende parler de ces choses impressionnantes, ajouta-t-elle quand l'enfant fut partie.

— Et qu'en pensent les oncles? demanda Maurice.

Piers eut un petit rire bref.

— A part leur petit confort, ils ne prennent rien au sérieux.

» — Finch a une dépression nerveuse.

» — Il guérira avec le temps.

» — Tâchons de le raccommoder avec Sarah.

» — C'est une bonne fille, quoique assez originale et elle est en adoration devant Finch...

» Je vous assure que toute la famille — y compris vous deux — ou bien est aveugle, ou bien fait exprès de ne pas voir. On pourrait nous croire insensibles.

— Oh! ne dis pas cela! s'écria Meg. Après tout, les oncles ont dix fois plus d'expérience que toi, Piers. Moi, je sais bien ce que c'est qu'une dépression... et c'est le temps qui m'a guérie.

Piers fit la lippe sans paraître convaincu. Maurice lui demanda:

— Aimes-tu la façon dont j'ai recouvert ce fauteuil?

Piers grogna un compliment. Meg s'assit à côté de lui et s'empara de ses mains vigoureuses.

— Piers, s'il arrivait quelque chose... Oh! Je ne vais pas pouvoir m'exprimer. Comment ai-je eu cette idée-là?

Maurice la regarda d'un air gêné, Piers d'un air ingénu.

— Quelle idée? demanda-t-il.

Elle dit dans un souffle:

— S'il arrivait malheur à Finch...

— Eh bien! Il faut s'y attendre, je viens de te le dire.

— Piers... et notre hypothèque? Qui la reprendrait?

— Sarah, s'il fait un testament en sa faveur. Mais je ne crois pas qu'il ait fait de testament. Alors elle en aura un tiers et le reste sera divisé équitablement entre nous.

Meg réfléchit.

— J'espère que cela n'ira pas jusque-là, dit Maurice.

Et il se mit à frotter sa main blessée à la guerre, et qui en avait conservé un rhumatisme.

— Quelle idée de parler de ces choses-là! s'écria Meg. Comme si cette seule pensée n'était pas un supplice pour nous!

Elle fondit en larmes, et sa poitrine généreuse se mit à palpiter de soupirs gémissants.

— Ne te tourmente donc pas, dit Piers. Il y a encore de la vie en Finch. Voilà le thé.

— Pour l'amour du Ciel, dit Maurice, ne pleurez pas devant Patience!

Meg fit un effort pour se dominer. Une femme de chambre accorte posa un plateau d'argent sur une table à côté d'elle. D'un plat couvert se dégageait l'odeur de muffins chauds et beurrés; un pot de confiture de mûres étincelait comme un bijou; un grand cake aux raisins et une corbeille d'argent débordante de pâtisseries légères en disaient long sur le tarif dont avaient profité les pensionnaires d'été.

Patience tendit la main vers les muffins avec un regard troublé vers sa mère. Meg se mit tout de suite à parler avec entrain des succès remportés au Concours hippique de New York. Piers convint complaisamment, en engouffrant un demi-muffin, que la famille s'était couverte de gloire.

— Alayne doit être joliment humiliée, dit Meg. Elle n'a jamais eu un mot flatteur pour cette jument. Elle n'a jamais apprécié le flair avec lequel Renny choisit des chevaux qui sortent de l'ordinaire. Elle ne connaît absolument rien aux chevaux, mais elle soutient mordicus son opinion.

— Je crois que nous n'entendrons plus souvent parler d'elle, dit Piers. Voilà six mois qu'elle est partie, et elle n'a même pas demandé qu'on lui envoie Adeline pour un petit séjour! C'est une mère dénaturée.

— C'est vrai qu'elle n'a rien de naturel, s'écria Meg. L'avez-vous jamais vue couver d'un regard un peu tendre, vraiment maternel, la pauvre petite Adeline?

— Je l'ai vue lui lancer des regards furibonds!

— Et Renny! L'a-t-elle jamais caressé de ce regard compréhensif et protecteur dont toute femme de cœur regarde son mari?

Meg illustra sa phrase d'une façon qui obligea Maurice à baisser la tête et qui le fit sourire gauchement.

— Elle écrit à Pheasant, vous le savez, dit Piers.

— Pheasant doit te montrer les lettres...

— Quelquefois. Je ne demande pas à les voir. Pheasant pense qu'elle ne reviendra jamais. Elle la croit devenue neurasthénique.

Patience donnait à manger au serin. Meg se pencha à l'oreille de Piers et murmura:

— La raison de tout cela?... Mrs Lebraux?...

— Vraisemblablement. Mais ils ne m'ont pas fait de confidences.

— Eh bien! Je m'attends tout à fait à ce que Renny m'en fasse. Je suis sa seule sœur, et il sait que, quoi qu'il me dise, pas un mot ne sortira de mes lèvres.

Elle reprit de la confiture et se versa une autre tasse de thé.

— C'est pour ainsi dire mon premier repas de la journée.

— C'est exact, confirma Maurice.

Sans répondre, Piers étala de la confiture sur un petit gâteau sec et la recouvrit d'un autre. Patience dit de la fenêtre:

— Voilà Sarah qui arrive.

Piers était entré en disant qu'il allait tomber de la neige: la petite toque de fourrure de Sarah en était blanche, et ses vaporeux cheveux noirs étaient parsemés de flocons. Mais, tandis que Piers avait apporté avec lui l'impression d'un temps désagréable mais non hostile, Sarah paraissait être l'emblème vivant d'un hiver implacablement blanc, avec son chapeau couvert de neige, ses traits ciselés dans son teint pâle, ses yeux gris clair et pénétrants. Meg l'accueillit avec effusion et demanda du thé frais; Maurice lui donna sa place au coin du feu, et Patience s'assit sur un tabouret bas près d'elle, admirant ses beaux vêtements.

— Vraiment, Sarah, dit Meg, vous perdez votre temps ici. Il y a si peu de monde pour apprécier vos toilettes!

— J'aime l'élégance pour elle-même, répondit Sarah; mais, si je vous plais comme ça, tant mieux. J'espère que je ne vous dérange pas en venant vous voir. A cette heure-ci, j'ai le cafard. Il ne fait ni jour ni nuit et le ciel est chargé de neige...

— Je ne sais pas comment vous supportez tout cela, s'écria Meg. Moi, il me faut du monde autour de moi. Vivre seule dans une maison... avec des arbres tellement près... je deviendrais folle!

Sarah eut un petit sourire.

— J'ai été habituée à une vie calme, mais... quelquefois il me semble que je ne vais pas pouvoir continuer... qu'il faudra que cela change.

— Pourquoi, dit Maurice, n'allez-vous pas dans le Sud pour y passer l'hiver? C'est certainement ce que je ferais si j'étais à votre place. Au printemps prochain vous sauriez... enfin les choses se seraient arrangées d'une façon ou d'une autre.

— Non, il faut que je reste ici. Il faut que je sois près de Finch. Et puis j'aime cet endroit! Je ne peux pas vous dire à quel point je l'aime. Il n'y a que, juste à ce moment de la journée...

— Ma chère Sarah, dit Meg avec chaleur, nous

sommes ravis de vous recevoir! Venez tous les jours à cette heure-ci, si cela vous fait plaisir. Nous étions en train de parler du pauvre Finch et nous étions si affligés!

Sarah se tourna vers Piers.

— L'avez-vous vu dernièrement?

— Hier.

— Et comment va-t-il?

— Toujours la même chose.

— A-t-il parlé de moi?

— Non. Il n'a pas été très bavard.

— Mais je vous ai demandé — la semaine dernière, n'est-ce pas? — d'essayer de deviner ce qu'il pensait de moi, la prochaine fois que vous le verriez!

Piers alluma une cigarette.

— Ce n'est pas la peine, Sarah. Vous l'auriez deviné si vous aviez été là. Je n'en reviens pas, mais je crois sérieusement qu'il y a deux mariages cassés dans la famille. Et, s'il y en a un plus définitivement brisé que l'autre, je crois que c'est le vôtre.

— Je n'ai pas perdu tout espoir.

— Moi non plus, dit Meg. Je suis sûre que tout s'arrangera entre vous et Finch dans très peu de temps.

Sarah eut l'air d'avoir envie d'embrasser Meggie pour cette phrase. Piers la regarda d'un air pessimiste.

— Qu'en sais-tu, Meg? dit-il. Tu ne l'as pas approché depuis des semaines. Il vaudrait mieux que tu ailles le voir et que tu essaies de le remonter, que d'affirmer que tout s'arrangera.

— A quoi servirait-il que j'y aille? s'écria Meg avec

amertume. La dernière fois que j'ai essayé, il n'a pas voulu me voir et Renny a été brusque et désagréable: il m'a dit qu'il ne voulait pas ennuyer Finch en lui imposant ceux qu'il ne voulait pas voir. Je vous assure, Sarah, vous n'êtes pas la seule à souffrir!

— Qu'est-ce pour vous, comparé à moi?

— C'est beaucoup pour moi. Finch était un petit garçon de sept ans quand sa mère est morte. C'est moi qui l'ai élevé; j'ai été une mère pour lui. Les liens de famille peuvent ne pas signifier grand-chose pour vous, mais, chez nous, ils sont aussi forts que ceux du mariage, sinon plus forts.

— C'est exact, dit Maurice.

Et il ajouta pour tenter de faire diversion:

— Je pense que vous restez là pour Noël. Je voudrais bien que vous passiez la journée avec nous tous, mais...

Il regarda Piers pour lui demander secours. Mais Piers répondit avec sa brusquerie habituelle:

— J'ai peur que nous ne puissions inviter Sarah à Jalna: j'espère faire descendre Finch pour déjeuner.

— Oh! j'espère que tu y arriveras! s'écria Meg.

— Je me demande, dit Sarah, ce que je pourrais lui envoyer pour Noël. Auriez-vous une idée à me donner?

Ils la regardèrent tous, l'œil morne, puis Meg dit tout à coup:

— Un chèque fait toujours plaisir.

— Pas dans l'état où il est, dit Piers. Cela ne voudrait rien dire.

— Des cravates un peu gaies, proposa Maurice.

— J'ai proposé un recueil, dit Sarah, avec les comptes rendus de ses concerts. J'ai trouvé une quantité de revues musicales dans lesquelles on a dit sur lui des choses très flatteuses! Croyez-vous qu'il aimerait les voir?

— Ce n'est pas une mauvaise idée, dit Piers. Quoique je doute qu'il les lise jamais.

— Quelle bonne épouse vous êtes! déclara Meg. Quelle différence avec Alayne! Peut-on l'imaginer faisant un album pour Renny avec ses histoires de chevaux? Quelle gloire de gagner le premier prix au concours de New York, n'est-ce pas, Sarah?

— Oui. C'est magnifique.

— Et il espère que cette jument lui donnera de merveilleux poulains.

Un sourire énigmatique passa, comme un rayon de soleil d'hiver, sur la figure de Sarah.

— Je suppose, fit Meg, qu'il a payé l'intérêt de son hypothèque, maintenant.

Les deux hommes semblaient embarrassés. Sarah répondit:

— Oh! oui. Il l'a payé intégralement.

— Je suis si contente! dit Meg.

Et elle se tourna vers Piers.

— T'a-t-il payé le fourrage?

— Oui. Il a pu le faire après avoir vendu les poneys. Il est presque à jour, maintenant. Même avec le vétérinaire.

— Oh! je suis si contente!

— Sans lui, dit Sarah, Finch et moi serions réunis. Il a monté Finch contre moi!

— Quelle bêtise! s'écria Piers.

— Non. C'est absolument vrai.

— Mais pourquoi aurait-il fait cela?

— Parce qu'il est jaloux.

— Alors, pourquoi n'est-il pas jaloux de Pheasant?

— Parce que Pheasant ne vous a pas éloigné de Jalna. Il ne peut pas supporter que Finch vive en Europe, à l'abri de son influence. Et puis, il y a autre chose: il me déteste. Il sait qu'il n'a aucun pouvoir sur moi et il m'en veut. Oh! vous ne pouvez pas savoir à quel point je pense à tout cela, dans ma petite maison où je suis toute seule — et comme je vois clair dans tout cela!

Ils la regardèrent, sans savoir trop que dire. Ils furent soulagés par le bruit d'un moteur, et par l'entrée de Renny.

Après avoir fait un petit clin d'œil aux hommes, embrassé Patience, et dit bonjour gravement à Sarah, il se tourna vers Meg.

— Je t'apporte le bœuf de Noël. Nous l'avons abattu. Il est sensationnel, cette année.

Il avait à la main un morceau de viande à peine emballé d'un papier jaune; il le déposa sur le coin du piano. Meg lui sauta au cou.

— Oh! que c'est gentil! Ton bœuf est toujours si bon! Nous allons le saler, hein, Maurice? Mon Dieu, cela sent déjà Noël!

Renny lui tapota l'épaule en regardant Sarah avec un peu de méfiance. Elle se leva pour s'en aller. Piers dit aussi qu'il devait partir. Sarah, sans quitter des yeux Maurice et Meg, leur demanda:

— Voulez-vous, tous les deux — avec Patience, naturellement — venir dîner avec moi, le soir de Noël? Le déjeuner à Jalna est à deux heures, n'est-ce pas? Si vous ne venez pas, je serai toute seule.

Maurice consulta Meg du regard.

— Avec le plus grand plaisir, dit-elle. Cela ne te contrariera pas que nous partions un peu plus tôt, n'est-ce pas, Renny?

Cela le contrariait, mais il déclara qu'il le supporterait. Patience était enchantée à la perspective de deux repas de Noël; elle dansa jusqu'à la porte en accompagnant Sarah et Piers. Piers la taquina, jouant à vouloir l'emmener dans la neige. Sarah avait son petit sourire impersonnel. Meg l'étreignit sur le seuil.

Maurice emmena Renny dans la salle à manger.

— Viens prendre un verre, dit-il.

Il en remplit deux et leva le sien.

— A ta santé! Tout finit par s'arranger dans la famille, n'est-ce pas?

Avec un sourire sombre Renny leva son verre. Une bise glacée, venant de la porte ouverte, se précipita dans la pièce.

CHAPITRE XXI

Noël

De même que l'été avait cédé en hâte à l'automne, de même l'automne s'était précipité à la tête chenue de l'hiver. Il arriva sans crier gare, sans se laisser précéder de l'habituelle période de temps doux, et le froid s'accrut de semaine en semaine, au point qu'à l'aube de Noël le mercure descendit à vingt degrés au-dessous de zéro.

Longtemps avant de se réveiller, Finch avait senti la recrudescence du froid. Il s'était rendu compte qu'il se recroquevillait de plus en plus sur lui-même, qu'il remontait les couvertures de plus en plus haut au-dessus de ses oreilles, mais que rien ne pourrait le réchauffer. Il prit peu à peu conscience du jour qui envahissait la pièce et, grelottant littéralement jusqu'à la moelle, il finit par ouvrir les yeux.

La chambre resplendissait. Sur les carreaux, des contours fantastiques de fougères et de papillons étaient ciselés en rouge par le soleil. L'air qui entrait semblait balayé directement du pôle Nord; la neige qui poudrait le rebord de la fenêtre était sèche comme du duvet. Il éprouva l'exaltation, l'attendrissement, l'émoi grisant de son enfance et tressaillit jusqu'au fond de lui-même: c'était le jour de Noël!

Un instant, le souvenir des derniers mois disparut et il s'abandonna à la pure joie du moment. Il écouta avec délices les cloches de l'église qui sonnaient par-dessus la neige. Il aimait cette sensation de froid: il en avait assez d'être mou et douillet! Il s'étendit à plat sur le dos et aspira l'air de cristal qui lui piquait agréablement le nez.

Il se remémora les jours de Noël de sa petite jeunesse, ces réveils matinaux — mystérieux et magnifiques — où le petit Jésus, les cloches de l'église, l'arbre l'éblouissaient de leurs prestiges! Il se remémora la peur qu'il avait du Père Noël, même quand il savait que c'était oncle Nick. Il avait aussi le vague souvenir d'un autre Père Noël qu'il faisait semblant d'accepter comme tel et qui était son père. Il aurait voulu se souvenir de lui avec plus de précision et le revoir en tant que père — quoiqu'il fût sûr qu'aucun père n'aurait pu être plus tendre pour lui que ne l'avait été Renny.

Il entendit un bruit de pas vifs qui crissaient sur la neige, puis la voix de Renny ordonnant aux chiens de rentrer. Il partait à l'office matinal, tout seul. Finch eut un sursaut de pitié: Renny était seul pour aller à l'église! Il aurait voulu être assez bien portant pour l'accompagner. Il se vit marchant avec Renny à travers champs et tous deux allongeant le pas en entendant les derniers coups de cloche. Il vit Noah Binns, les mains agrippées à la corde, les bras montant et descendant en mesure, le visage levé vers la cloche. Il se rappela le jour de Noël où il avait communié pour la première fois. Il s'était agenouillé tout tremblant sur les marches de l'autel, entre sa grand-mère et Eden. Elle avait quatre-vingt-seize ans à cette époque et ce devait être une des dernières fois qu'elle allait au service matinal. Elle avait pris auprès d'elle le petit garçon de treize ans qu'il était. Il sentait encore la massive protection qu'elle représentait avec sa cape de velours noir et son lourd voile de veuve qu'elle avait rejeté en arrière. Elle était à sa droite et, à sa gauche, il y avait la silhouette jeune d'Eden, la tête penchée et les mains jointes. Au tréfonds de son âme il avait senti le Christ-Enfant, nu dans le froid, et le Christ donnant son corps et son sang à la famille agenouillée. Du coin de l'œil il avait épié les mains de sa grand-mère — et le rubis sur l'un de ses doigts attirait et captait la lumière comme le vitrail du hall — ces mains tendues avidement vers la coupe de communion. Il avait vu son bonnet s'incliner, son profil aux traits accusés, impassible et noble. Il avait vu sa lèvre inférieure s'appuyer au bord brillant de la coupe. Cette coupe il l'avait prise lui-même entre ses mains d'enfant, et placé sa bouche où elle avait placé la sienne, il sentait encore le liquide prodigieux et terrible passer sur ses lèvres et couler en lui-même. Il avait enfoui son visage dans ses mains. Pourtant, quoiqu'il eût l'âme transportée, il n'avait pas pu s'abstraire de ceux qui étaient à ses côtés. Entre ses doigts, il avait glissé son regard vers Eden qui portait gravement à son tour la coupe de communion à ses lèvres et levait ses yeux bleus d'un air implorant vers la figure de Mr Fennell. Il l'avait vu s'incliner devant le pasteur, comme les autres l'avaient fait, pareils à des fleurs qui se fanent.

... Finch avait tout à fait perdu conscience de son être physique et il n'entendit pas Rags qui frappait à la porte. Le domestique entra doucement, apportant le plateau du petit déjeuner, et, quand il vit que Finch était réveillé, il dit avec entrain, feignant d'oublier que Finch était malade:

— Je vous souhaite un joyeux Noël, m'sieur.

Finch tourna ses grands yeux gris vers lui.

— Merci, Rags. Je vous en souhaite autant.

Rags posa le plateau et courut fermer la fenêtre.

— C'est une glacière ici, m'sieur. C'est Noël au pôle, pour le moins. Je n'en ai jamais vu de plus froid. A la cuisine les tuyaux ont gelé dur, la pompe de l'arrière-cuisine aussi, le lait de même. Tout est gelé — sauf l'humeur de ma bourgeoise. Elle, c'est toujours une machine à vapeur, pouvez m'en croire. Mais que c'est beau dehors! Pour ce qu'on en voit...

Du bout des doigts il agrandit un endroit clair sur le carreau et y mit l'œil.

— On dirait une carte postale... c'est trop beau pour être vrai! Vous devriez vous lever et venir voir cela, m'sieur Finch.

Il jeta un regard engageant vers le lit.

— Oui, j'irai. Tout à l'heure.

— C'est juste le plus beau moment.

Finch se leva, s'appuya sur un coude et inspecta le plateau.

— Des œufs brouillés, m'sieur. Je sais que vous aimez bien cela d'habitude.

— Merci, Rags. Ils ont l'air délicieux.

— Vous pensez peut-être à descendre pour déjeuner, m'sieur? Ce ne serait pas une vraie fête sans vous.

Finch le regarda d'un air soupçonneux.

— Est-ce qu'on a dit que j'allais descendre?

— Je crois qu'on en a parlé, m'sieur.

— Qui en a parlé?

— Euh! A vrai dire, je ne me rappelle pas bien.

— Je... je ne descends pas, Rags. Je ne pourrais pas. Avec tout ce monde autour de la table...

— Je comprends bien, m'sieur, mais c'est dommage.

Il s'attardait dans la chambre et Finch devina qu'il attendait un cadeau. Mais Finch n'avait rien pour lui — rien pour personne. Pourtant Rags, tous ces plateaux... trois étages... Ah! une idée.

— Ecoutez, Rags, je vais vous donner quelque chose. Ouvrez le petit tiroir de gauche de mon bureau. Voyez-vous un portefeuille? Bon! C'est celui que vous m'avez donné pour mes vingt et un ans. Il avait appartenu à un officier allemand, n'est-ce pas? Non, non, ne me l'apportez pas. Ouvrez-le. Prenez cinq dollars, Rags. Par George! vous les avez mérités. Tous ces maudits plateaux! Ne me remerciez pas. Allez-vous-en! J'ai dit: allez-vous-en! Je veux qu'on me fiche la paix!

La porte refermée sur Rags, il s'effondra, les yeux clos. Il était épuisé.

Il grelottait. Même avec la fenêtre fermée la chambre était très froide. Il regretta de n'avoir pas demandé à Rags un couvre-pieds supplémentaire. Mais il avait une boisson chaude. Il s'assit et se versa une tasse de thé. La pensée qu'en bas ils étaient peut-être tous en train de tirer des plans pour le faire descendre au déjeuner le troublait. Il ne put pas manger les œufs brouillés. Pourtant, impossible de les renvoyer à la cuisine intacts, un jour comme celui-là. Que pourrait-il en faire?

Il entendit l'aboiement sourd de *Merlin* sous sa fenêtre. Voilà la solution! Il sortit de son lit, courut à la fenêtre, l'ouvrit et appela:

— *Merlin! Merlin!*

L'épagneul déterrait quelque chose que la dure couche de neige avait recouvert. En entendant son nom il leva sa bonne tête vers Finch, agita sa queue légère comme une grande plume et ouvrit la bouche d'un air joyeux. Il le saluait à sa manière. Finch jeta les œufs brouillés sur la neige d'une blancheur et d'une dureté de porcelaine. *Merlin* bondit sur eux en reniflant; il en fit deux lampées comme s'il mourait de faim, quoiqu'il vînt à peine de prendre un sérieux déjeuner — et il lécha la neige tout autour.

— Bonne bête, dit Finch tout soulagé.

Il resta à regarder l'univers scintillant, les arbres saupoudrés d'argent, l'éclatante blancheur rosie par le soleil, les ombres des arbres semblables à du cristal bleu. Le palefrenier Wilf sortit de la cuisine avec un seau qui pesait lourd, et son souffle gelé voletait devant sa bouche. Il avait une écharpe de laine autour du cou et des oreilles immenses, rouge betterave. Ses pas faisaient crisser la neige. L'air était si limpide qu'il semblait près de se briser. Il y eut un craquement dans la toiture au-dessus de la tête de Finch. Il regagna son lit prestement et resta à y grelotter.

Il entendit Adeline et Roma pousser des cris de joie dans leur chambre. Elles vinrent à sa porte et frappèrent de petits coups en disant d'une voix douce:

— Joyeux Noël! Joyeux Noël!

Ses oncles montèrent ensemble comme pour s'encourager mutuellement. Hauts sous le plafond de la mansarde, ils lui exprimèrent leurs bons vœux et restèrent un moment à parler du froid qu'il faisait. Ernest, enchanté de faire quelque chose pour son neveu, descendit dans sa chambre et remonta son édredon dont il recouvrit Finch. Mais ils furent contents de le quitter et lui fut content de les voir partir: personne ne savait lui parler — sauf peut-être Wakefield. On comptait sur lui pour déjeuner, Renny lui avait écrit pour insister.

Le rez-de-chaussée de la maison était égayé par des guirlandes de Noël, du houx et une coupe de roses Crimson envoyées par Sarah à Ernest et à Nicolas. L'arbre était dressé dans la bibliothèque, les oncles l'avaient garni la veille au soir. On gardait les accessoires de décoration au grenier, dans un vieux carton immense qu'on redescendait tous les ans. Ils étaient de meilleure qualité et plus résistants que ceux qu'on fabriquait aujourd'hui. Combien de fois les cornes d'abondance si gaies avec leurs collerettes de dentelle de papier doré avaient-elles été remplies et suspendues aux branches odoriférantes? Il y avait un gros petit chérubin de cire rose que Finch connaissait depuis sa plus petite enfance. On le pendait toujours au faîte de l'arbre.

Les trois hommes et Adeline allèrent au service de

Noël. La petite fille était grisée par des snow-boots neufs et serrait contre elle son premier livre de messe, un beau livre à images qu'Ernest lui avait donné.

Toute la famille venait à peine de rentrer du service et de se réunir quand Wakefield arriva, plastronnant et emmitouflé dans sa soutane noire.

Il exultait, ravi de se retrouver à la maison et de montrer combien il était heureux dans la voie qu'il avait si judicieusement choisie. Il fit le gamin avec les six enfants, la pièce retentit de leurs éclats de rire. Ils s'accrochèrent à sa soutane comme pour la lui arracher, et lui se mit à quatre pattes et fit le cheval pour Roma.

Piers prit Renny à part.

— Alors, dit-il, qu'allons-nous faire de Finch? Faut-il le faire descendre?

Renny avait l'air aussi soucieux que Piers, mais embarrassé.

— Il ne descendra pas. Jamais il n'y consentira. Je crois qu'on aurait tort d'insister. Il finira par se guérir. Il faut lui laisser le temps, c'est tout ce qu'il demande.

— Le temps! répéta Piers avec insolence et mépris. Le temps de tomber en poussière! Le temps de devenir dingo! Je t'assure que c'est l'occasion ou jamais. Si tu ne veux rien faire, Wakefield m'aidera. Viens avec moi, Wake! S'il ne se décide pas tout seul à descendre, il faut le forcer.

— Je veux bien, dit Wakefield, mais je suis sûr que nous allons le persuader. C'est vraiment le jour.

Ils allèrent ouvrir la porte, mais Renny se mit devant eux.

— Je ne vous laisserai pas faire, dit-il.

— C'est l'occasion ou jamais, répéta Piers.

— Il n'est pas en état de descendre.

— Il pourra remonter se coucher dès qu'il sera fatigué!

— Il ne voudra jamais.

— Confie-le-moi, dit Wakefield ardemment. Je vais le convaincre.

— Plus tard, alors. Le déjeuner, c'est trop pour lui.

Piers avait fait des calculs.

— Tu veux que nous soyons treize à table?

— Eh! voyons, serions-nous vraiment treize? Cela troublerait Meg. Moi, cela m'est bien égal.

— Je repousse les superstitions, dit Wakefield, mais, treize, c'est un mauvais nombre.

Il posa sa main sur le bras de Renny et prit le ton suppliant de son enfance.

— Laisse-nous monter! Je te promets que nous ne tracasserons pas Finch, que nous ne le brusquerons d'aucune manière.

Renny les laissa passer.

— C'est bien, dit-il d'un air sombre, mais si cela tourne mal, vous aurez affaire à moi!

Piers et Wakefield montèrent quatre à quatre comme des collégiens. La robe de Wake lui volait autour des genoux. Ils entrèrent chez Finch sans frapper et se postèrent de chaque côté du lit. Il resta étendu, immobile, et les regarda avec un sourire timide.

— Joyeux Noël! dit Piers avec entrain.

— Joyeux Noël!

Wakefield se pencha et l'embrassa.

— Merci, dit Finch. Joyeux Noël!

Piers réfléchit à ce qu'il allait dire. Il sentait son élan à moitié coupé et redoutait l'opposition de Finch. Wakefield s'assit sur le bord du lit et prit une des mains maigres de son frère. D'une voix doucement persuasive il lui dit:

— Tu sais, ce n'est pas du tout mon devoir d'être ici aujourd'hui: je devrais être en train de passer une tout autre journée au monastère. Mais je tenais tellement à passer mon dernier Noël — avant de prononcer mes vœux — à la maison, avec vous tous!

— Je suis content que tu sois venu, dit Finch.

— On ne m'aurait pas laissé venir si tu n'avais pas été malade.

— Il n'est pas malade, dit Piers. Il se croit malade, c'est tout.

Wakefield le fustigea du regard.

— Il a été dans un bien triste état, je le sais. Mais c'est presque fini. Il a vraiment une tout autre mine, n'est-ce pas?

— Il a très bonne mine. Ou du moins il aura très bonne mine dès qu'il sortira de cette chambre.

Wakefield plongea posément son regard dans les yeux de Finch et dit en souriant:

— Il va descendre déjeuner. N'est-ce pas, mon vieux lapin?

— Non, non, s'écria Finch. Je ne peux pas! Je n'en suis pas capable!

— Si, tu l'es, dit Piers. Nous sommes venus pour t'aider.

Finch le regarda d'un air effarouché et remonta ses couvertures jusqu'au menton, tous ses membres agités de tremblements nerveux.

— Tu vas descendre, insista Piers.

— Je ne peux pas, je te dis.

— Tu peux. Comment veux-tu en sortir si tu continues comme cela?

— Donne-moi le temps.

— Tu l'as eu, le temps. Tu as même eu trop de temps, voilà l'erreur. Tu t'es mis dans un pétrin idiot, et c'est à nous de te tirer d'affaire.

— Est-ce que vous êtes venus tous les deux pour me martyriser? J'ai été malade, je vous dis. Si vous saviez ce que j'ai souffert!... Si tu avais eu ma tête sur tes épaules depuis des mois, Piers!...

Piers reprit d'un ton calmé qui se voulait réconfortant:

— Pas besoin de me dire que tu as été malade. Il n'y a qu'à te regarder...

Finch l'interrompit violemment:

— Tu disais à l'instant que j'avais très bonne mine!

— Je voulais dire que tu avais l'air assez bien portant pour sortir de ce lit.

— Je ne peux pas.

Il leur lançait des regards d'animal traqué. Wakefield serra la main qu'il tenait toujours dans les siennes.

— Finch! Juste pour me faire plaisir! Laisse-nous t'aider à passer tes vêtements. Laisse-nous te descendre. Tout le monde a envie que tu viennes. On te laissera aussi tranquille que tu voudras, et tu remonteras dès que tu voudras. N'assombris pas mon jour de Noël! Ne me refuse pas cela, je t'en prie, Finch!

— Tu n'as pas besoin de t'habiller, dit Piers. Mets juste une robe de chambre, des pantoufles. Et juste un gentil petit tour en bas! Il faut que tu descendes, Finch. Tu ferais mieux de te décider tout de suite. C'est ton cadeau de Noël à la famille!

Il ouvrit un tiroir du bureau.

— Chaussettes... Combien en as-tu! Et quelle qualité! Ce n'est pas comme autrefois, hein! Elles étaient toujours percées, tu te rappelles? Allez, Wake, arrache-lui ses draps!... Mon Dieu! Quelles jambes!

Finch se laissa faire, le cœur battant à grands coups et l'œil sur la défensive. Il se laissa mettre dans sa robe de chambre et, appuyé sur le bras de Piers, emmener sur le palier. Les cris des enfants arrivaient jusque-là. Il recula en s'écriant:

— Non, non, je ne peux pas. Il faut que je retourne!

— Je vais arrêter ce charivari, dit Wakefield.

Il descendit en courant et s'arrêta sur le seuil du salon en levant la main.

— Finch descend, dit-il d'une voix péremptoire. Il faut que les enfants soient sages. Il est extrêmement faible, il ne tient pas debout. Meggie, Pheasant, voulez-vous faire taire les enfants?

Ceux-ci s'étaient calmés d'eux-mêmes. Ils chuchotèrent:

— C'est le Père Noël qui vient?

— Non, c'est oncle Finch. Il a été très malade.

— Dieu te bénisse, cher enfant, dit Ernest en allant à sa rencontre.

— Oh! Finch! s'écria Pheasant, pleine de sympathie.

— Mon bien-aimé, quel bonheur! dit Meg.

Et elle le serra sur sa poitrine.

Finch restait au milieu d'eux, riant et pleurant à la fois. C'était tellement extraordinaire, tellement invraisemblable! La pièce lui paraissait nouvelle. Toute la maison lui paraissait nouvelle. Et toutes ces figures autour de lui...

Piers l'entraîna devant le feu, Wakefield avança le fauteuil de la vieille Adeline.

— Qu'il prenne la place de Gran! La place d'honneur à l'hôte de marque! Souhaitez joyeux Noël à l'oncle Finch, mes enfants.

— Joyeux Noël, oncle Finch, murmurèrent-ils timidement.

A l'exception d'Adeline qui accourut et posa sa tête sur les genoux de son oncle.

Vraiment c'était trop pour lui... Tant de tendresse! Quelle réception!

Renny, debout à côté de son fauteuil, abaissa vers lui un regard et un sourire indéfinissables.

— Content d'être là? demanda-t-il.

— Oui. Excessivement.

Nicolas consulta sa grande montre archaïque.

— On ne prend donc rien aujourd'hui? demanda-t-il.

Mais Rags entrait, apportant du cherry et des biscuits.

— Parfait! Exactement ce dont ce garçon avait

besoin, dit Piers en apportant un verre de cherry et un biscuit à Finch.

Finch avala le cherry et se sentit réchauffé. Toutes ces présences chaleureuses et vivantes autour de lui lui redonnaient des forces. Chacune d'elles lui donnait quelque chose — jusqu'à celle du petit Philip. Les chiens eux-mêmes avaient l'air enchanté de le voir; *Jock,* le chien de berger à queue courte, vint poser son museau sur ses pieds; les épagneuls assis côte à côte le regardaient avec douceur, le petit terrier d'Ecosse sauta sur ses genoux. On alla chercher *Boney* sur son perchoir et on l'installa à la tête du fauteuil. Il ne parlait plus jamais maintenant, mais il courba son bec et fit entendre des petits gloussements, comme pris d'un accès de joie sénile. Finch s'enfouit voluptueusement dans les profondeurs du fauteuil de sa grand-mère.

Toute la famille parlait, mais naturellement, sans faire trop attention à lui. On lui laissait jouer le rôle de l'étranger, le temps que fût calmée la première excitation d'une réunion de fête. Nicolas vint s'asseoir près de lui et lui posa sa lourde main sur le genou. Meg parla du sermon et également de l'hymne qui serait restée en panne si les Whiteoak n'étaient pas venus à la rescousse. Les enfants étaient tous ensemble dans le hall, et chacun à son tour alla regarder par le trou de la serrure dans la bibliothèque.

Le dîner n'était pas encore annoncé qu'une savoureuse odeur s'infiltra déjà dans la pièce et vint se mêler à l'arôme de la verdure qui garnissait l'encadrement des portes et festonnait autour des tableaux. Les chiens se dressèrent, s'étirèrent, bâillèrent, prêts à bondir, les yeux braqués sur la porte par où entrerait Rags. C'était trop charmant, pensa Finch, trop charmant pour y croire. Il était ravi d'être descendu.

Enfin Rags apparut, accueilli par les cris de joie des enfants. Piers vint soulever Finch de son fauteuil.

— En route pour un déjeuner qui sera vraiment un déjeuner, s'écria-t-il. Quel appétit tu avais autrefois!

Finch, flageolant sur ses jambes mais la joie au cœur, partit avec les autres. Ils formaient comme une muraille solide autour de lui.

Quand il fut assis, Meg vint lui caresser les cheveux.

— Tu aurais dû le coiffer, Piers, avant de le faire descendre.

— J'ai voulu lui conserver son pittoresque. L'artiste frais émoulu des affres de la composition...

— Mais il a des cheveux tellement rétifs! Pas comme Wake, qui est charmant quand il est décoiffé.

— Hum! hum! Les cheveux de Wake n'en ont plus pour longtemps à être si charmants.

A cette allusion, Meg poussa un profond soupir et s'assit. Nicolas lui lança un regard de reproche, les yeux mi-clos.

— Pardonnez-moi, oncle Nick, dit-elle.

Patience ricana; Maurice la fit taire d'un clignement d'œil. Toutes les têtes s'inclinèrent, Nicolas murmura:

— Pour tout ce que nous allons recevoir, Dieu nous

fasse sincèrement reconnaissants. Pour l'amour du Christ. *Amen.*

Adeline articula les mots des grâces à l'unisson de Nicolas et dit tout haut:

— *Amen.*

Renny passa le couteau à découper sur la pierre à aiguiser. D'un vif regard il embrassa toute la table. Les images de sa grand-mère, d'Eden, d'Alayne lui traversèrent l'esprit.

— Quel dommage, dit-il, que nous ne soyons pas tous là.

— Oui, oui, opina Ernest. Maman adorait la chair noire du dindon et celui-là a l'air particulièrement fameux.

— Et la farce! ajouta Nicolas. Moi aussi, j'adore la farce.

— Elle n'est pas seule à nous manquer, reprit Renny. Eden aussi devrait être là.

— Je t'en prie, ne me fais pas penser à Eden, implora Meg. C'est trop triste.

Piers regardait droit devant lui. Pheasant baissa la tête et rougit jusqu'au cou.

— J'ai oublié l'oncle Eden, dit Mooey.

— Oh! s'écria Meg avec un regard scandalisé.

— Moi, je ne l'ai pas oublié, dit Patience. Je pense souvent à lui.

— Vraiment? dit Renny en souriant. C'est bien vrai?

— Cette volaille refroidit, fit observer Nicolas, le menton dans sa main.

— Et Finch a l'air d'avoir très faim, ajouta Wake.

La glace était rompue. Renny découpa le dindon avec maestria et chacun se mit à parler. Ils étaient tous d'accord, Mrs Wragge n'avait jamais fait de meilleur déjeuner. Jamais son jus n'avait été mieux lié et assaisonné, jamais sa gelée d'airelles n'avait eu meilleure consistance, jamais son chou-fleur n'avait été plus blanc et enrobé dans une sauce plus crémeuse. Le plum-pudding était si plein de raisins qu'il se tenait tout seul et il était parfaitement à point. Le brandy flamba et son reflet dansa dans les yeux de tous les convives. Les enfants en eurent un peu, même le petit Philip qui reçut sa part dans la cuiller de Pheasant. Ils seraient restés longtemps à prendre le dessert — noisettes et raisins — mais les enfants étaient impatients de voir l'arbre.

Dès qu'ils se furent levés de table, Piers disparut mystérieusement et Wakefield annonça que le Père Noël allait bientôt arriver. Finch fut réinstallé dans son fauteuil au coin du feu et laissé seul à fumer tranquillement, tandis que les autres se massaient dans la bibliothèque. Il entendit la grosse voix du Père Noël appelant les enfants par leurs noms, les cris de joie des enfants ouvrant leurs paquets. Il entendit le rire de Wakefield, les taquineries de Renny au Père Noël, les voix plus aiguës de Meg et de Pheasant. Tout se passait exactement suivant la tradition. Il alla doucement jusqu'à la porte de la bibliothèque, d'où il vit l'arbre étincelant sous l'éclat des bougies et couvert de poussière d'argent. Il aperçut le capuchon rouge du Père Noël et sa barbe blanche, il vit Renny portant le petit Philip dans ses bras. Il regarda sans être vu puis retourna s'asseoir. Il était guéri, il se sentait guéri. Tous les jours, dorénavant, il descendrait.

Meg vint lui apporter un grand livre plat qui ressemblait à un album et une quantité d'autres paquets.

— Tout cela est pour toi, dit-elle, mais je vais te donner le livre d'abord, car c'est le plus important.

Il regarda les paquets d'un air embarrassé.

— Mais je n'ai de cadeaux pour personne, dit-il.

— Comme si cela avait de l'importance! Regarde ce beau livre.

Il le prit et l'ouvrit.

— De la part de qui? demanda-t-il d'un air soupçonneux.

— Tu ne devines pas?

Ses joues creusées se colorèrent. Il écarta le livre.

— Je crois que je vais ouvrir le reste d'abord.

Il était content, il était touché de leurs pensées pour lui. Des cravates, des gants, un étui à cigarettes, un pull-over! Tout ce qu'il aimait, dit-il. Ses frères et ses oncles vinrent le voir déballer ses cadeaux, à l'exception de Piers qui n'avait pas encore reparu. Pheasant resta à l'écart avec les enfants.

— Regarde donc le livre, dit Meg d'un ton pressant.

Finch le prit et commença à examiner les extraits de presse qui le composaient. Les caractères d'imprimerie se brouillèrent devant ses yeux. Il jeta un regard de détresse à tout son entourage.

— Je n'ai pas mes lunettes, dit-il. Je ne peux pas lire.

— Cours chercher ses lunettes, Wake, dit Meg.

— Non. Je vais lui faire la lecture. Est-ce quelque chose d'intéressant? Où il serait par exemple question de sa musique?

Wakefield jouait l'innocence, quoique Meg lui eût déjà parlé de cet album. Il se mit à lire d'un ton pompeux un article sur le talent de Finch. Il était extrait d'une gazette musicale française. Wakefield lisait soigneusement le texte français. Et tout le monde écoutait attentivement pour bien saisir le sens. Finch commença par écouter tranquillement, la tête baissée, mais les mots, et tout ce qu'ils impliquaient, se mirent à frapper comme des marteaux sur son crâne. Le sang lui monta à la tête. Comment Sarah avait-elle pu lui faire cette horrible plaisanterie? Comment les autres pouvaient-ils rester autour de lui à le martyriser? Il pouvait à peine respirer. Il se leva résolument, fit un pas vers Wakefield, lui arracha le livre et le lança dans les grandes flammes de la cheminée. Il se tourna vers Meg.

— Voilà ce que j'en pense, dit-il. Va le lui dire.

Puis il regagna le fauteuil de sa grand-mère, s'assit et les défia tous du regard.

— Oh! non! Tu ne peux pas faire cela, s'écria Meg. Elle s'est donné tant de mal!

Elle se précipita pour arracher l'album du foyer.

— Laisse cela! dit Finch d'une voix rauque.

Il prit les pincettes et enfonça le livre dans le feu. Il brillait, neuf et intact, comme si le feu était sans pouvoir sur lui. Wakefield vint s'asseoir sur le bras du fauteuil de Finch et lui dit tranquillement:

— Très bien, mon vieux. C'est ce que tu avais de mieux à faire. Tu n'as pas besoin qu'on te dise comment tu joues. Ne pense à rien, à rien qu'à te guérir.

— Sarah est stupide, dit Renny à Maurice. Il faut être stupide pour avoir eu cette idée-là. C'est tout elle.

— Cela me fait de la peine pour cette pauvre fille.

— Pas à moi. Elle n'a qu'à ne pas se cramponner.

— Mais, après tout, elle l'aime.

— L'aime-t-elle? J'en doute. Je crois qu'elle n'aime qu'elle-même.

— Elle croit que tu la détestes.

— Elle me l'a dit.

Maurice lui lança un regard significatif.

— Tu sais, tu aurais avantage à t'entendre avec elle...

— Je ne le sais que trop, répondit-il d'un air dur.

Ernest et Nicolas montrèrent qu'ils désapprouvaient Finch en lui tournant le dos, et en allant discuter à voix basse. Nicolas alluma sa pipe et s'installa pour examiner toutes les cartes de Noël qui étaient arrivées pour la famille. Il se fit apporter par Rags une petite table et les étala toutes. Ernest lut les premières pages de *L'Horizon perdu* qu'Alayne lui avait envoyé. Il se félicitait de lui avoir fait expédier ces jolis mouchoirs, élégants, et d'un goût très sûr.

Meg, retournant vers les enfants, croisa Piers sur le seuil.

— Meggie! appela Wakefield d'un ton impératif.

Et, quand elle se fut retournée, il lui lança un regard qui signifiait: « Je t'en prie, ne raconte pas à Piers ce qui vient de se passer. »

Elle fit la moue, car elle avait justement cette intention, et elle partit. Wakefield alla près du panier à bois où, parmi des bûches luisantes et douces de bouleaux argentés, il y avait une souche de pin biscornue. Il la plaça sur le livre et dit en souriant à Finch:

— Tu vois? On n'en parlera plus.

Piers venait droit sur eux.

— Comment te sens-tu? demanda-t-il à Finch.

— Merveilleusement, répondit Wakefield à la place de son frère. Huit jours et ce sera un autre homme.

Finch tambourinait des doigts sur les bras du fauteuil. Il était excité, presque joyeux. Il sentait qu'il avait par cet acte définitivement rompu avec Sarah, et cela à la face de toute la famille. La destruction des souvenirs de sa carrière musicale lui donnait une nouvelle énergie et le rendait plus fort. Il regarda les flammes bondir au-dessus de la souche de pin, alimentées par le livre qui était en braise.

Tout à coup il vit que la souche résineuse abritait une fourmilière et que les infimes bestioles, affolées, surgissaient des moindres crevasses spongieuses, chassées par la terreur du feu.

— Regardez! cria-t-il. Regardez! Les fourmis! Enlevez la bûche!

Les meneuses de file découvrirent que la souche avait un bras de racine qui touchait le bord de la cheminée. Elles prirent immédiatement cette voie, de denses colonnes noires les suivirent et leur panique cessa dès qu'elles virent une issue.

Piers cessa de sourire et fronça les sourcils. Il saisit le balai de foyer, et se mit à rejeter les fourmis dans la braise. Wakefield siffla de dégoût.

Finch bondit sur Piers et lui saisit le bras.

— Assez! cria-t-il. Arrête! C'est horrible!

L'armée des fourmis, ignorante du sort de l'avant-garde, se ruait à toute vitesse hors des flammes. Elle s'éparpilla sur le foyer et sous le tapis.

— Tu es fou! dit Piers. Tu veux qu'il y en ait plein la pièce?

— Mais ne les brûle pas vivantes! C'est affreux!

Finch essaya d'arracher le balai des mains de Piers.

— Laisse donc, Piers, s'écria Wakefield. Rappelle-toi saint François!

— Qu'est-ce qui se passe? demanda Renny.

Maurice et Nicolas crièrent à Piers de repousser les fourmis dans le feu.

— Il faudrait une pelle à poussière, dit Ernest.

Piers poussa Finch dans son fauteuil, puis s'accroupit devant le feu et, à mesure que les fourmis en sortaient, il les repoussait dans la braise. Malgré ses efforts, il s'en échappa quelques-unes qui disparurent sous le tapis ou parmi les bûches de bouleaux.

Finch avait le visage convulsé. Il se leva et dit d'une voix frémissante à Piers:

— C'est cruel et tellement inutile!

Il était pâle comme un spectre.

Wakefield le prit par le bras et lui dit doucement:

— Viens t'étendre un instant. Tu es fatigué.

Finch se dégagea et partit brusquement. Il monta en courant les deux premiers étages. Le vacarme des enfants avec leurs tambours et trompettes le poursuivait. Il se répétait:

— Pouah! Quelle dégoûtation! Il les faisait frire. C'est épouvantable.

Dans le salon, Renny dit sévèrement:

— Je savais que cela finirait mal. Tu n'avais pas le droit de le descendre de force: il n'allait pas assez bien.

Au palier du second étage, Finch se sentit défaillir. Il s'assit sur la première marche de l'escalier des combles. Il entendit Wakefield monter à sa recherche.

— Ne viens pas! cria-t-il. Je ne veux aucun de vous près de moi.

Il était si faible qu'il rampait presque en montant. Il entra dans sa chambre et ferma la porte à clé. Il se jeta sur son lit, répétant avec véhémence:

— La brute! La brute!

Il lui sembla que la pièce était pleine de fourmis. Elles surgissaient comme une marée de chaque fente, du trou le plus minuscule. De toutes les directions, il en arrivait vers le lit. En quatre colonnes noires elles montaient sur ses quatre membres. Il y en avait partout, sur le couvre-pieds, contorsionnées, tordues, poussant d'infimes cris d'agonie, car la chaleur de son corps les carbonisait. Leurs corps, à elles, devenaient des petites notes noires — les notes d'un air rythmé, haché, douloureux. Cela se répercutait dans tout son être. Il était l'instrument où était jouée cette musique.

Maurice et Meg étaient partis par le ravin vers la ferme aux Renards, Patience dansant entre eux malgré la neige où les ombres du soir s'allongeaient d'un bleu glacé. Tout le long du chemin, mari et femme discutèrent s'il fallait ou s'il ne fallait pas mettre Sarah au courant du sort que Finch avait fait à son cadeau. Meg était d'avis de le dire, Maurice de le cacher. Ils firent un compromis en décidant de lui dire que Finch n'avait pas encore eu le calme nécessaire pour apprécier l'album. Demain Meg irait la voir et lui raconterait ce qui s'était passé.

Piers et Pheasant étaient restés dîner et avaient emmené ensuite deux petits garçons endormis, et un autre très éveillé, et excité. Roma avait eu une indigestion et Adeline un caprice avant de se coucher.

Nicolas et Ernest, Renny et Wakefield étaient demeurés tard à causer devant le feu. Les oncles, attendris par le whisky et soda et par le vin qu'ils ne se permettaient qu'aux grandes fêtes, avaient remué avec volubilité et avec esprit les souvenirs de leur bon vieux temps. D'un commun accord, ils avaient fait parler Wakefield sur sa vie monastique et lui avaient prédit le plus bel avenir dans cette voie. Mais ils étaient fatigués et, après avoir jeté un coup d'œil à la neige, consulté le baromètre et mangé quelques bonbons à titre d'ultime défi à la vieillesse, ils regagnèrent lentement leurs chambres. Cela avait été un agréable Noël, assombri seulement par la crise d'hystérie de Finch.

Wakefield ne resta pas longtemps après eux. La pensée de Finch l'obsédait. Comme lors de son dernier séjour, il avait l'intention de partager sa chambre et il voulait lui laisser une impression qui resterait revigorante après son départ. Il alla s'appuyer au fauteuil de Renny et l'embrassa en lui souhaitant bonne nuit. Il eut un petit éclat de rire.

— Qu'y a-t-il de drôle?

Wake continua à sourire en regardant la figure tannée par les intempéries, et les traits aquilins de Renny.

— Je pensais, dit-il, que tu avais beau être un homme de cheval, tu aurais fait un moine merveilleux.

Renny resta seul. Il étendit ses longues jambes devant le feu mourant; ses yeux bruns scrutaient les cendres d'un air méditatif. Les quatre chiens, mus par une même impulsion, se levèrent et vinrent s'installer près de lui.

Personne ne lui avait arraché un mot. Ils sentaient tous en lui une vie intérieure ardente, mais secrète, distante et taciturne. Ils avaient tous remarqué qu'il n'était pas arrivé de cadeau d'Alayne pour lui. Elle avait envoyé un livre magnifique à Adeline. De son côté, il avait choisi le cadeau d'Adeline pour sa mère avec le plus grand soin: une blouse de soie rouge et blanche, écossaise, qui n'était pas du tout son genre. Il y pensait, et la voyait surprise et enchantée de ce modèle exceptionnel. Il l'imaginait l'arborant pour déjeuner le jour de Noël avec sa tante... Il se leva, alla jusqu'au piano et, debout, joua d'un seul doigt, en sourdine, l'air de *Loch Lomond*. Sa mère, qui était Ecossaise, le lui chantait quand il était petit.

CHAPITRE XXII

Clara

Malgré la manière désastreuse dont s'était terminée sa première tentative, Finch en ressentit le plus grand bien. Les jours suivants, il trouva le temps long dans sa chambre. Il découvrit qu'il s'ennuyait et qu'il avait envie de savoir ce qui se passait en bas. Et puis sa chambre était constamment à l'ombre, à cause des grands arbres qui obstruaient sa fenêtre, et il pensait avec délices au soleil qui inondait le salon. Wakefield resta deux jours, et aida chaque fois Finch à s'habiller et à descendre. Il lui donnait le bras et Finch s'accrochait à lui, riant de sa faiblesse et toujours pressé de reprendre sa place dans le fauteuil de sa grand-mère, au coin du feu.

Ses oncles se levaient tard, aussi avait-il la grande pièce à lui seul, le temps que ses nerfs s'adaptassent à ce changement de décor. Les choses perdaient peu à peu pour lui leur caractère hostile, son appétit revenait et la journée se passait rarement sans que Meg lui envoyât quelque douceur pour exciter cet appétit.

Il aimait s'installer de manière à voir les deux petites filles s'amuser avec leurs traîneaux sur la neige. Elles en avaient reçu de flambant neufs pour Noël, et c'était curieux de voir Roma endurer le froid et ses joues se mettre à briller en se colorant d'un rose délicat. Adeline était gentille pour elle et s'en occupait avec sollicitude. Elle montait indéfiniment et elle descendait l'allée couverte de neige, sa petite cousine sur son traîneau.

Ernest et Nicolas avaient déjà pris les mœurs hivernales de leur mère, quoique à leur âge elle fût encore une femme active qui n'avait jamais peur du temps. Ils se calfeutraient douillettement pour se défendre du froid pénétrant et de la neige qui tombait en flocons durs et cinglants. Quand Renny entrait dans la pièce où les trois autres étaient réunis, il apportait pour lui la stimulante virilité de l'hiver et les empreintes neigeuses des chiens. Ses oncles l'accueillaient avec les dernières nouvelles d'Europe qu'ils prenaient dans le *Times* de Londres vieux de quinze jours, et Finch avec son sourire avide, toujours inquiet.

Renny ne tenait pas en place. Il était nerveux, violent avec ses hommes et, à l'écurie, on disait que si sa femme ne revenait pas il était temps qu'il en choisît une autre.

En réalité, l'image d'une autre femme lui trottait souvent dans la tête: il avait envie de revoir Clara Lebraux et de se lancer avec elle dans une de ces conversations d'autrefois. Il n'y avait personne au monde avec qui il pût parler aussi librement qu'avec elle et il regrettait sa bienfaisante amitié.

Il décida subitement d'aller la voir. Il se dit qu'il n'avait aucune raison de s'en priver, mais il cacha soigneusement ses intentions à sa famille. Il partit en auto jusqu'à la ville et, de là, prit un train pour le village où elle vivait avec son frère, à quatre-vingts kilomètres.

« Quel endroit lugubre! » pensa-t-il en descendant du train et en prenant l'unique taxi démantibulé qui était en station. On était à la mi-janvier, la période de dégel, et la cour de la gare était couverte de boue. Les rares maisons qu'il apercevait étaient en bois et d'un gris sale.

Selon son habitude il n'avait pas prévenu Clara, ayant pour principe que la femme ne sort pas de chez elle. Il donna au chauffeur l'adresse de l'exploitation du frère de Clara.

Le taxi s'arrêta à la porte et, pendant que le chauffeur s'assurait du nom, Renny mit l'œil à la vitre couverte de buée, cherchant à apercevoir Clara. Si elle était dans les parages il irait droit à elle. Il ne vit qu'une file de cages à poules avec des enclos grillagés et une affreuse maison de couleur cannelle. Clara était-elle toujours condamnée à vivre dans des maisons affreuses? La porte s'ouvrit, elle apparut. Il sauta du taxi, paya le chauffeur et se montra, riant de la surprise qu'il lui faisait.

C'était de l'ahurissement que Clara éprouvait. Elle s'appuya contre la porte, ayant peine à en croire ses yeux.

— Vous êtes bien étonnée de me voir? dit-il.

— Terriblement, répondit-elle d'une voix basse et rude.

— Est-ce que vous me faites entrer quand même?

Elle se ressaisit avec peine.

— Vous êtes la dernière personne que j'attendais, mais je ne peux pas vous dire... (sa figure s'adoucit, prit un air débordant d'enthousiasme)... je ne peux pas vous dire combien je suis heureuse de vous voir.

Elle lui tendit la main, il la prit dans les siennes. L'étreinte de ces doigts vigoureux ranima tout leur passé.

— Vous avez très bonne mine, dit-il pendant qu'ils allaient au salon. Cette vie évidemment vous convient.

D'un coup d'œil il saisit la laideur pleinement conventionnelle de la pièce, et la vue déprimante qu'on avait de la fenêtre.

— Oh! je vais très bien.

— A quoi passez-vous votre temps, Clara? Aidez-vous votre frère pour son élevage?

— Pas en cette saison. Cela m'occupera au printemps. Je tiens sa maison, j'essaie de la lui rendre sympathique.

— Ah! oui. Est-il là?

— Non. Il est parti avec quelques caisses de jeunes coqs au marché.

Et elle ajouta en souriant:

— C'est de la chance.

Ils s'assirent l'un en face de l'autre comme ils l'avaient fait si souvent. Elle accepta une cigarette et dit:

— Donnez-moi les nouvelles maintenant.

— Parlez-moi d'abord de Pauline.

Elle évita ses yeux.

— Pauline est heureuse et elle va bien. Je crois qu'elle a bien choisi. Et Wake?

— Je peux en dire autant de lui, répondit-il d'un air lugubre, mais je ne peux pas m'y habituer. C'est une grande déception.

Il continua à lui parler de Jalna, mais sans mentionner le nom d'Alayne. Chaque fois qu'il l'évitait, Clara le scrutait, essayait de découvrir ce qu'il avait dans le cœur, ce qui l'avait amené chez elle. Elle le remercia d'un article de journal qu'il lui avait envoyé, relatant ses succès au Concours hippique de New York. Son visage s'éclaira quand il se mit à parler. Il se rapprocha d'elle, et rit en lui racontant les exploits de *Mrs Spindles*. Elle rit, elle aussi, et la laideur du décor fut éclipsée par leur attirance mutuelle. Chacun déversait son arriéré de confidences dans une atmosphère de pleine compréhension. Renny avait tant de choses à lui dire! Les mots venaient tout seuls. Ses projets d'élevage et de concours, les prouesses des enfants, l'argent qu'il avait gagné et qui lui avait permis de payer peu à peu les intérêts de l'hypothèque... Elle avait le cœur brisé et compatissait d'avance aux difficultés qu'il aurait la prochaine fois, pour réunir l'argent de cet intérêt; elle voyait le jour où il n'y parviendrait pas, l'échéance fatale de cette hypothèque, la catastrophe. Elle se méfiait de Sarah, elle la redoutait pour lui. Quand il lui répéta ce qu'avait dit la jeune femme — que, si elle ne pouvait pas avoir Finch, elle aurait Jalna — elle s'esclaffa de l'impudence de Sarah, mais elle eut peur.

Elle fit du thé et, par-dessus les tasses, incapable de refréner davantage sa brûlante curiosité sur la situation du ménage, elle lui dit:

— Vous ne m'avez pas encore parlé de votre femme.

Il tourna la tête et, comme si souvent autrefois, elle remarqua combien ses cils étaient noirs quand ils étaient baissés. Ils donnaient de la douceur, pensa-t-elle, aux méplats durs de son profil, un mystère à ses yeux.

— Il n'y a rien à en dire.

— Comment, rien? Vous ne vous écrivez donc pas? Mais je suis indiscrète...

— Non, nous ne nous écrivons pas.

— Et vous ne l'avez pas vue quand vous êtes allé à New York?

— Non. Elle ne savait probablement même pas que j'y étais.

Il semblait absorbé par une vision intérieure.

Le cœur de Clara se mit à battre à grands coups. Etait-ce possible? Etait-ce possible que tout soit réellement fini entre lui et Alayne? Qu'il soit venu pour le lui dire? Qu'enfin ils puissent tous deux être tout l'un pour l'autre, en toute liberté? Ayant peine à articuler ses mots elle demanda:

— Tout est fini entre vous, alors?

Il se tourna vers elle, l'air bouleversé. Que tous ses traits lui étaient chers! pensa-t-elle. Elle mourait d'envie d'aller vers lui, de prendre sa tête dans ses mains, de la presser contre son cœur.

— Non, répondit-il. Je ne peux pas croire cela. Je ne peux pas croire que nous ne reprenions jamais la vie commune. Je suis sûr qu'elle pense à moi — et qu'elle sait que je l'aime.

Quelque chose comme une sonnerie de cloches battit dans les oreilles de Clara, un brouillard obscurcit ses yeux. Il n'était venu lui faire qu'une visite d'ami! Il n'avait, au fond, jamais été amoureux d'elle! Son cœur appartenait à cette femme froide, revêche, indépendante, qui avait abandonné son mari et sa fille!

Un silence tomba entre eux. Le crépuscule, si hâtif en hiver, arriva tout d'un coup. Les contours des meubles s'estompèrent, tout fut noyé dans la grisaille.

Clara s'arma de courage et reprit le ton incisif qui lui était habituel.

— Puisque vous l'aimez tant, je trouve que vous avez tort de rester dans cette situation. Vous devriez faire cesser cela tout de suite.

Il eut l'air effaré.

— Mais que faire?

— A mon avis, vous devriez aller la trouver et lui demander de revenir. Je vous conseille de la forcer à dire quelque chose de définitif. Elle n'a jamais été jusque-là, n'est-ce pas?

Il eut un petit rire.

— Oh! elle a dit d'une manière assez définitive qu'elle ne pouvait plus me supporter.

Clara s'écria en colère:

— Alors, pourquoi croyez-vous qu'elle vous aime encore?

— Je ne peux pas croire le contraire.

— Comme vous tenez à elle!

— Oui, je crois. Notre amour a été trop grand pour se réduire à rien. Nous avons eu trop de difficultés à traverser pour nous réunir... Clara, elle a porté mon enfant! Elle a été pour moi plus qu'aucune femme ne pourra jamais être.

Les muscles de sa lèvre supérieure se contractèrent; il détourna de nouveau son visage.

Alors Clara renonça à tout son amour, à tous ses espoirs. Elle posa une main sur le genou de Renny et lui dit:

— Renny, il faut que vous alliez la voir. Dans un cas comme le vôtre, il faut que l'un des deux jette son orgueil de côté et fasse le premier mouvement de réconciliation. Il faut que vous soyez celui-là. Elle est partie, elle vous a quitté; maintenant je suis certaine qu'elle attend, qu'elle espère que vous allez venir la chercher pour la ramener chez elle. Vous m'avez dit qu'Adeline irait la voir: pourquoi ne lui conduisez-vous pas votre fille vous-même? Pourquoi ne la prenez-vous pas, et n'allez-vous pas dire à votre femme: « Me voilà et voilà notre enfant. Rentrez-vous avec nous, oui ou non? Votre amour d'autrefois ne compte-t-il plus du tout pour vous? » Je crois que vous pourriez lui faire comprendre qu'elle doit rentrer avec vous — ou renoncer à vous pour toujours.

En disant ces derniers mots, la voix de Clara défaillit et des larmes — si rares chez elle — lui remplirent les yeux.

Il posa sa main sur celle que son amie avait laissée sur son genou. Il était touché de la voir aussi manifestement émue, et dit avec un sourire un peu grimaçant:

— Vous croyez que cela la ferait revenir à la raison?

— Je crois que vous devriez intervenir — et franchement. C'est trop navrant de vous voir dans cette situation. Je sens combien vous êtes malheureux! Et vous avez assez de choses à penser, assez de soucis, sans y ajouter un froid avec la femme que vous aimez!

— Et vous me conseillez d'aller la voir sans la prévenir? Comme je suis arrivé chez vous aujourd'hui?

Oh! cet élan que chaque mot resserre! Clara se mordit les lèvres, et le regarda du fond de sa tristesse.

— Oui, dit-elle. Exactement comme vous êtes arrivé aujourd'hui. Mais avec un cœur plein d'amour.

Voilà. Elle avait fait tout ce qu'elle pouvait pour lui. Sans aucun doute elle avait payé largement les longues années d'amitié, de réconfort et d'aide qu'il lui avait données — et leurs quelques mois si brefs de passion!

— Clara, s'écria-t-il. Vous ne pouvez pas savoir combien vous m'êtes précieuse! Je vais faire ce que vous me dites. J'ai toujours suivi vos conseils, n'est-ce pas?

Elle lui pressa le genou puis retira sa main.

— Bon. Mais je ne suis pas une donneuse de conseils, avouez-le. Ce n'est pas mon genre. Et je suis la dernière à me mêler d'affaires sentimentales. Pourtant, aujourd'hui, je sens que je parle le langage du bon sens. Si vous ne prenez pas garde, vous et Alayne, vous aurez tous deux vos existences brisées, et c'est une chose épouvantable, vous pouvez m'en croire.

Elle se leva et alla jusqu'à la fenêtre. Il la suivit, s'approcha tout près d'elle et lui dit d'une voix sourde:

— Ne croyez pas que je puisse jamais oublier ce

qui a été entre nous. Vous avez été merveilleuse, et bonne, et je ne l'oublierai jamais.

— Assez! s'écria-t-elle brusquement.

Une auto tournait la grille; elle aperçut son frère qui en descendait. Elle alluma la lampe et vit la figure ardente et angoissée de Renny tout près d'elle. Elle étendit la main et lui toucha la joue d'une caresse légère, puis elle se retourna vers la porte qui s'ouvrait.

Le frère de Clara était petit, maigre, desséché. Il avait été élevé luxueusement dans l'espoir d'hériter une fortune, et la perte des biens paternels l'avait aigri, alors qu'aucun malheur n'avait pu aigrir Clara. De l'opulence, il était passé, avec l'exagération des êtres bornés d'esprit, à une véritable ladrerie. Il se lamentait constamment sur la quantité de grains que ses Leghorns engloutissaient pour ne produire que quelques œufs.

— De si fragiles petites bestioles, tellement insatiables!

Dès qu'il fut entré, il remarqua qu'il n'y avait qu'une seule lampe d'allumée. Il s'en félicita, puis il aperçut Renny et montra quelque surprise.

— Mon frère Duncan, dit Clara. Duncan, voici Mr Whiteoak. Je t'ai souvent parlé de lui.

Duncan fit un clignement d'œil à Renny, lui broya la main et dit d'une voix pointue:

— Je suis enchanté de vous voir. Ma sœur et mon beau-frère vous doivent beaucoup... Enfin, je suis enchanté... Sale journée au marché, et des prix ridicules.

Il continua de parler, s'arrêtant à peine pour reprendre son souffle. C'était délicieux, affirmait-il, d'avoir quelqu'un d'autre que sa sœur à qui parler. Avec une franche cordialité il demanda à Renny de rester dîner et Renny aurait accepté sans le regard de Clara. Elle ne voulait pas qu'il restât, il le sentait bien. Le frère le pressa de venir voir son élevage. Ils visitèrent à la lanterne l'intérieur de poulaillers où des poulets renfrognés les lorgnèrent de dessous leurs crêtes rouge sang. Duncan bondit en découvrant deux œufs enfouis dans la paille et il se lamenta sur l'insouciance du journalier qui les avait laissés exposés à la gelée. Il confia à Renny que Clara était et avait toujours été dépensière. Pourtant, malgré son avarice, Renny trouvait ce petit bonhomme sympathique. Lui, également, était attiré par Renny et, bien qu'il eût fait une grande course en auto dans la journée, il insista pour le conduire à la gare. Et ce fut sous son regard clignotant que Renny et Clara se dirent au revoir.

Renny rentra à pied de la gare à Jalna. La boue avait gelé, et ses lourdes semelles écrasaient les mottes dures. La pleine lune, blanche, glissait sur un ciel brillant, couleur d'écailles de maquereau. Autour de la maison les arbres étaient comme de sombres tours pointues, teintées d'argent. La plupart des fenêtres étaient éclairées et une spirale de fumée sortait de toutes les cheminées. Il sentit un nouvel espoir en lui, une force nouvelle. C'était l'œuvre de Clara. Elle le libérait. Sa reconnaissance s'envola vers elle. « Si je pouvais faire quelque chose pour elle, pensait-il. Si je pouvais lui donner une autre existence! »

Mais la vue d'une forme pâle qui se mouvait sous

les bouleaux éloigna de lui l'image de Clara. Il se dirigea vers elle à grands pas et découvrit Sarah, emmitouflée dans un manteau de petit-gris, coiffée d'une toque de fourrure.

Elle essaya d'abord de l'éviter, mais, quand elle vit que c'était impossible, elle l'aborda avec son sourire énigmatique.

— Eh bien! dit-il, vous avez de drôles d'heures pour rôdailler autour de votre proie!

— Rôdailler? répéta-t-elle doucement. Vous exagérez. On dirait que vous me reprochez de mettre les pieds chez vous!

Il répondit d'un ton de plaidoyer:

— Comment ne le ferais-je pas, sachant votre arrière-pensée? On voit bien que vous n'êtes pas là seulement pour prendre l'air, comme n'importe qui. Je sens que vous avez des idées invraisemblables dans la tête.

Cela parut beaucoup lui plaire.

— Quel genre d'idées?

— Eh bien! Celle d'espionner Finch, pour commencer.

— Cela n'a rien d'invraisemblable!

— Je trouve que si. Je ne peux pas comprendre qu'une femme pourvue d'un atome de fierté s'accroche comme cela à un homme qui veut reprendre sa liberté. Il vous a montré de toutes les manières qu'il ne voulait pas vous voir.

— Mais j'ai encore le droit de le regarder!

— D'ici? Comme cela? Par la fenêtre?

— Oui. Il est là. Avec ses oncles. Il est si jeune et si gentil!

— Sarah! dit Renny solennellement. Il ne faut plus jamais recommencer.

— Très bien, je vous le promets... Qu'est-ce que vous croyez que j'aie encore dans la tête?

Il sourit à contrecœur.

— C'est difficile à dire. Je vous avertis seulement que, plus tôt vous y renoncerez, mieux cela vaudra.

Et il ajouta soudain, presque sauvagement:

— Finch ne revivra jamais avec vous! Vous ne serez jamais propriétaire de Jalna! Rappelez-vous bien cela!

Elle fléchit comme un enfant grondé, mais garda un sourire vacillant sur le visage. *Merlin*, de l'intérieur de la maison, avait entendu la voix de Renny et s'était acharné sur la porte jusqu'à ce que Rags l'eût ouverte pour lui et pour *Floss*. Ils arrivèrent au galop sur la neige, remplissant l'air de leurs abois joyeux. De quelque part derrière la maison, le chien de berger vint les rejoindre, ajoutant sa voix grave à l'accueil du maître. A l'écurie, un étalon hennit. La figure de Finch apparut à la fenêtre du salon.

— Te voilà! s'écria Sarah.

Et elle se mit à courir vers la maison.

Mais Renny l'attrapa par son manteau de fourrure et la retint.

— Vous n'avez pas honte? dit-il sévèrement. Voulez-vous rentrer chez vous par la route, ou par le ravin?

— Par le ravin, répondit-elle d'un air soumis.

— Il doit y avoir beaucoup de neige!

— Je suis venue par là.

Il lui ouvrit la porte et l'accompagna en haut du sentier. Les ombres des arbres faisaient des découpures merveilleuses sur la neige; le visage pâle de Sarah était étrangement embelli par le clair de lune. Comme Renny la soutenait sur le sentier escarpé, un frisson de haine — qui était parent de l'amour — passa entre eux deux. Il la lâcha et elle descendit lentement, en se tenant d'un arbre à l'autre. La fourrure gris argent de son manteau semblait faire partie du paysage.

Renny repartit avec ses chiens vers la maison. Dans le salon, il scruta profondément la figure de Finch et comprit que son frère ne s'était rendu compte de rien. Il dit alors:

— Je vais à New York demain. J'emmène Adeline voir sa mère.

— Quelle histoire! dit Ernest. Quand as-tu pris cette décision? Alma aura-t-elle le temps de préparer les affaires de ta fille? Je ne suis pas sûr qu'elle ait ce qu'il faut.

— S'il lui manque quelque chose, je l'achèterai là-bas. Alayne le verra bien.

— Tu as absolument raison, Renny, dit Nicolas. J'espère que tu vas nous ramener Alayne. Ces bisbilles-là ne me plaisent pas du tout. Dis-lui de ma part, je te prie, que pour moi son devoir est de rentrer chez elle.

— Il n'a jamais été question que d'une séparation temporaire, dit Renny d'un air rogue.

Nicolas dressa ses gros sourcils.

— Si tu voyages de jour, reprit Ernest — et je crois que cela vaudrait mieux pour Adeline — tu devrais prévenir Alma tout de suite. Elle est tellement mollasse que la pauvre petite risque de ne pas avoir une chemise propre.

Renny monta quatre à quatre dans la chambre des enfants. Les petites filles dormaient. Alma était avec les Wragge et Bessie au sous-sol. Renny sortit une lampe électrique de sa poche, ouvrit la porte de l'armoire et braqua le jet de lumière sur les petits vêtements suspendus. Les robes étaient en bon état, Adeline vivant pour ainsi dire dans sa culotte de cheval. Il vit le petit manteau bordé de fourrure qu'elle portait le dimanche. Puis il se retourna vers la commode et fureta dans les tiroirs, l'un après l'autre. Ce qu'il vit le fit maugréer. Il éteignit sa lampe, sortit de la chambre sur la pointe des pieds et descendit jusqu'au sous-sol. Ce soir-là, Alma se coucha les yeux rouges.

CHAPITRE XXIII

Le premier voyage d'Adeline

Il faisait encore noir quand Alma vint réveiller Adeline. Elle ne savait pas si c'était le jour ou la nuit et elle fut presque effrayée de la grande ombre d'Alma glissant sur le plafond. Sans préliminaires, la bonne l'arracha, toute rose et chaude, de la douceur de son petit lit. Elle s'abandonna dans les bras d'Alma comme un jeune chien endormi.

— Réveillez-vous! Mon Dieu! quelle figure endormie! C'est moi qui voudrais être à votre place! Vous prenez le train aujourd'hui!

— Pour aller où? demanda Adeline, les yeux grands ouverts.

— A New York, pour voir votre maman.

— Moi aussi, veux aller voir ma maman! cria Roma.

Elle avait oublié tout son français, et gazouillait maintenant en anglais.

— Impossible, dit Alma. Votre maman n'est pas à New York.

— Où est-elle?

— Je ne sais pas.

— Mais il faut que je parte aussi.

— Vous, restez tranquille et au chaud, comme une petite fille bien sage. J'ai de l'ouvrage par-dessus la tête!

Alma était agitée. Elle s'était levée à cinq heures pour repasser ce qu'elle avait lavé la veille au soir. Elle avait cousu des boutons, ciré les petits souliers et fait une valise avec les vêtements d'Adeline.

Celle-ci prit son petit déjeuner en face de son père, à la lumière électrique, bien que le ciel commençât à s'éclaircir. Avec le fatalisme de l'enfance elle ne posa pas une question sur cet événement qui marquait pourtant dans sa vie, et elle se conduisit comme si elle avait toujours su qu'elle irait à New York. Mais l'excitation ne l'empêchait pas de manger, comme il arrive à d'autres enfants. Elle mastiquait tranquillement, sans pour ainsi dire quitter des yeux la figure de son père. Renny était préoccupé, nerveux, et n'arrêtait pas de lancer des morceaux à ses chiens, en leur parlant avec tendresse comme s'il allait les quitter pour longtemps.

Ernest descendit en robe de chambre, apportant sa couverture de voyage, et il insista pour que Renny la prît pour Adeline. Il resta pour lui mettre son petit chapeau, son manteau et ses gants. Puis il l'emmena au premier parce que Nicolas avait demandé qu'elle vînt lui dire au revoir. L'auto était devant la porte. Renny attendit à la porte de la voiture. Il consulta sa montre. Ernest ne redescendait pas avec la petite. Rags était parti au sous-sol, emmenant les chiens.

— Bon Dieu! cria Renny par la porte ouverte. Voulez-vous me faire manquer mon train? Oncle Ernest, descendez-moi ma fille!

Pas de réponse. *Merlin*, déjouant la surveillance de Rags, fit le tour de la maison et monta dans l'auto. Renny le saisit par la queue, le prit dans ses bras et l'emmena en haut de l'escalier du sous-sol.

— Rags! Triple idiot! cria-t-il.

Et il lui envoya le chien.

Il revint dans le hall en jurant, regarda de nouveau sa montre et s'élança dans l'escalier. Il se heurta à l'air ingénu et interrogateur d'Ernest, lui arracha Adeline et courut en la portant dans ses bras jusqu'à l'auto.

— Et maintenant, dit-il à Wright, file en vitesse.

L'auto démarra d'un bond, franchit la grille, fila sur la route glacée. Un soleil rouge se levait sur le lac qui fumait comme un chaudron de verre. Les mouettes volaient dans la buée rosâtre en poussant leurs cris aigus. Adeline était dans un mélange enchanté d'étonnement et de joie ineffables.

Cet état d'âme se maintint toute la journée, sous le coup d'émotions diverses. Elle était lancée dans une nouvelle existence, dans des aventures plus belles que les rêves, dans une intimité plus grande que jamais avec son père. Mais, bien que surexcitée, elle demeurait maîtresse d'elle-même. De la minute où leurs bagages furent casés dans le train, elle comprit son rôle et se conduisit comme une voyageuse expérimentée.

Renny était fier d'elle, de son allure et de sa manière de se comporter — fier et conscient des regards admiratifs qu'elle suscita quand il lui fit traverser tout le train pour aller au wagon-restaurant. Les têtes se tournèrent de leur côté quand ils s'assirent à table, la petite fille pleine de réserve et d'aisance entretenant une conversation animée avec son père, d'une manière qui n'avait presque rien d'enfantin, et l'homme, attentionné pour elle, mais sans rien du gâtisme paternel. On voyait qu'ils s'entendaient tous deux à merveille.

La fatigue cependant la gagna peu à peu, au cours de la longue journée dans le wagon surchauffé. Renny lui montra les images de son journal. Pendant des heures, elle regarda le paysage de neige par la portière. Puis il l'installa, avec la couverture d'Ernest pliée sous sa tête, et elle s'endormit profondément. Quand elle se réveilla, il faisait nuit — une nuit étrange, avec des lumières qui bougeaient, du noir qui hurlait, des figures qui changeaient. Elle avait les cheveux moites et collants, les joues en feu. Renny l'assit et lui mit chapeau et manteau. Elle resta muette d'émerveillement quand le porteur nègre brossa les vêtements de Renny et épousseta ses souliers. Elle n'avait jamais vu de nègre. Toute la journée, celui-ci avait été gentil pour elle, s'était penché en découvrant des dents blanches, lui avait apporté un guide illustré en couleurs à regarder.

— Au revoir, lui dit-elle par-dessus l'épaule de son père. Au revoir, amusez-vous bien!

Il y avait plus de monde dans la gare de marbre qu'elle ne pensait qu'il en existât dans l'univers entier. Elle serra ses bras autour du cou de Renny, et se demanda comment ils trouveraient sa mère dans un endroit pareil.

Renny aurait voulu aller directement chez Alayne, le soir même. Mais, quand il vit combien sa fille était fatiguée et à la pensée que miss Archer était bien capable peut-être de les mettre d'abord à la porte, il décida d'aller à l'hôtel.

C'était la première fois qu'Adeline voyait un hôtel. Elle n'aurait jamais imaginé qu'il y eût des maisons plus grandes que Jalna — à part, naturellement, le palais du roi — et elle eut un peu peur en voyant les innombrables portes ouvrant sur l'incroyable longueur du corridor. Mais elle marchait d'un pas ferme, donnant la main à son père. Elle rêvait de nourriture et se demandait si elle pourrait avoir quelque chose à manger. Elle rêvait de boire du lait et se disait: « J'en boirais bien toute une vache. »

Enfin on ouvrit une porte, on déposa leurs bagages et ils se trouvèrent dans une chambre d'où l'on voyait une centaine de gratte-ciel illuminés.

Elle regarda Renny attaquer le radiateur, l'entendit invectiver entre ses dents, puis un horrible sifflement répondit à la manœuvre et elle soupira avec soulagement quand elle le vit ouvrir la fenêtre. Elle prit alors de la voix et rugit de toutes ses forces, comme si la famine l'avait véritablement terrassée.

Inquiet, il se précipita vers elle.

— Qu'y a-t-il? Tu as mal?

— Non, hurla-t-elle en ouvrant une bouche carrée.

Il l'attrapa par le bras.

— Ah! Ecoute. Pas de caprice!

Mais Adeline crispait sa main sur son estomac en regardant son père, les yeux noyés de larmes.

— Tu as faim?

Elle fit: « Oui », du fond de la gorge.

Oh! la longue attente du repas! Oh! l'inexprimable joie de son arrivée! Une nappe damassée, étincelante, fut étendue devant elle et un maître d'hôtel découvrit une soupière qui contenait de la soupe pour quatre. Il y avait des biscuits, de la crème renversée, des petits gâteaux. Elle sentait qu'elle aurait pu manger indéfiniment, et regardait son père avec des yeux d'extase reconnaissante.

Mais tout à coup, elle sentit qu'elle ne pourrait pas avaler une bouchée de plus et qu'elle ne voulait plus rien d'autre que son lit. La salle de bains éblouissante, pourtant, fut une joie nouvelle et le bruit des robinets volcaniques. L'eau jaillissait bouillante et tumultueuse. Pas de doute, elle allait être brûlée vive.

C'était fou de penser que son père allait lui donner son bain! C'était merveilleux de voir la mousse de savon sale sur ses mains. Renny se pencha sur elle, en manches de chemise, la savonna consciencieusement et la frotta en sifflotant comme elle l'avait vu faire aux grooms.

Oh! comme elle l'aimait! Elle se roulait toute nue dans ses bras, l'étreignait comme si elle voulait l'étouffer, lui éclatait de rire au nez en poussant des cris de joie parce qu'il la chatouillait.

Il lui fallut du temps pour la calmer, mais enfin, elle fut couchée, les yeux fermés, l'air très lointain, petite et faible, touchante.

Il sonna une femme de chambre, lui demanda de ranger la chambre et d'avoir l'œil sur sa fille. Il brossa ses cheveux humides, remit sa veste et descendit dîner.

« Quelle journée! » pensa-t-il.

CHAPITRE XXIV

La maison sur l'Hudson

Jamais Alayne n'avait trouvé l'hiver aussi long. Quand elle avait quitté Jalna elle s'était figuré qu'elle allait au-devant d'une vie nouvelle, plus variée, et dans laquelle sa personnalité, qui avait été comprimée et faussée pendant des années, allait de nouveau s'épanouir. L'activité intellectuelle la libérerait des chaînes de sa vie conjugale et la guérirait du souvenir douloureux de Clara Lebraux. Elle allait se remettre à fréquenter le genre d'êtres humains qu'elle voyait avant son premier mariage, ceux qui lisent les derniers livres, voient les dernières pièces de théâtre et les discutent, ceux qui ont un vaste horizon et un tour d'esprit indépendant.

Mais, par-dessus tout, par-dessus toute autre chose, elle serait loin du visage en qui elle ne pouvait plus avoir confiance et dont la seule vue la hérissait; elle serait loin de la voix qui exaspérait ses nerfs maladivement sensibles.

Mais sa grossesse avait tout changé, tout compliqué et lui avait donné des yeux nouveaux pour juger son entourage. Pourquoi tous ses projets lui semblaient-ils si futiles, si dénués d'intérêt? Elle trouvait peu de plaisir à renouer d'anciennes relations ou à en faire de nouvelles. Après les Whiteoak, d'un caractère si original, d'une personnalité si marquante, les gens qu'elle voyait lui semblaient stéréotypés, incolores. Elle ne pouvait plus se mettre à leur diapason, elle était tout à fait différente de ce qu'elle avait été. Son âpre contact avec Jalna l'avait rendue plus dure. Elle ne pouvait plus se classer dans aucune catégorie, pensait-elle; elle n'était plus « chez elle » nulle part.

Après le concours hippique, Rosamund Trent insista pour la faire sortir de temps en temps, mais Alayne ne retrouvait pas l'ombre de l'enthousiasme qu'elle avait éprouvé ce soir-là. Il lui arrivait souvent de regretter d'être allée à ce concours car, depuis lors, elle ne pouvait plus se débarrasser de l'image de Renny. Sur sa jument à l'allure fantastique, il accompagnait sa pensée, jour et nuit.

Elle fréquenta des réunions littéraires, mais n'en sortit que plus découragée. Elle s'enfermait dans sa chambre, s'étendait sur son lit et revivait indéfiniment les dernières scènes de son existence avec Renny. Elle éprouvait une joie d'orgueil amère à ressasser les coups qu'elle lui avait portés et qui l'avaient fait céder. Elle trouvait facilement maintenant ce qu'elle aurait dû dire et déplorait ces occasions manquées de l'avoir fait souffrir. Parfois, elle se rappelait les jours heureux et le souvenir de son rire communicatif la faisait sourire. Une par une, toutes les figures de la famille défilaient en souriant devant ses yeux fermés. Elle avait presque l'illusion qu'elle caressait les cheveux soyeux de Nooky; elle voyait la procession des chiens voraces léchant les plats, rongeant les os, grattant leurs puces. Elle voyait les chevaux, les porcs et les moutons, tout le troupeau engagé dans une sorte de ronde fantastique. Mais, quelles que fussent ces visions, elles se terminaient toujours par l'évocation de sa descente nocturne dans le ravin, au moment qu'elle avait découvert Renny et Clara, et elle revivait les horribles jours qui avaient suivi, roulant sa tête sur l'oreiller et pleurant à en avoir les yeux rouges.

A Noël, il ne lui fut plus possible de cacher son état et elle refusa de sortir. Elle était invitée avec sa tante à passer la journée chez des amis, mais déclina l'invitation. Son découragement rejaillissait sur miss Archer qui, plus d'une fois, regretta le temps où elle était seule et vivait de ses revenus intacts. La vieille demoiselle était d'un naturel joyeux, toujours ravie d'accepter toutes les distractions qui se présentaient, et elle trouvait la misanthropie d'Alayne absolument incompréhensible.

Alayne ne se donna aucun mal pour préparer sa layette. Ce qu'on pouvait acheter était plus joli que ce qu'elle était capable de faire elle-même. Mais miss Archer tricota en cachette des petites brassières et des chaussons et elle broda des taies d'oreiller et des petits draps ourlés à jour. Elle en fit cadeau à Alayne en un paquet soigneusement enrubanné, le jour de Noël. Alayne en fut touchée, elle embrassa miss Archer et lui dit:

— Quand tout sera fini, tante Harriet, nous nous rattraperons. Vous avez été si bonne pour moi!

Elle fut touchée également par les cadeaux de Jalna, les mouchoirs d'Ernest, l'écharpe de Pheasant, la lingerie fine de Sarah; mais la blouse de soie écossaise, cadeau d'Adeline, la laissait perplexe. Elle était déroutée. Etait-ce lui qui avait choisi cette blouse? Mais pourquoi? Il devait bien savoir que ce n'était pas du tout son genre. Il y avait du mystère là-dessous, on sentait la main de Renny. Elle mit sa blouse contre elle et demanda:

— Cela me va-t-il?

Miss Archer trouvait que rien ne pouvait lui aller bien, dans son état, mais elle répondit:

— Cela vous donne de l'éclat, ma chérie.

Vers le 1er janvier, Alayne reçut une lettre de sa banque l'informant que ses valeurs s'étaient effondrées. Son revenu était, de ce fait, pour ainsi dire réduit à zéro. C'était une telle catastrophe qu'elle ne put pas tout de suite la comprendre. Elle lut et relut la lettre, essayant d'en extraire un sens différent. Mais il n'y avait pas d'autre interprétation possible: elle n'avait absolument plus rien pour vivre — rien pour elle-même, rien pour sa vieille tante et rien pour l'enfant qui allait naître... jusqu'à ce qu'elle pût reprendre une situation... si elle en trouvait une!

Elle était abasourdie. Sans force et sans réaction elle apprit tout de go la nouvelle à sa tante. Pour miss Archer ce fut le coup final. Elle se sentit effondrée sous cette succession de malheurs, et se demanda ce qu'elle avait fait pour mériter cela. Certainement c'était un châtiment. Le cœur brisé, elle examina son passé innocent.

Alayne écrivit tout de suite à Mr Cory, son ancien patron et ami; elle lui exposa son cas et lui demanda une situation pour le jour où elle pourrait se remettre à travailler. Il répondit immédiatement; jamais les affaires d'édition n'avaient été aussi mauvaises, mais il lui offrait cependant une situation modeste et très peu rétribuée. N'importe, ce serait suffisant pour elles. En travaillant dur, elle arriverait à gagner leurs trois vies.

L'existence ainsi assurée, pour l'avenir, elle put réfléchir en toute liberté d'esprit à l'ampleur de sa perte. C'était bien simple: l'argent qu'elle avait tellement tenu à garder, l'argent qu'elle avait odieusement refusé à Renny était perdu, volatilisé, anéanti. Et dire qu'avec cette somme elle aurait pu prendre l'hypothèque sur Jalna! Elle avait eu mille façons de lui venir en aide, mais, si elle lui avait donné cet argent, Jalna ne serait pas hypothéqué! Il lui sembla que cette hypothèque était à l'origine de tous ses malheurs. C'était sa cruauté qui avait jeté Renny dans les bras de Clara. Cette pensée la précipita au comble du découragement. Elle perdit le sommeil, perdit presque l'appétit, et pourtant refusa de voir son docteur. Miss Archer commença à craindre que sa nièce ne pût supporter l'épreuve de la maternité ou qu'elle ne fût, en tout cas, plus capable de travailler après.

Un matin de la mi-janvier, Alayne était à la fenêtre, comme le jour où elle avait annoncé à sa tante qu'elle était enceinte, et elle regardait le premier blizzard de l'hiver. Du ciel bas, les petits flocons légers voletaient comme des taches blanches devant les carreaux. Alayne pensa aux grandes vagues qui se poussaient l'une l'autre dans le port. Il était dix heures du matin, mais on se serait cru à la tombée du jour. Elle s'était réveillée de très bonne heure, elle était très fatiguée et la neige tombait comme si elle ne devait jamais s'arrêter.

Elle posa ses mains sur le radiateur pour les réchauffer et découvrit qu'elles étaient maigres et que ses bagues étaient devenues trop grandes. Elle s'étonnait elle-même de continuer à porter son alliance, mais elle ne s'était jamais décidée à l'enlever.

La rue était déserte. Elle observa distraitement la venue d'un taxi qui avait l'air à moitié enseveli par la neige. Il s'arrêta devant la porte. Un homme en descendit, paya le chauffeur et, se retournant vers l'intérieur de la voiture, fit sortir un enfant. Il le prit dans ses bras, se dirigea vers la maison. Elle vit la figure de l'enfant, petite tache rose sur la neige. Il y avait quelque chose dans la démarche de l'homme... Elle regarda son visage. Elle regarda plus attentivement, sans y croire — puis en y croyant... Elle se tourna vers miss Archer et gémit:

— Il ne peut pas! Il n'a pas le droit! N'ouvrez pas la porte!

Puis elle tomba évanouie aux pieds de sa tante.

Pendant un instant, miss Harriet fut trop terrorisée pour faire un mouvement. Puis, avec un cri:

— Alayne chérie!

Elle s'agenouilla près de sa nièce et lui prit la tête dans ses bras. Alayne demeurait blanche et inerte. Qu'avait-elle vu à la fenêtre? Qu'avait-elle voulu dire? Miss Archer courut à la fenêtre et chercha. Le taxi avait disparu, perdu dans le blizzard. La sonnette de l'entrée retentit, forte et claire. Merci, mon Dieu! Grâce au Ciel, il arrivait quelqu'un pour l'assister! Mais qu'avait dit Alayne? « N'ouvrez pas?... »

La sonnette retentit encore. Miss Archer, presque défaillante elle-même, regarda Alayne; puis elle alla jusqu'à la porte d'entrée et mit la chaîne de sûreté. Alors seulement, elle entrouvrit et regarda.

Renny essaya immédiatement de se faufiler dans l'entrée. Il était couvert de neige et portait son enfant.

— Je suis Renny Whiteoak, dit-il. Je voudrais mettre ma fille à l'abri de ce blizzard. Vous êtes la tante d'Alayne, n'est-ce pas?

Miss Archer claqua la porte et s'y appuya, secouée par les battements de son cœur. Qu'allait-elle faire? Le laisser entrer et peut-être tuer Alayne d'émotion? Le chasser et rester seule à soigner cette crise? Elle s'écarta pour voir si Alayne avait repris connaissance.

La porte n'était pas fermée au verrou. Renny l'ouvrit, passa sa main par la fente et décrocha la chaîne qui était trop longue. Puis il repoussa le battant derrière lui et mit Adeline par terre.

Sans surprise, miss Archer se tourna vers lui.

— Il faut que vous m'aidiez, dit-elle. Je crois qu'Alayne est en train de mourir.

CHAPITRE XXV

Miss Archer et Renny

— Avez-vous de l'eau-de-vie? demanda Renny.

— Pas une goutte.

— Et de l'alcool?

— Non plus! Mais j'ai des sels parfumés.

Eperdue, miss Archer se mit à fourrager dans le tiroir d'une table à ouvrage qui avait appartenu à sa sœur, et elle en rapporta un petit flacon terni.

Mais le bouchon était coincé! Elle détourna les yeux de la figure cadavérique d'Alayne, et regarda Renny s'attaquer au bouchon, les lèvres retroussées dans un rictus sauvage qui découvrait ses dents. De désespoir, il lança la bouteille à terre.

— Donnez-moi de l'eau, s'il vous plaît.

Miss Archer courut à la cuisine et rapporta de l'eau dans un bol d'émail. Renny avait aéré la pièce; il était à genoux, avec Alayne dans ses bras. Elle avait les yeux ouverts mais fixes. Elle respirait difficilement, la mâchoire un peu pendante. Il approcha l'eau de ses lèvres et miss Archer vit que sa main tremblait, qu'il répandait plus d'eau à côté qu'il n'en versait dans la gorge d'Alayne. Il leva les yeux vers miss Archer.

— Voulez-vous demander un docteur? dit-il.

Elle lut un reproche dans ses yeux et partit comme une folle au téléphone. « Pourvu que je trouve les chiffres, se dit-elle. Il le faut. » Mais elle ne réussit pas à former le numéro, bien qu'elle s'y reprît à plusieurs fois. Adeline vint auprès d'elle, et l'observa en silence. La neige fondait dans ses cheveux roux.

Renny apporta Alayne sur le canapé et s'assit en la tenant dans ses bras. Elle restait inerte. Il attendait.

Miss Archer revint à lui:

— Je n'arrive pas à voir les chiffres! dit-elle humblement.

Il essaya de se dégager, mais, les forces d'Alayne lui revenant brusquement, elle serra ses bras autour du cou de Renny et poussa un petit gémissement de protestation. Elle tourna vers lui des yeux étonnés.

— Elle va mieux! s'écria-t-il. Mais il faut faire venir le docteur... Vous n'avez donc pas de lunettes?

— Oh! j'y vois clair! Mais je suis sens dessus dessous! Je vais encore essayer!

Elle repartit au téléphone et, cette fois, réussit. Le docteur allait venir tout de suite. Adeline l'avait suivie en trottinant. Dans un accès d'affection envers l'enfant d'Alayne, elle se pencha et l'embrassa.

— Pauvre petite chérie, soupira-t-elle.

Adeline lui dit tout bas:

— Emmenez-moi avec vous! Je n'ai pas envie d'être avec eux.

D'un mouvement expressif de ses yeux noirs, elle désignait ses parents. Cet appel alla droit au cœur de miss Archer, et la flatta, quoiqu'elle y vît la marque d'une enfant anormale.

— Votre mère sera bientôt guérie, répondit-elle, mais, en attendant, venez avec moi.

Elle prit les petits doigts de l'enfant dans sa main frêle.

Renny emporta Alayne dans sa chambre, miss Archer suivant avec une boule d'eau chaude et Adeline accrochée à sa robe.

Quand la forme alourdie d'Alayne eut disparu sous l'édredon et que la boule d'eau chaude fut mise à ses pieds, miss Archer emmena l'enfant et laissa le mari et la femme en tête à tête.

Alayne tenait toujours ses bras serrés autour du cou de Renny. Elle le regardait, incrédule et comme émerveillée.

— Vous me reconnaissez? demanda-t-il. C'est moi, Renny.

— Renny... répéta-t-elle.

Et en prononçant ce nom ses lèvres reprirent leurs couleurs. Alors Renny posa ses lèvres sur celles d'Alayne en murmurant passionnément:

— Oh! ma chérie!

Elle était abandonnée dans ses bras. Allégée de tout ce qui avait pesé sur elle les derniers mois, elle aspirait de toutes les fibres de son être le réconfort et la force qui se dégageaient de lui.

— Comment avez-vous pu me cacher cela? lui reprocha-t-il avec une tendre véhémence.

Ingénument elle répondit:

— Je ne sais pas.

— C'est pour quand?

— A peu près six semaines.

— Mon Dieu! Et dire que je n'en savais rien! Dire que vous auriez pu rester là, mettre au monde notre enfant ici, loin de moi!

Il l'écarta et se mit à marcher de long en large dans la petite chambre.

Alayne le regardait tranquillement, comme si elle était couchée sur un nuage. Elle sentait que rien ne pourrait l'atteindre, la troubler. Elle sentait seulement — mais à un point inexprimable — la fatigue, la faiblesse et la paix. Ses lèvres esquissèrent même un sourire léger. C'était tellement étrange de le voir là, dans sa chambre! Tellement étrange de le voir dans cette maison!

Il vint s'agenouiller au bord du lit, lui prit les deux mains et les mit autour de son cou. Il cacha son visage contre le flanc déformé de sa femme et dit d'une voix tremblante:

— Maintenant, tout est arrangé entre nous, n'est-ce pas? Tout le passé est oublié. Vous m'avez pardonné! Dites-le-moi, Alayne. Dites-moi que nous sommes réconciliés.

— Taisez-vous! Vous allez me faire pleurer encore... et j'ai tellement pleuré! Je ne veux plus pleurer.

— Chérie, vous ne pleurerez plus, jamais plus. Je voulais seulement vous entendre dire que vous me pardonniez!

Toute sa tranquillité s'était enfuie! Elle dit d'une voix durcie:

— Vous pardonner? Ce n'est pas moi qui ai à pardonner. J'ai plutôt besoin qu'on me pardonne. J'ai été une mauvaise femme pour vous, je le sais, je m'en rends compte maintenant.

Elle le regardait d'un air tragique. Les traits de Renny étaient contractés par l'effort qu'il faisait pour ne pas se laisser submerger d'attendrissement.

— Ne dites pas cela! s'écria-t-il. Vous avez toujours été beaucoup trop bonne pour moi, vous le savez. Vous êtes si bonne, Alayne!

Elle eut un rire amer.

— Bonne? Ah! oui! bonne! Et personnelle — et froide — et égoïste! Savez-vous ce qui est arrivé? J'ai perdu tout mon argent, toutes mes économies — ces économies que je n'ai pas voulu vous donner, et qui vous auraient tellement rendu service! Il n'en reste rien.

— Bon Dieu!

Il la regarda, d'un air égaré. Puis il se leva et lui demanda comment c'était arrivé. Une teinte fiévreuse lui vint aux joues tandis qu'elle essayait de lui donner des explications précises. Elle avait tellement envie de retrouver la merveilleuse sensation de paix et de détente qu'elle avait eue.

Renny s'aperçut de sa lassitude. Cette perte d'argent n'avait aucune importance. Il l'interrompit.

— Non, non, je ne veux pas en entendre parler. Ne m'en dites rien. La seule chose qui importe, c'est que nous nous soyons retrouvés!

On frappa un petit coup et le docteur entra.

Une demi-heure plus tard, Renny vint trouver miss

Archer. Elle était assise dans le salon avec Adeline sur ses genoux. Elle le regarda avec anxiété.

— Le docteur est parti? J'aurais peut-être dû le voir...

— Je sais ce qu'il y a à faire. Il envoie un calmant et elle n'a besoin que de repos complet. Il faut qu'elle reste tranquille pendant quinze jours, au moins. Elle a reçu un fameux choc, vous comprenez.

Une fois encore il la regarda avec reproche. Et elle rougit.

— Evidemment, dit-elle. Vous trouverez que j'aurais dû vous prévenir de l'état d'Alayne, mais je n'ai pas osé. Elle aurait été très mécontente. Elle voulait absolument garder le secret. Oh! Mr Whiteoak, elle a été bien bizarre, par moments! Et j'étais bien préoccupée!

Elle avait l'air si âgée, si frêle, si implorante! Renny s'assit sur le canapé auprès d'elle, et souleva la lourde petite fille qui pesait sur ses genoux.

— Cela vous ennuierait-il de m'appeler Renny? dit-il.

Jamais elle n'aurait cru qu'elle pût éprouver pour lui les sentiments qu'elle sentait poindre en elle. Elle ne pouvait pas croire que l'homme assis là avec son enfant sur les genoux, sa rude figure ravagée d'émotion, ses cheveux roux en désordre... que cet homme était le cavalier intrépide qu'elle avait vu au Concours hippique de New York, l'homme dangereux qui avait désuni le ménage d'Alayne et d'Eden, le mari qui avait broyé le cœur de sa femme. Jamais auparavant elle n'avait rencontré un homme dont la seule présence donnât une telle impression de force mâle, toute prête à vous protéger.

— Je suis bien contente que vous soyez venu! répéta-t-elle.

Et après une courte hésitation elle ajouta:

— Renny!

— J'imagine volontiers que vous soyez contente, répondit-il. Vous avez eu trop de charge sur les bras. Vous auriez dû me faire venir.

— Mais je ne croyais pas... J'avais peur que vous et Alayne...

Elle ne pouvait achever. Il la regarda tranquillement, droit dans les yeux.

— Tout est raccommodé. Alayne a...

Il s'arrêta pour demander:

— Vous a-t-elle dit ce qui s'était passé?

Miss Archer n'avait jamais connu de plus grand embarras. N'avait-il pas l'audace de la dévisager, de la scruter au fond des yeux et de lui demander si elle était au fait de son odieuse conduite! Elle était remplie de honte pour lui. Elle rougit, comme prise de vertige. Elle inclina la tête en guise d'assentiment.

— Elle ne pouvait pas comprendre, dit-il, que je l'aimais toujours... que, malgré tout, elle était toujours pour moi la femme la plus désirable qui soit au monde. Vous comprenez cela, n'est-ce pas? Un homme peut aimer deux femmes, de deux façons différentes...

Elle l'interrompit d'une voix candide.

— Vous ne voulez pas dire que vous aimez toujours cette autre femme?

— Comme une amie! Rien de plus. Pendant quelque temps, il y a eu autre chose... Mais c'est fini. Alayne m'a pardonné. Elle a fait plus: elle a même dit qu'elle était responsable. Naturellement, c'est insensé! mais cela prouve à quel point elle en était arrivée! Vous comprenez le choc qu'a été pour moi d'apprendre qu'elle allait avoir un bébé!

Adeline fit un bond sur le genou de son père.

— Je l'avais dit! Je l'avais dit! Vous ne vous rappelez pas? J'ai dit qu'elle était partie pour aller chercher un petit bébé pas plus grand que ça!

Miss Archer passait d'une suffocation à l'autre.

— Oh! non, chérie, dit-elle. Peut-être que, dans très longtemps, les fées t'apporteront un petit frère ou une petite sœur...

— Wright a trouvé le sien dans la porcherie, dit Adeline. C'est lui qui me l'a dit. C'est pour ça qu'il ressemble à un petit cochon. Moi, j'ai une faim de petit cochon!

Miss Archer fut soulagée.

— Pauvre enfant! Je vais lui donner de mes petits gâteaux secs. Mr Whiteoak... Renny, voulez-vous du café? Je suis sûre qu'Alayne en prendrait. Elle n'a pas déjeuné ce matin. Je vais préparer un joli plateau et peut-être voudrez-vous le lui apporter!

Renny et Adeline la suivirent à la cuisine. Elle était un peu troublée par les deux paires d'yeux qui suivaient chacun de ses mouvements. Allaient-ils la suivre ainsi partout? Combien de temps allaient-ils rester? Fallait-il leur demander d'aller chercher leurs bagages à l'hôtel? Qu'est-ce qu'il y avait dans le frigidaire? Miss Archer mit deux fois plus de temps que d'habitude à faire le café et à réchauffer les gâteaux de maïs.

Renny la regardait avec admiration.

— Quelle bonne idée! dit-il. Je vais la faire manger moi-même.

En montant avec le plateau, il se rappela la nuit où lui et Rags avaient aussi préparé un plateau pour Alayne, qui avait refusé d'y toucher. Il eut plus de succès cette fois-ci. Elle mangea avec appétit, prenant la nourriture qu'il lui donnait comme une enfant et tenant l'autre main de Renny dans les siennes. Elle ne disait pas un mot. Elle restait les yeux fermés et ne les ouvrit qu'une fois pour le regarder d'un regard profond, mêlé de possession et d'abandon. Comme elle restait les yeux clos, il scruta longuement son apparence qui, à d'autres yeux, aurait paru moins séduisante que d'habitude; mais, pour lui, elle était tellement à part, leurs deux vies avaient été tressées si serrées pendant toutes les années durant lesquelles il avait vu sur son visage ce que personne d'autre ne pouvait y voir, qu'aucun changement n'en pouvait altérer les traits essentiels.

Alayne prit le calmant envoyé par le docteur et tomba endormie avant que Renny l'eût quittée. Il trouva Adeline assise au coin de la table de la salle à manger; elle se gavait de pain de maïs arrosé de sirop d'érable et buvait du lait.

Miss Archer fit mine de s'excuser.

— Elle disait qu'elle avait très faim. J'espère que je ne lui ai rien donné de mauvais pour elle!

— Ne vous inquiétez pas, elle a un estomac de cheval.

— Comment va Alayne?

— Faible comme un poulain nouveau-né.

Parlait-il toujours des humains avec des termes d'écurie? Miss Archer lui donna du café et, encore une fois éperdue, se demanda comment l'interroger sur ses projets. Il lui épargna cet embarras.

— Nous avons deux valises sous le porche, expliqua-t-il. Mes plans étaient si vagues que j'ai cru bien faire en apportant mon sac et celui d'Adeline. Maintenant la question ne se pose plus: je reste pour soigner Alayne, si vous y consentez.

Miss Archer fut à la fois effrayée et soulagée à la pensée de l'avoir chez elle.

— Je suis contente que vous restiez, dit-elle. Mais malheureusement je n'ai pas de domestique. Nous avons dû nous en séparer. J'espère que vous excuserez ce laisser-aller!

— Je trouve que votre maison est charmante, répondit-il en parlant un peu comme son oncle Ernest.

Elle était conquise.

— Je suppose qu'Alayne partira avec vous, demanda-t-elle avec hésitation.

— Oh! oui.

Alors elle retrouva sa hardiesse pour dire:

— Il n'y a pas de temps à perdre! Je pense que vous le savez.

— Oui.

Miss Archer avait envie de lui demander si Alayne lui avait parlé de sa ruine, mais elle ne put s'y décider. Il n'avait pas paru surpris quand elle lui avait dit qu'elle n'avait pas de domestique. Quant à Alayne, elle était trop fatiguée pour qu'elle pût lui poser la question. Il fallait attendre, il aborderait le sujet s'il y tenait.

Il ne manqua pas de le faire, quand ils furent assis tous deux ensemble pour la soirée. Alayne et Adeline étaient endormies. Il s'était occupé d'Alayne avec une habileté qui avait surpris miss Archer, mais elle se rappela avoir entendu raconter comment il soignait Wakefield, pendant son enfance délicate. C'était elle qui avait couché Adeline. Malgré sa fatigue, elle s'était émerveillée de voir ce petit ange dans son bain et bien plus émerveillée encore de l'entendre réciter ses prières. Elle ne comprenait pas comment Alayne trouvait impossible de la faire obéir. C'était la docilité même. Adeline regardait miss Archer de ses yeux rayonnants, l'écoutait sagement, courait faire ce qu'on lui demandait presque avant qu'on en eût exprimé le désir. En réalité Adeline était dans des dispositions exceptionnelles: elle voulait se faire bien voir, et la nouveauté de la situation l'enthousiasmait.

Dans la pièce confortable et intime, sous la lampe doucement voilée, avec une assiette d'amandes salées entre eux, Renny fumant une cigarette attaqua d'emblée le sujet de la ruine d'Alayne.

— La pauvre fille, dit-il, se fait des reproches sanglants parce qu'elle n'a pas fait ce que j'aurais voulu de cet argent. Elle avait l'idée fixe de le sauver pour sa fille, quand il eût infiniment mieux valu me sortir du pétrin dans lequel j'étais. Mais, vous le savez, elle n'a jamais eu confiance en moi pour les questions d'argent.

Il tourna son regard vif sur miss Archer qui trouvait cette franchise horriblement embarrassante. Elle ne savait pas quoi lui dire.

— Cela ne sert à rien, reprit-il, de gémir sur le pot à lait cassé. Cet argent est perdu, nous n'allons pas ressasser l'histoire des années! Ce qui est fait est fait... Mais ce n'est pas une catastrophe: j'ai payé l'intérêt de mon hypothèque et l'année a été bonne pour mon écurie et pour la ferme de mon frère.

Elle ne put s'empêcher de dire:

— Je vous ai vu monter, à New York. C'était merveilleux! C'était la première fois que j'allais au concours hippique!

Il la regarda, étonné.

— Vous étiez là? Et où était Alayne?

— Elle y était aussi. Il n'y a rien eu à faire, il fallait absolument qu'elle vous vît. Je ne l'ai jamais vue si excitée!

Elle n'avait surtout jamais vu personne d'aussi reconnaissant que lui. Il rayonnait, avec la même expression qu'Adeline.

— Oh! c'est trop drôle! Dire que je ne savais pas qu'elle était là! Dire qu'elle ne m'en avait pas soufflé mot... qu'elle ne m'a pas fait signe... Vraiment, avec son air calme, Alayne est un petit démon... Vous ne trouvez pas, miss Archer?

Miss Archer n'avait jamais vu Alayne sous ce jour-là. Elle réfléchit, essayant d'envisager sa nièce comme on le lui demandait.

— Je crois, dit-elle, qu'elle est hypersensible.

— Moi, je la trouve diabolique, répondit-il tranquillement. Mais une femme de cette trempe peut se permettre d'être diabolique par moments. Qu'en pensez-vous?

Miss Archer se mit à rire, flattée de cette insinuation d'après laquelle elle-même pourrait être diabolique à ses heures.

Les jours suivants furent extraordinaires pour elle — sans doute les plus extraordinaires de sa vie. La température restait hostile et rude. Tous quatre étaient confinés à l'intérieur par la neige; une fois par jour seulement, Renny emmenait sa fille faire une promenade et la ramenait encore couverte de la neige dans laquelle elle s'était roulée. Elle rentrait, les yeux comme des étoiles et les lèvres comme des cerises. Les besognes journalières se faisaient beaucoup plus facilement que miss Archer ne l'aurait cru. Alayne demandait très peu de soins, elle se contentait de se reposer dans la joie paisible de sa réconciliation, et d'acquérir des forces pour le voyage de retour à Jalna. Elle était si absorbée par ses propres pensées que la ruine de sa tante lui était complètement sortie de l'esprit. Dans son état de faiblesse elle voyait miss Archer continuant à vivre là, délivrée de l'embarras de sa présence.

Mais, si miss Archer gardait un air souriant toute la journée, la nuit elle restait éveillée, tremblante, terrorisée devant l'abîme qui s'ouvrait devant elle. Elle se tournait et se retournait dans son lit en se demandant ce qu'elle allait devenir; elle versait des larmes amères en pensant qu'Alayne avait si facilement oublié les malheurs de sa tante au sein de son bonheur retrouvé. Chaque jour elle paraissait plus pâle et plus fragile que la veille. Le quatrième jour, après l'avoir longuement regardée avec attention, Renny lui dit:

— Vous avez un ennui, miss Archer, j'en suis sûr! Ce n'est pas uniquement de la fatigue. Voyons, vous avez des yeux comme si vous aviez pleuré. N'y a-t-il pas moyen que vous me disiez ce qui vous tourmente?

Oh! toujours ces attaques si directes! Il n'avait donc peur de rien? Ce n'était pas étonnant que des années à Jalna eussent transformé Alayne! Mais, malgré sa pudeur et sa réserve, miss Archer se laissa aller complètement.

Ils lavaient la vaisselle ensemble, devant l'évier. Veston ôté, manches de chemise relevées, Renny maniait la lavette. Il avait usé du savon, de quoi laver un éléphant; mais c'était un bon plongeur. La vaisselle rincée par lui étincelait. Miss Archer porta à ses yeux le torchon immaculé, et pleura dedans.

— Pourtant, sanglota-t-elle, je n'ai jamais jeté l'argent par les fenêtres! J'ai toujours fait très attention!

Elle fit un grand effort pour se reprendre et découvrit sa face frémissante:

— Je ne devrais pas vous en parler... Je ne voudrais pas vous ennuyer... vous avez suffisamment d'ennuis. Il ne faut pas vous tourmenter pour moi!

— Mais je me tourmente, répondit-il gravement. Comment faire autrement quand je vous vois avec cet air-là?

— Ai-je l'air tellement sinistre? Je devrais avoir honte!

— Vous avez toujours beaucoup de courage et d'entrain, mais on voit bien que vous êtes horriblement inquiète. J'espère que vous allez me dire ce qui vous arrive, je pourrais peut-être vous aider. D'après ce que vous venez de dire je devine que c'est une question d'argent. J'en sais assez long sur les différentes manières de sortir de la purée!

— Alayne ne vous a-t-elle rien dit de ma situation financière? demanda-t-elle avec un air piteux.

— Rien.

— Eh bien! voilà: je suis ruinée. Les valeurs dans lesquelles j'avais placé mes capitaux se sont effondrées. Le revenu qu'elles me donnaient s'est envolé. Je suis pratiquement sans le sou.

Une fois perdue son orgueilleuse réserve, elle s'étendit tout au long de ses malheurs, raconta ses appréhensions, ses nuits blanches. C'était un soulagement de se confier et, au fur et à mesure de ses confidences, elle se calmait.

Ils finirent leur tâche méthodiquement, puis allèrent au salon. Adeline faisait sa sieste de l'après-midi; ils étaient seuls. Renny arpenta la petite pièce d'un bout à l'autre, puis il se planta devant miss Archer et la regarda d'un air impétueux comme pour prévenir toute opposition.

— J'ai réfléchi, dit-il. C'est décidé: vous viendrez vous installer à Jalna.

— A Jalna? M'installer?

Miss Archer eut l'impression d'un tremblement de

terre; elle s'appuya au dossier d'une chaise pour se retenir.

— Oui. La chambre de ma tante vous attend. Nous serons heureux de vous avoir. Elle m'a toujours manqué, vous prendrez sa place. Rien de plus simple!

— Mais vous ne vous rendez pas compte de ce que vous me proposez! Envisagez-vous d'introduire une étrangère chez vous?

— Vous n'êtes pas une étrangère: vous êtes la tante d'Alayne. Vous êtes de la famille! Alayne vous adore et vous et moi nous nous entendons joliment bien! Il me manque une tante, il vous manque une maison: c'est simple comme bonjour. Je vous en prie, ne vous fatiguez pas à me dire non!

Elle n'insista pas, s'approcha de lui, posa sa tête contre l'épaule de Renny et pleura de soulagement et de reconnaissance. Il la prit dans ses bras et la serra contre lui.

— Tante Harriet! Chère petite tante!

Miss Archer n'avait jamais pleuré sur une épaule d'homme depuis le jour où elle avait renoncé à son jeune et fol amoureux, à la demande de son père. Le garçon avait justifié les prédictions du père et prouvé qu'il devait mal tourner, mais miss Archer ne l'avait jamais complètement oublié. Elle pensa une seconde à lui en étreignant Renny, mais ce ne fut qu'une pensée fugitive: il n'était plus qu'une ombre, tandis que Renny était une ardente réalité.

Sans savoir pourquoi, elle tremblait à l'idée d'annoncer à Alayne la généreuse décision de son mari, et elle lui demanda de le faire lui-même. En l'apprenant,

Alayne eut honte d'avoir, sous le coup de sa réconciliation, oublié la situation de sa tante. Cette solution magnanime l'enchanta, mais, quand même, la pensée de tante Harriet à Jalna la laissait perplexe. Elle ne pouvait se la figurer là. Elle éprouvait aussi une certaine appréhension à réunir les deux pôles extrêmes de sa vie. N'y aurait-il pas toujours là une menace de discorde dans l'harmonie à laquelle elle aspirait ardemment!

Le fait de voir son avenir assuré produisit sur miss Archer un effet magique. Elle avait une nature faite pour le bonheur et elle avait toujours désiré une vie plus mouvementée, plus variée que celle qu'elle avait menée par la force des choses. Du vivant de sa sœur elle n'avait cherché qu'à lui faire plaisir, et sa sœur était une timide qui aimait vivre retirée du monde. Maintenant elle voyait s'ouvrir devant elle une nouvelle et grisante existence au milieu d'êtres doués d'une forte personnalité, dans une maison dont le seul nom avait un prestige étrange à ses yeux. Au lieu de passer des nuits blanches en proie à la terreur de l'avenir, ses insomnies avaient maintenant une cause qui la faisait cabrioler de joie. Cependant elle était aussi fatiguée: ce n'était pas reposant d'avoir un homme et un enfant dans une maison où il n'y avait jamais eu ni homme ni enfant — bien que l'enfant fût un trésor, et que l'homme sût aussi bien cumuler les fonctions d'infirmière que celles de femme de chambre. Ils travaillaient tous deux ensemble, au gré de leur fantaisie, et elle trouvait cette méthode éminemment stimulante. Il lui parlait de ses écuries, des caractéristiques de ses chevaux; il remplissait la petite maison de son bruit et de son rire; il plaçait les chaises de cuisine comme des haies et des obstacles et l'initiait aux mystères du saut en hauteur.

Elle buvait ses paroles et faisait son apprentissage de future habitante de Jalna. En même temps, elle conçut quelques critiques à l'égard d'Alayne. Pourquoi s'était-elle hypnotisée sur le mauvais côté de la nature de Renny? Après tout, il n'avait rien fait de pire que bien des hommes. Et pourquoi Alayne ne l'avait-elle jamais invitée elle-même à venir à Jalna? Miss Archer en avait toujours été un peu blessée. Maintenant elle en était ulcérée.

Elle considérait la minceur musclée de Renny, sa tête rousse, et elle sentait son affection pour lui devenir plus profonde chaque jour. Au point qu'elle se dit, stupéfaite et dégoûtée d'elle-même: « Penser que j'ai dit tout haut, dans mon cabinet de toilette, qu'il mériterait de se casser la tête! »

Elle arrivait derrière lui, quand il était assis, et lui caressait les cheveux avec tendresse. Et quand il surgissait de la cave, après avoir mis du charbon dans la chaudière, elle s'écriait:

— Oh! le vilain garçon! Regardez-moi ces mains! Voulez-vous aller vous laver tout de suite!

Il n'avait jamais été gâté et il était aux anges. Il tendait la main pour attraper la jupe de miss Archer quand elle passait près de son fauteuil, il posait sa tête contre elle et lui faisait mille cajoleries affectueuses. Il constituait pour elle une énigme, un émerveillement et un délice. Un jour il tomba dans l'escalier avec le plateau qu'il descendait de la chambre d'Alayne; miss Archer, terrifiée, accourut pour lui porter secours. Assis par terre il chercha du regard à la rassurer et s'écria:

— Je n'ai pas cassé une assiette!

Croyait-il qu'elle pensait à la vaisselle dans un moment comme celui-là? Ce n'était pas une référence pour Alayne.

Renny allait souvent à New York et, de l'un de ses voyages, il rapporta un basset allemand sous son bras. Il mit par terre l'étrange petite bête au corps allongé, et expliqua:

— Il y avait quelqu'un à New York qui me devait soixante-quinze dollars depuis trois ans. J'avais perdu tout espoir de les récupérer, mais, ce matin, il m'a donné ce jeune chien qui est de race très pure. Il est tout pelé et il a l'air galeux parce qu'il a eu des vers; mais c'est un beau chien, et le bonhomme assure qu'il vaudra quatre-vingt-dix dollars quand il sera élevé. J'espère que cela ne vous ennuie pas que je l'aie apporté ici. Il est très tranquille et il peut coucher au pied de mon lit.

La tête de miss Archer tournoya. C'était son univers révolutionné. Mais elle pensa: « Laissons faire. C'est la vie. C'est la vraie vie. C'est tout naturel. » Et elle dit:

— Bien sûr, cela ne m'ennuie pas du tout.

Elle aurait aimé que Renny sût quel acte d'héroïsme elle faisait là. Elle aspirait tellement à lui rendre dans une certaine mesure ce qu'il faisait pour elle!

— Croyez-vous qu'il aimerait avoir du lait dans une soucoupe?

Renny ne trouva rien de plus naturel que de la voir prendre le jeune chien contre son cœur; il aimait le lui voir sur les genoux. Mais quand Alayne fut en état de descendre, elle trouva ce spectacle tellement extraordinaire qu'il en devenait comique. Miss Archer fut offensée des moqueries d'Alayne; elle prenait ses rapports avec le jeune chien et avec son maître très au sérieux et d'une manière qui n'admettait pas de commentaire.

Alayne étant suffisamment rétablie, ils discutèrent leurs plans d'avenir. Il avait déjà été décidé que des amis de miss Archer — un professeur de collège et sa femme — loueraient sa maison en meublé. C'était un petit loyer, mais qui couvrirait les impôts, paierait les réparations et il lui en resterait quelque chose pour ses besoins personnels.

Bien qu'il y eût beaucoup à faire pour tout mettre en ordre, miss Archer trouva le temps d'amuser Adeline. Elle lui fit un album, des cocottes en papier, des petits pains d'épice qu'elle découpait en forme d'animaux. Renny n'avait jamais vu de femme plus active, elle ne restait jamais assise sans rien faire. En moins d'une semaine elle avait tricoté un ravissant chandail vert pour Adeline et mis un bonnet et une écharpe en train. Elle l'émerveillait et il le lui dit.

La santé d'Alayne s'améliorait tous les jours; elle se rétablit plus vite qu'on ne l'avait prévu. Après une quinzaine, elle et Renny, miss Archer et Adeline, avec le petit chien et toutes les affaires personnelles de miss Archer se mirent en route pour Jalna.

CHAPITRE XXVI

Comment ils reçurent les nouvelles

Nicolas Whiteoak lut et relut la courte lettre de Renny. Il repoussa ses lunettes de son grand nez busqué jusqu'à la crête de ses cheveux gris, et il dit à son frère:

— Eh bien! en voilà un aria!

Ernest n'aimait pas entendre son frère employer les expressions familières de leur vieille mère; aussi, pour le punir, fit-il semblant de n'avoir pas entendu l'exclamation. Mais il brûlait du désir de savoir ce qu'elle signifiait. Il continua sa tapisserie.

A deux, on pouvait faire un concours d'entêtement, pensa Nicolas. Il serra la lettre dans ses doigts, se leva en chancelant à cause de son poids et de sa goutte, et il se mit à arpenter lourdement le salon. De temps en temps il murmurait:

— Eh bien! Eh bien!... cela dépasse tout!

Ernest résista tant qu'il put, puis il s'écria:

— Ne fais pas l'idiot, Nicolas. Qu'est-ce qui dépasse tout?

Nicolas s'arrêta devant lui et jeta la lettre sur le métier à broder:

— Lis! Lis cela tout haut! Je n'arrive pas à l'avaler!

Ernest lut:

Cher oncle Nick,

Vous devez penser que j'ai mis plutôt longtemps à écrire à la maison, mais vous ne vous étonnerez pas quand vous saurez tout ce qui s'est passé. Alayne a été très malade. Quand je suis arrivé, je l'ai trouvée évanouie sur le plancher. Elle attend un enfant pour le mois prochain. Elle va mieux maintenant, et nous arriverons mercredi, par le train de neuf heures trente du soir. Tante Harriet arrivera avec nous. Je l'ai invitée à s'installer à Jalna car elle est complètement ruinée. C'est une femme exquise et je suis sûr que ce sera une amie charmante pour vous et oncle Ernest. Je l'aime déjà énormément. Adeline est en pleine forme. J'ai reçu un très joli petit chien, en paiement d'une vieille dette. Faites, s'il vous plaît, préparer la chambre de tante Augusta pour tante Harriet. Dites à Finch de prendre l'air le plus possible.

Tendresses à tous. *Renny.*

Les deux frères se regardèrent, aussi étonnés l'un que l'autre. Au fond, ils n'étaient pas mécontents. Ils avaient trouvé l'hiver très long; ils reconnaissaient avec candeur qu'ils s'ennuyaient réciproquement; la pensée d'Alayne revenant avec Renny, quoique dans un état de santé délicat, leur plaisait; celle d'un nouveau rejeton de la famille fortifiait leur orgueil; enfin l'acquisition pour leur cercle d'une femme cultivée comme ils savaient qu'était la tante d'Alayne n'était pas loin de les remplir de joie. La seule chose qu'ils désapprouvaient, c'était le petit chien.

Ils ne perdirent pas de temps pour annoncer ces nouvelles à Piers et à Meg, et, l'après-midi même, la famille se réunit. Seul Finch était absent. Il refusait de laisser troubler sa solitude par ce qu'il considérait comme une avalanche de gens. Petit à petit, dans l'indolente compagnie de ses oncles, dans le silence profond dont la neige entourait la maison, il sentait qu'il se fortifiait. Il constatait un changement en regardant ses mains, en examinant sa figure dans la glace. Il se remettait à aimer lire et, n'eût été la crainte de rencontrer Sarah, il aurait risqué une promenade sous cette lumière resplendissante. Maintenant tout allait changer, il aurait à affronter les yeux d'une étrangère.

Si Finch était mécontent, pour Meg ce fut de la fureur.

— Penser, dit-elle, qu'Alayne nous impose sa vieille parente ruinée pour la faire vivre à nos crochets jusqu'à la fin de ses jours! Après la façon dont elle s'est comportée avec Renny! Après l'avoir plaqué et lui avoir battu froid — tout le monde a pu s'en rendre compte! Elle le fera toujours tourner comme une toupie. Il me semble que nous avons le droit de nous révolter. Il n'y a qu'à refuser de préparer la chambre de tante Augusta pour miss Archer. Il me semble que vous devriez l'écrire à Renny, oncle Nick.

Nicolas prit un air de doute.

— Ecoute, Meggie, je ne crois pas pouvoir faire cela. Je prévois que nous allons voir arriver une femme charmante et, comme Renny l'a dit, elle a perdu toute sa fortune...

— Voilà ce qu'il y a de pire! s'écria Meg. Si elle avait de l'argent, nous pourrions supporter sa présence. Je suis sûre que, si la vérité éclatait au grand jour, on découvrirait qu'il ne reste pas grand-chose à Alayne de l'argent qu'elle gardait si chichement.

— Renny a toujours été d'une générosité ridicule, dit Maurice.

— Enfin, dit Piers, Renny est chez lui, et s'il a envie de faire de sa maison un asile gratuit pour ses parents, personne ne l'en empêchera, n'est-ce pas?

Nicolas le foudroya du regard.

— Est-ce pour moi que tu dis cela?

— Oui, renchérit Ernest. Je voudrais bien le savoir.

— Bien sûr que non! s'écria Pheasant.

Piers regarda ses souliers et gonfla ses joues.

— Mais si, dit-il lentement. J'y pense depuis longtemps.

Meg le regarda en clignant des yeux. Elle ne savait pas ce qu'il allait dire, ni de quel côté elle allait se ranger.

— Vous deux, mes oncles, reprit Piers, vous êtes ici depuis longtemps; vous êtes tous deux loin d'être gênés. J'ai le sentiment que vous allez rester longtemps encore... Et dans quelles conditions?

— Dans quelles conditions? Dans quelles conditions? répéta Ernest suffoqué. Et dans quelles conditions viens-tu ici, toi, blanc-bec, pour mettre ton nez dans ce qui ne te regarde pas?

— Mais cela me regarde, dit Piers. Maurice parle de la générosité ridicule de Renny: je suis de son avis. C'est de la folie de se charger de deux hommes parfaitement bien portants, qui ont une maison dans le Devon, et de ne pas leur demander un sou. Dieu me damne si j'en faisais jamais autant!

Nicolas répondit, avec moins de fureur qu'on aurait pu le supposer:

— Renny serait froissé si je lui offrais de l'argent.

— Essayez donc! ricana Piers. Proposez-le-lui!

— Tout le monde n'est pas grippe-sou comme toi, Piers, dit Ernest sévèrement. Renny est un vrai Whiteoak, un vrai Court; il est au-dessus de ces mesquineries. Si tu avais meilleure mémoire tu te rappellerais les histoires que ma mère racontait sur la maison de son père, en Irlande, et sur les cousins qui habitaient chez lui, libres d'aller et venir à leur gré, libres comme l'air!

— J'ai une excellente mémoire, dit Piers. Je me rappelle Gran racontant que mon arrière-grand-père avait recueilli un de ses cousins dont il avait gagné toute la fortune au jeu et parce que le pauvre diable ne savait pas où aller. Je l'ai aussi entendue dire que son père était mort sans avoir payé son trousseau. Renny Court ne se tourmentait pas pour payer ses dettes: notre Renny à nous est un homme d'honneur.

— Il ne faut pas s'étonner que le trousseau de ma mère n'ait pas été payé, dit Ernest. Il remplissait dix-sept malles à leur départ pour les Indes.

— Te figures-tu, dit Nicolas, qu'une femme qui avait son allure ait pu s'accommoder de moins?

— Je me figurais surtout que son père aurait pu le payer, répliqua Piers.

— Quand je pense, gémit Meggie, au petit trousseau de rien que j'ai eu pour mon mariage!

— Tu en as eu deux, dit Piers. Rappelle-toi le premier, quand tu avais vingt ans de moins. Il n'avait rien de miteux, celui-là.

Meg lui lança un regard furieux.

— Comment le sais-tu? dit-elle. Tu étais un bébé qu'on portait encore!

— Je l'ai entendu dire.

Piers était écarlate; Maurice regardait le plafond et, sans le quitter des yeux, il finit par dire:

— Je suis d'accord avec Piers: Renny ne ferait pas la moindre opposition à ce que vos oncles lui donnent quelque chose régulièrement. C'est étonnant ce que cela peut aider d'avoir des pensionnaires. Si nous n'en avions pas eu, Meg et moi, nous serions sur le pavé.

Nicolas réussit à bondir dans son fauteuil.

— C'est insensé, dit-il, que vous et Meg en soyez arrivés là!

— Ce que je trouve insensé, répondit Meg, c'est qu'Alayne nous impose cette insupportable tante!

— Je pense qu'elle considère qu'une personne de plus ou de moins dans une maisonnée comme la nôtre, cela ne compte pas, dit Piers.

Nicolas fit peser son regard sur lui.

— Tu as l'air d'oublier, dit-il, que toi, ta femme et ton enfant, vous avez vécu ici pour rien pendant des années!

— Je travaillais à la ferme! Et je paie un loyer.

— Mais Renny t'achetait ton fourrage!

— Quand il consentait à casquer.

— Il m'a dit dernièrement qu'il t'avait payé une note importante.

— Oui. Pauvre vieux! Cela me dégoûtait de prendre son argent.

— Je voudrais bien voir cela, dit Meg. Toi, dégoûté de recevoir de l'argent!

— Il n'y a pas de honte à aimer l'argent, dit Ernest avec dignité. Dans la famille, nous l'aimons pour ce qu'il procure, et non pour lui-même.

— Et Gran? s'écria Meg. Elle amassait pour l'amour de l'argent.

— Elle amassait pour le pouvoir que l'argent lui donnait, dit Piers. Uniquement pour nous tenir tous en tutelle.

— Oh! dit Meg, si seulement elle l'avait partagé entre nous! Ou si elle l'avait laissé à Renny! Ou à moi! Tout plutôt que ce qu'elle a fait!

Un silence pesant s'établit. Le vent se ruait contre la maison, charriant de brillantes parcelles de neige qu'il déposait partout où il rencontrait la moindre aspérité. Par la fenêtre, le jour d'un bleu turquoise marquait une phase nouvelle dans les progrès de l'hiver. Le crépuscule faisait ressortir les rides de Nicolas, la roseur de la calvitie d'Ernest, les cheveux grisonnants de Meg et de Maurice, la fraîcheur du teint de Piers, la longueur des cils de Pheasant.

Ernest reprit enfin, comme s'il n'y avait pas eu de silence:

— Je vous répète qu'ici nous ne sommes pas attachés à l'argent — je parle spécialement pour mon frère et pour moi — si Renny veut nous garder ici — et je sais qu'il le veut puisqu'il me l'a dit — moyennant finance, nous serons trop heureux de lui donner ce qu'il demande. N'est-ce pas, Nick?

— Absolument. Je le lui demanderai dès qu'il reviendra.

— Il ne vous répondra jamais, dit Piers. Ou alors, il vous fixera un prix ridiculement bas.

— Que nous conseilles-tu? demanda Ernest à Piers.

Piers réfléchit.

— Eh bien! supposons que vous lui donniez quatre-vingts dollars par mois. Je trouve que ce serait bien.

— Tu veux dire quatre-vingts à nous deux?

— Non. Chacun.

— Grands dieux! dit Nicolas.

— Cela me semble beaucoup, renchérit Ernest.

— Ce serait une amélioration sérieuse dans la situation de Renny, dit Piers.

— C'est ce que payaient nos pensionnaires, affirma Meg, et ils n'avaient pas la moitié du confort d'ici.

— C'est la première fois que tu dis quelque chose de vrai, Meggie, s'écria Piers.

— Ils avaient tout le confort possible, dit Maurice avec humeur.

— Ce que je veux dire, reprit Meggie, c'est qu'ils n'avaient pas de si beaux meubles dans leurs chambres, pas tant de variété dans les menus, et pas une cave comme celle d'ici!

Nicolas fit résonner la pièce de son rire sardonique.

— Une cave comme celle d'ici! Un verre de porto

après le dîner à peu près trois fois par semaine! Et une bouteille de bière par-ci par-là! Permets-moi de te dire, ma jeune enfant, que mon père n'aurait pas donné à cela le nom pompeux de « cave ». De plus, chaque fois qu'il y a une fête, c'est moi qui achète une bouteille, à mes frais. Tiens, ce whisky et soda que Maurice est en train de siroter, c'est à moi qu'il le doit, si tu veux le savoir.

Maurice mit le nez dans son verre.

— Il est excellent, dit-il.

— De même pour le mobilier de nos chambres, dit Ernest. C'est nous qui les avons installées à notre goût. Non. Quatre-vingts dollars, c'est beaucoup trop. Il ne faut pas y penser.

— Nous discuterons cela tous les deux, dit Nicolas.

— Enfin c'est très gentil de votre part, dit Meg, et je suis sûre que Renny sera enchanté.

Elle tapa affectueusement dans le dos de ses oncles, et reprit:

— Mais vous devriez vraiment vous opposer à ce qu'il amène cette vieille miss Archer ici. Si vous vous y opposiez tous les deux, je suis sûre qu'il y renoncerait. Ce que vous dites a tellement de poids pour lui!

Ernest et Nicolas affectaient peut-être de l'opposition à l'arrivée de miss Archer, mais c'était de la comédie. En secret, ils s'en réjouissaient d'avance. Comme leur mère, ils adoraient les nouvelles têtes et les préparatifs les enchantaient. Ils firent remettre en état et nettoyer de fond en comble la chambre d'Augusta; on remonta au grenier les meubles trop lourds et on les remplaça par de moins encombrants, plus susceptibles de plaire à une femme comme celle qu'ils s'attendaient à voir.

Ils l'imaginaient sous les traits de la vieille fille classique de la Nouvelle-Angleterre. Comme la chevelure d'Augusta avait gardé jusqu'à la fin une couleur brun-rouge, ils voyaient la chevelure de miss Archer de la même teinte, avec une frange Reine Alexandra. Elle serait sans doute plutôt didactique et un peu prude. Il faudrait un certain temps pour se lier.

Ils n'étaient donc nullement préparés à accueillir la beauté mûre et pleine de charme qui entra chez eux, escortée par Renny, une semaine plus tard. Harriet Archer n'avait eu qu'un seul but: apparaître en beauté devant tous ces Whiteoak. Elle avait dans l'idée que, plus elle serait séduisante, plus chaleureux serait leur accueil. Elle avait l'instinct des femmes de New York pour la toilette et la manière de la porter. De plus, elle n'était pas certaine que toute la famille était au courant de sa ruine... Elle avait encore à apprendre dans quelle intimité ils vivaient tous. Et elle voulait qu'Alayne n'eût pas à rougir de sa tante.

Elle apparut donc devant Ernest et Nicolas vêtue d'un ensemble gris clair garni de fourrure et portant un petit chapeau de velours gris, sous lequel on voyait ses cheveux d'argent aux ondulations irréprochables. Renny, manifestement très fier d'elle, l'avait aidée à enlever un joli manteau de caracul. Elle avait le teint fragile des blondes, des yeux bleu pastel grands et expressifs. Elle tendit à chacun des deux frères, l'un après l'autre, une petite main douce et sans bague.

— J'ai tellement entendu parler de vous par Alayne, dit-elle.

Renny retourna vers l'auto pour aider sa femme à monter les marches glissantes. La présence de miss Archer facilitait à Alayne l'instant du retour. Elle avait la sensation que ce retour était un rêve. Tout lui était familier ici et, cependant, il lui semblait qu'elle le voyait d'une distance incalculable. Les larmes qu'elle avait versées ici... Oh! si elle pouvait simplifier les choses, les voir clairement comme autrefois, avant d'aimer Renny!

Pour l'instant, elle sentait son bras fort et vigoureux la porter pour ainsi dire dans l'escalier. Elle était si contente que tante Harriet eût dit qu'il fallait qu'elle se couchât! Sur le palier ils rencontrèrent Finch. Il vint à eux, la main tendue. Alayne eut les larmes aux yeux quand elle vit à quel point il avait dû être malade. Sa silhouette décharnée lui donnait un air d'extrême jeunesse. Il posa ses lèvres sur la joue d'Alayne et descendit. Adeline poussait des cris de joie dans les bras d'Ernest.

— Voulez-vous jeter un coup d'œil dans la chambre? demanda Renny.

— Avec joie.

Ils allèrent voir la vieille chambre avec son mobilier disparate et incongru. Elle aperçut la vitrine et les porcelaines qu'il avait achetées à la vente de Clara.

— Si vous voulez, dit-il, je les enlèverai.

— Non, non. Laissez-les donc!

— Savez-vous ce que je vais faire? Je vais les donner à Meggie. Je ne veux plus les voir.

— Alors, entendu. Oui, cela vaudra mieux.

— Voulez-vous voir la chambre de votre tante?

— Non. Je suis si fatiguée...

Elle se coucha et songea avec émerveillement à tout ce qui s'était passé depuis qu'elle avait quitté cette pièce. Là, sur le bureau, il y avait toujours le bloc de papier à lettres sur lequel elle avait écrit à sa tante pour lui annoncer son arrivée. Elle se sentait reprise par l'atmosphère de tous ces objets familiers. Elle retrouvait l'écho de sa voix et de celle de Renny en proie à leurs querelles navrantes. C'est là que s'étaient tressés les fils ténus de leur intimité.

Et ce soir il allait et venait dans la chambre, arrangeait les rideaux, vidait son nécessaire... Elle s'émerveillait de l'aisance de ses mouvements, de la dextérité de ses mains. Elle se sentait elle-même si lourde!

Il se pencha sur elle et l'embrassa. Elle l'attira contre elle.

CHAPITRE XXVII

Les nouveaux hôtes

— Elle est très séduisante, dit Nicolas quand il fut seul avec Ernest et Renny. Je m'attendais à quelqu'un de moins joli et de moins élégant.

— Tu disais dans ta lettre, observa Ernest, qu'elle était pratiquement ruinée?

Renny se rendit compte qu'il avait fait une gaffe en parlant de miss Archer comme si elle était réduite à la mendicité.

— Comment Meg a-t-elle pris la chose?

— Elle était furieuse, répondit Nicolas. Elle voulait que nous refusions de faire préparer la chambre. Comme si c'était notre affaire!

— Au contraire, dit Ernest, nous nous sommes donné beaucoup de mal pour l'aménager.

— C'est tout à fait gentil de votre part!

— Quelle est au juste la situation de miss Archer? demanda Ernest. A la voir on lui donnerait un million de dollars.

— Voilà: elle est propriétaire d'une très jolie maison qu'elle vient de louer; mais elle a beaucoup perdu en Bourse. Je n'ai pas demandé de détails, et vous connaissez les Américains: ils crient misère s'ils sont obligés de réduire tant soit peu de leur luxe habituel.

Les deux oncles furent profondément soulagés et ne perdirent pas de temps pour faire courir le bruit dans la famille que les revers de miss Archer la laissaient encore dans l'opulence. Il n'y avait pas à craindre qu'elle fût en charge... au contraire. La famille vint la voir et le verdict général fut favorable. Meggie dit que, si Alayne avait eu le bon sens et le tact de sa tante, elle n'aurait jamais causé la moindre dissension à Jalna.

Certainement Alayne n'avait jamais étudié individuellement les Whiteoak comme miss Archer se mit à le faire. Elle avait lu de nombreux livres de psychanalyse et elle avait bien souvent souhaité trouver un champ d'observation. Ici elle trouvait un terrain d'étude si vierge et si riche qu'il fallait une activité d'esprit intrépide comme la sienne pour s'y attaquer. A vrai dire, elle n'avait presque jamais eu l'occasion d'exercer ses facultés d'observation et, en analysant les particularités des Whiteoak, elle sentait nombre de ses propres préjugés s'en aller.

Si elle était appelée à vivre avec cette famille, elle n'aurait de cesse qu'elle ne les comprît tous. On aurait pu croire qu'elle se fierait au jugement d'Alayne; mais, de ce jugement, Harriet avait une piètre opinion depuis qu'elle connaissait Renny. Alayne le lui avait dépeint comme un roué calculateur. Or, elle l'avait trouvé d'humeur vive, certes, mais touchant d'affection, et d'une générosité comme elle n'en avait jamais vu. On avait voulu lui faire croire qu'Adeline était une enfant difficile, sans cœur, et que sa mère ne pouvait pas faire obéir; or elle l'avait trouvée débordante de tendresse et douce comme un ange. A la fréquenter davantage, Alayne elle-même n'était plus la nièce idéale qu'elle avait toujours semblé être, mais une femme qui s'horripilait d'un rien et qui était souvent morose. Elle manquait de cette vaste compréhension de la vie qu'Harriet se flattait de posséder.

Pour s'éclairer elle-même, Harriet Archer avait acheté un gros cahier et elle y notait ses observations au jour le jour. Par exemple: « Remarqué quelles mains grandes et bien faites possède Nicolas, avec des ongles ravissants. Pourtant, des poignets trop petits en proportion... Son habitude de faire un bruit retentissant chaque fois qu'il se mouche est-elle l'indice de quelque chose?... Noté que Finch parle avec ses mains et qu'Ernest renifle quand il va parler de son passé en Angleterre... Noté que Maurice ne quitte pas Meg des yeux quand il parle à quelqu'un d'autre et remarqué l'habitude qu'a Piers de poser sa main sur la nuque de Pheasant... Remarqué qu'à tout instant les yeux de l'un ou de l'autre se tournent vers le portrait de la grand-mère ». Ainsi, dès la première minute de son arrivée à Jalna, Harriet Archer s'était mise à étudier ses nouveaux amis et pas un jour ne passa sans qu'elle les connût davantage. Elle ne négligea pas la maison elle-même; le premier jour, elle avait demandé à Renny de la lui faire visiter et, s'il fallait quelque chose de plus pour cimenter leur amitié, ses exclamations enthousiastes de la cave au grenier y réussirent.

Son plaisir d'ailleurs n'était pas affecté: elle n'avait jamais vu de maison comparable à Jalna. Sauf au musée, elle n'avait jamais vu de si beaux meubles de

Chippendale et Sheraton que ceux du salon, et, la vaisselle dont on se servait au sous-sol, elle était habituée à en voir de pareilles entourées des plus grands soins, dans une vitrine. A côté de cela, il y avait des recoins douteux, encombrés et sales, comme elle n'en avait jamais trouvé ailleurs. Mais elle éprouvait un certain plaisir à ce qu'ils existassent, en partie à cause de la sûreté de soi dont ils témoignaient, surtout par ce que leur existence impliquait de naturelle inconscience. Renny l'accompagna à la cuisine et elle félicita les Wragge — Mrs Wragge pour ses talents culinaires, et lui pour l'entretien de l'argenterie — quoique après avoir vu office et garde-manger elle pensât qu'ils ne valaient pas la corde pour les pendre.

Nicolas trouva en elle une oreille fraîche pour y verser ses souvenirs. Tous ses proches avaient entendu ses histoires maintes et maintes fois et il était heureux d'avoir devant lui une âme neuve comme celle d'un enfant et qu'intéressait passionnément la vie à Londres dans les années quatre-vingt-dix. Il sortit de vieilles photos pour les lui montrer, il lui lut de vieilles lettres. Finalement, il en vint aux confidences et lui raconta toute l'histoire de son mariage et de son divorce. Ils se plaisaient beaucoup mutuellement.

Ernest lui parla de l'étude sur Shakespeare qu'il avait commencée depuis longtemps et affectait de croire qu'il terminerait un jour. Il fut ravi de découvrir qu'Harriet connaissait les pièces de Shakespeare aussi bien que lui, qu'elle les avait vu jouer par de grands acteurs et qu'elle manifestait pour ses opinions un intérêt stimulant sans être trop critique. Il trouvait la manière dont elle s'habillait charmante, et il le lui dit. De ce jour, elle s'habilla plus pour lui que pour les autres. Ils parlèrent longuement du ménage de Renny et d'Alayne, et ce sujet les émouvait tous deux. Ernest décrocha de sa chambre une des aquarelles qu'il avait faites autrefois, et il la lui offrit pour mettre dans la sienne. C'était la première chose qu'elle voyait en se réveillant: un cottage du Devon au toit de chaume, à moitié enfoui dans les roses et le chèvrefeuille.

Elle fut bientôt invitée à Vaughanlands. Elle conquit le cœur de Meggie par ses compliments — qui étaient sincères — sur la beauté de Patience et sur ses talents. Elle félicita Meg elle-même du dévouement et de la force de caractère qu'elle déployait en prenant des pensionnaires pour aider Maurice. Meg avait une nature exubérante et, quand Harriet partit, elle lui jeta ses bras potelés autour du cou et lui dit combien elle était heureuse de ce qu'elle fût venue à Jalna.

Harriet et Alayne allèrent au Refuge ensemble. Pheasant les avait invitées à prendre le thé, heure à laquelle les enfants étaient là. Harriet avait apporté des cadeaux pour chacun d'eux. Nooky vint tout de suite se nicher près d'Alayne. Elle appuya ses lèvres contre la petite tête soyeuse et dit:

— Vous rappelez-vous ce que je vous ai dit de Nooky? N'est-ce pas qu'il est charmant?

— Je les trouve tous charmants, répondit Harriet, en pensant: « Alayne est beaucoup plus tendre pour cet enfant que pour le sien. C'est très curieux. Il faudra que je le note ce soir. »

Quand Harriet regarda la figure enfantine et innocente de Pheasant, elle eut peine à croire tout ce qu'Alayne lui en avait dit. Elle avait un air grave, un regard profond et réservé. Mooey semblait avoir hérité de ses yeux. Harriet se sentait attirée par lui et, en le constatant, Pheasant fut attirée par miss Harriet. Au moment du départ, Pheasant lui murmura:

— Vous allez faire du bien à Alayne.

Harriet rougit de plaisir et hocha la tête, mais en réalité, elle ne pouvait pas dire le contraire: elle avait envie de faire du bien à tout le monde.

Wakefield et Finch étaient les deux seuls qui la décontenançaient. Elle n'avait pas encore vu Wakefield, mais, avec tout ce qu'elle avait entendu dire de lui, elle n'arrivait pas à s'en faire une idée précise; elle ne voyait rien de cohérent en lui, rien de compréhensible. C'était une énigme, un esprit malin. Quant à Finch, il se défendait comme aucun des autres ne l'avait fait. Il avait une façon de s'esquiver hors d'une pièce, quand elle y entrait, qu'elle trouvait absolument déconcertante. Il se refusait à toute conversation amicale et intime. Elle sentait que lui seul était mécontent de la voir dans la maison. Pourtant Alayne lui avait toujours dit que Finch était le plus amical, le plus affectueux d'eux tous.

Harriet s'intéressa même aux chiens. Elle apprit leurs noms, leurs histoires. Elle arrivait avec de petits biscuits dans sa poche et elle leur en donnait en cachette. Le résultat fut que la famille comprit tout de suite qu'elle aimait vraiment les chiens, car les chiens reconnaissent toujours leurs amis.

Le soleil commençait à chauffer. La neige épaisse fondit et s'en fut en ruisseaux glacés vers les fossés. Harriet Archer mit des caoutchoucs noirs étincelants par-dessus ses souliers, et alla visiter les écuries avec Renny.

C'était la première fois qu'elle mettait le pied dans une écurie. Elle fut surprise par les dimensions de celle-ci, et par l'ordre qui y régnait, contraste aigu avec la tenue un peu laissée au hasard de la maison. Mais les dimensions et l'ordre n'étaient rien comparés à la révélation que les chevaux furent pour elle.

Quelque chose qui n'avait jamais encore été éveillé bougeait en elle, prenait la forme d'un rêve étrange, et elle aspirait profondément les odeurs mélangées de l'écurie. Ses doigts délicats s'accrochaient fiévreusement au bras que Renny lui donnait. Ils avancèrent dans les allées froides entre les boxes qui s'ouvraient à droite et à gauche. Les croupes musclées reflétaient la lumière comme du bois poli. L'un après l'autre les chevaux poussèrent un petit hennissement amical vers Renny, au moment de son passage, et ils tournèrent leurs cous musclés vers lui et la petite personne inconnue qui l'accompagnait. Renny l'introduisit dans les boxes de ses deux favorites: *Cora*, la vieille jument aux beaux yeux lumineux, qui avait une tache blanche sur le front, et un grand rouan hongre auquel il ouvrit la bouche pour montrer ses dents à Harriet. Elle frissonna intérieurement en voyant s'ouvrir cette caverne avec ces dents énormes, d'autant plus qu'un sabot de fer se levait en signe de protestation — mais elle ne broncha pas. Elle s'approcha même plus près et passa sa main sur les flancs en forme de baril. A ce contact, l'instinct s'éveilla en elle, s'agita, frémit comme un bruit de harnais et dit, en prenant exactement la voix de miss Archer:

— Je vais adorer les chevaux. Je vois cela.

Ils trouvèrent Adeline en train de panser l'ancien poney de Wakefield, cependant que Wilf, le palefrenier, virevoltait dans tous les sens pour exécuter ses ordres. C'était la première fois qu'Harriet voyait Adeline avec son vieux chandail et sa culotte trop grande. La petite n'accorda qu'un sourire rapide aux visiteurs, mais présenta aussitôt son poney en lui faisant lever les sabots et en lui tapotant les flancs.

— Dire qu'elle n'a pas cinq ans, s'exclama Harriet.

Ils allèrent voir la sellerie. Dans ce demi-jour silencieux, miss Archer vit les rangées de selles et tous les cuirs bien astiqués: bridons, brides de frein, mors. Elle lâcha le bras de Renny et passa partout une main connaisseuse. Elle savourait le lien nouveau qui se formait entre elle et le maître de Jalna.

Enchanté d'elle, il lui montra sa collection de coupes et de flots de rubans. Elle ne comprenait rien à ce qu'il racontait, mais sentait qu'elle le comprenait, lui, de mieux en mieux.

Il l'emmena dans son bureau où le petit poêle était allumé en son honneur et rougeoyait, ce qui n'empêchait pas leur respiration de faire de petits nuages. Il lui offrit son fauteuil tournant et fit du thé pour elle dans une théière à bec ébréché. En buvant leur thé et tandis qu'il lui décrivait la carrière des différents chevaux lithographiés sur les murs, elle se sentait plus forte, plus confiante, plus hardie qu'elle ne l'avait jamais été. Mais elle sentait aussi qu'elle attrapait des engelures.

En revenant, ils rencontrèrent Alayne à la porte du salon. Elle était rouge et elle avait dans les yeux un éclat anormal. Elle leur dit:

— Je crois que c'est pour bientôt. Vous devriez demander le docteur.

Renny pâlit.

— Laissez-moi d'abord vous mettre au lit, dit-il.

Mais, quand il la toucha, elle poussa un cri. Il la prit dans ses bras, posa ses lèvres sur les joues brûlantes et hésita un instant. Puis, voyant que la porte de la chambre de sa grand-mère était ouverte, il l'y emmena et l'étendit sur le lit.

C'est ainsi que le fils d'Alayne naquit inopinément dans le lit de cuir peint où la vieille Adeline avait mis au monde ses trois fils.

CHAPITRE XXVIII

Printemps

Le printemps arriva vite, cette année-là. L'intervalle de la fonte des neiges à la naissance de la verdure parut à Alayne plus court que d'habitude. De sa fenêtre, elle vit le tracé noir des branches se voiler de feuilles légères avant d'avoir vu pointer les bourgeons. Adeline avait apporté une poignée de cyclamens d'un coin abrité du bois et avait mis leurs tiges argentées et leurs fleurs penchantes dans les mains de son petit frère.

Rien ne pouvait unir davantage la mère et la fille que leur mutuelle tendresse pour le bébé, quoique Alayne trouvât insupportable d'être obligée de dire sans cesse:

— Ne le serre pas comme cela! Ne l'embrasse pas!

Adeline avait toujours l'air d'oublier que le bébé était fragile; elle l'aurait volontiers traité comme un jeune chien, et elle en voulait à sa mère de prétendre le garder pour elle.

Envers ce nouvel enfant, l'amour maternel montait chez Alayne à un niveau qu'il n'avait jamais atteint pour Adeline. Elle s'en rendait compte et l'expliquait par la coïncidence de la naissance de l'enfant avec son propre retour à la santé et au bonheur. Il était né plus petit qu'Adeline, elle avait souffert moins longtemps et s'était rétablie avec une rapidité qui avait étonné le docteur et enchanté Renny. Au bout d'une quinzaine, Alayne était redevenue ce qu'elle était auparavant et, au bout d'un mois, elle était remplie d'une énergie nouvelle. Les ailes de son esprit se déployaient dans un renouveau d'espoir et de bonheur.

Avant cette naissance, elle s'était souvent attristée de son manque d'instinct maternel. Même après son retour à Jalna, elle s'était laissée absorber par Renny et, sauf pour faire des pronostics, elle ne pensait jamais à la nouvelle vie qu'elle portait en elle. Mais quelle différence quand elle eut son fils dans ses bras! Elle sentit qu'il aurait tout pouvoir sur elle et que ces petites mains s'emparaient de son cœur pour le garder.

Depuis le jour de sa naissance, Adeline avait ressemblé d'une façon frappante à son arrière-grand-mère, tandis que, pendant des semaines, tout ce qu'on put dire du bébé était qu'il avait la couleur de sa mère. Un jour, Harriet Archer, qui le tenait en pleine lumière et examinait ses traits, s'écria:

— Mais, Alayne, je sais à qui il ressemble! Comment ne l'avais-je pas trouvé plus tôt? C'est le portrait vivant de votre cher père.

Alayne regarda attentivement le minuscule visage.

— Je crois que vous avez raison, tante Harriet. Oh! quelle joie merveilleuse si c'était vrai!

— Il n'y a pas de doute. C'est le front noble de votre père, ce sont ses yeux. Oh! ma chérie, attendez que j'aille chercher une photo de lui quand il était petit et vous verrez la ressemblance, trait pour trait.

Elle apporta la photo et toutes deux la comparèrent au bébé. La constatation les transportait de joie. Quand Renny rentra, Alayne lui fit part de leur découverte. Il parut plutôt triste que content.

— Est-ce que vous le croyez maintenant? demanda-t-il en regardant attentivement son fils.

— J'en suis sûre.

— Eh bien! Il faut espérer que la ressemblance s'arrêtera là.

— Pourquoi? répliqua-t-elle, immédiatement sur la défensive.

Renny se mit à rire.

— Que ferions-nous d'un professeur d'économie politique?

— Il ne pourrait rien nous arriver de plus heureux, répondit-elle avec le plus grand sérieux.

— Alors, vous êtes contente qu'il ne me ressemble pas?

Renny paraissait chagriné. Elle lui saisit le visage, l'attira et l'embrassa.

— Un comme vous suffit à mon bonheur, chéri.

Mais il n'était pas satisfait.

— Je pensais que vous auriez aimé voir votre fils ressembler à votre mari. Ce bonhomme ne tient d'aucun de nous.

— Il tient de...

Elle hésita, comme toujours quand elle parlait de son père avec Renny.

— ... D'un bien plus beau caractère! souffla-t-il.

— Vous comprenez sûrement ce que ce serait pour moi s'il ressemblait à mon père! Vous ne pouvez pas être jaloux de quelqu'un que vous n'avez même jamais vu.

Il avait honte de lui et s'empressa de dire:

— Je suis content qu'il ressemble à votre père si cela vous fait plaisir, mon amour. Dieu sait s'il y a bien assez de Whiteoak! Ce sera peut-être un débrouillard qui remettra la famille sur ses pattes.

Alayne n'était pas séduite par ce programme. Elle fronça les sourcils:

— J'espère qu'il aura l'intelligence de mon père.

— En tout cas, dit Renny, il serait temps de le baptiser. Nous n'avons jamais parlé de son prénom. Comment voulez-vous l'appeler?

A vrai dire, il avait beaucoup pensé au nom de son fils, mais attendait qu'Alayne lui demandât de choisir. Il sut à peine cacher sa déception quand elle lui dit:

— Je veux l'appeler Archer. Cela vous convient, n'est-ce pas?

— Archer... Archer Whiteoak... répétait-il. C'est un drôle de nom!

— Je le trouve joli. Quelle image il éveille dans l'esprit quand on pense à ce qu'il signifie! Un archer avec son arc et ses flèches, debout sous un grand chêne. Vous vous représentez cela, Renny?

— Non, répondit-il malicieusement. Je vois un professeur avec son bonnet carré et sa robe, et chevauchant *Mrs Spindles*!

— Oh! vous êtes décourageant!

Elle serra le bébé contre elle et pressa ses petits doigts contre ses lèvres.

— Puis-je lui donner un deuxième nom? demanda-t-il.

— Naturellement! Une douzaine, si vous voulez!

— Alors, Court. Archer Court Whiteoak.

Alayne dut se contenter de la vieille voiture d'enfant d'Adeline, alors qu'elle aurait passionnément désiré en avoir une du dernier modèle. Elle pensait constamment à ce qu'elle aimerait faire pour l'enfant si ses revenus n'avaient pas disparu. Néanmoins il eut un berceau neuf, d'un bleu pâle ravissant, qui ne quittait pas le coin de sa chambre, là où avait été Adeline autrefois. Mais quelle différence de nature! On pouvait oublier qu'il était dans la pièce, tant il avait le sommeil paisible, sa petite tête duvetée d'argent émergeant à peine de la couverture de satin. Toutes les semaines, Alayne voyait son intelligence s'éveiller et constatait qu'il n'avait rien de commun avec Adeline. Les yeux gris-bleu suivaient ses mouvements, regardaient sa figure avec ce qu'elle pensait être une compréhension quasi surnaturelle. Au même âge Adeline avait un regard indifférent, aussi étranger que celui d'un petit animal sauvage sortant la tête de son terrier. Oh! que cet enfant-là était proche du cœur d'Alayne! Dès qu'elle se réveillait, sa première pensée était pour lui, et elle allait, pieds nus, s'assurer qu'il était bien.

Piers fit remarquer à Renny:

— C'est déplaisant, cette habitude des femmes d'avoir un fils aîné qui ne ressemble ni à son père, ni à la famille de son père. Gran a fait cela, Pheasant aussi, maintenant c'est le tour d'Alayne. Ma propre mère l'avait fait également.

— Pas la mienne, dit Renny.

— C'est vrai, s'écria Piers en riant. Comment était ta mère? Ni toi, ni Meg ne lui ressemblez.

Renny le regarda d'un air sceptique.

— Ne viens pas me dire que tu ignores comment était ma mère!

— Mais si. Comment le saurais-je? Je saurais à peine comment était la mienne si on ne m'avait pas dit qu'Eden était son portrait.

— Eh bien! Je te répondrai seulement que tu devrais avoir honte. Dimanche prochain je te sortirai le vieil album, et je te montrerai leurs portraits.

Les deux frères avaient tellement d'intérêts communs, et ils étaient tous deux si volontaires et si autoritaires, que des disputes étaient inévitables entre eux. Autrefois Piers regimbait ou souffrait sous la tyrannie de Renny, quoique celle-ci fût magnanime. Maintenant, non seulement il résistait quand il le pouvait, mais il allait jusqu'à essayer de tyranniser Renny à son tour.

Un jour, Harriet Archer fut le témoin invisible d'une de leurs disputes. Elle avait pris l'habitude d'aller toute seule à l'écurie, le matin, quand il faisait beau. L'air était pur et chaud, on entraînait les chevaux pour le concours de printemps. Elle avait des moments d'émotion à la pensée qu'elle faisait partie de la vie de Jalna.

En approchant du paddock elle entendit des éclats

de voix. Elle aperçut Wright, un autre homme et le lad Wilf tenant en main les chevaux et qui, attentifs et immobiles, avaient l'air d'écouter avec dignité l'altercation. Renny et Piers étaient face à face et elle entendit jaillir de leurs lèvres des mots qu'elle n'aurait jamais cru devoir entendre. Ces grossièretés étaient à ce point mêlées à du jargon d'écurie qu'elle saisissait mal le sens de la dispute. Tout ce qu'elle comprenait, c'est que cela allait très mal. Elle avait peur, voyant l'expression de leurs figures, qu'ils n'en vinssent aux mains. Dans ce cas, pensait-elle, elle écarterait toute discrétion et se jetterait entre eux. Cette pensée lui faisait battre le cœur. Et elle éprouva une faible, une très faible déception, quand ils se séparèrent sans violence.

Renny enfourcha un de ses chevaux et l'amena sur l'obstacle d'une manière qui en disait long: il était prêt, de rage, à le faire voler en éclats. Piers se fit mettre en selle par Wright, et prit le galop derrière Renny. Mais son humeur affectait sa monture qui bretta sur la barrière supérieure de l'obstacle, s'encapuchonna et faillit désarçonner son cavalier. Harriet voyait Piers tirer sur les rênes, l'entendait faire souffler son cheval. Renny revint en galopant vers lui. Les deux chevaux se mirent à ruer, les deux frères à crier.

« Ah! pensa miss Archer ivre de sang, Renny va le battre avec sa cravache! »

Mais non. Renny riait! Quel homme extraordinaire! La minute d'après, les deux frères trottaient amicalement côte à côte. Le lad Wilf regarda par-dessus son épaule, aperçut miss Archer et lui sourit. Elle lui sourit aussi, plongea ses mains dans les poches de son cardigan et fit bomber sa poitrine.

Alayne observait la métamorphose de sa tante avec un mélange d'amusement et d'ennui. C'était drôle, c'était assez émouvant, mais c'était par-dessus tout vexant! Délibérément, et après avoir bien réfléchi, sa tante se transformait pour devenir une Whiteoak. Elle faisait ce travail-là toute seule et elle y arrivait. Elle avait accompli en trois mois ce qu'Alayne n'avait pas pu accomplir en dix ans. Une brèche, évidemment imperceptible, se creusait entre la tante et la nièce.

Tous les mois, Ernest et Nicolas avaient religieusement donné à Renny soixante-quinze dollars chacun. Renny avait été partagé entre la reconnaissance et l'humiliation quand ses oncles le lui avaient proposé; il lui répugnait de recevoir de l'argent de quiconque habitait sous son toit; mais la tentation était trop grande et ses besoins trop pressants. Il regarda le premier chèque avec stupeur et délices. Cela lui paraissait trop beau pour être possible. En même temps il craignait que Piers n'apprît l'existence de ces revenus mensuels et ne réclamât avec plus d'insistance des réparations et le remboursement de son fourrage. Les yeux baissés sur le chèque, Renny dit à ses oncles:

— Je crois qu'il vaudrait mieux que vous ne parliez pas de cela à Piers. C'est un vampire: s'il savait que je reçois cela tous les mois...

Nicolas l'interrompit d'un air renfrogné.

— Piers le sait déjà.

Ernest ajouta:

— Oui. Piers était là quand nous en avons parlé la première fois.

— Tant pis, je le regrette, dit Renny.

Piers ne manqua pas de demander si ses oncles s'étaient bien exécutés. Renny put nier pendant quelques semaines, mais finalement il fut forcé d'avouer que oui.

— Ils ont bien fait, grommela Piers.

— Pourquoi?

Renny le regarda d'un air soupçonneux.

— Pourquoi?

C'était dangereux de dire la vérité.

— Eh bien! Cela s'imposait, répondit seulement Piers.

Il était très curieux de savoir si miss Archer contribuait elle aussi aux dépenses de la maison. Il n'avait pas cru Renny quand celui-ci lui avait dit qu'elle n'avait fait que de relativement mauvaises affaires, mais il aimait la petite vieille, et il appréciait son attitude envers la famille — envers Renny et Adeline en particulier.

Il sentait que la vieille Tête-Rouge avait besoin de beaucoup de sympathie et de tendresse ces temps-ci. Il prévoyait un avenir troublé pour son aîné. Sans doute avait-il repris Alayne, et elle l'aimait, c'était visible; mais il y avait Sarah. Celle-là attendait, de l'autre côté du ravin, comme un loup, l'hypothèque qui allait arriver à échéance dans quelques mois.

Il y avait un membre du cercle de famille qu'Harriet Archer n'avait pas encore analysé, et c'était justement Sarah. Elle avait fait sa connaissance chez Meg, et n'était pas sûre de ce qu'elle en pensait, de la trouver sympathique ou antipathique. Sarah était séduisante et, pourtant, elle avait quelque chose qui vous écartait. Miss Archer n'était pas certaine que ce ne fût pas cela qui la fascinât, cet air un peu cruel.

Un beau jour elle décida qu'elle irait voir Sarah. Elle ne ferait qu'entrer à l'improviste. Et Sarah elle-même le lui avait demandé.

En traversant le ravin elle pensa que, même au temps de sa jeunesse, elle n'avait jamais senti aussi profondément les délices du printemps. Le poing de fer de l'hiver s'était desserré; il s'était entrouvert et déjà se devinaient des promesses de trésors. Bientôt ils s'offriraient sur sa paume grande ouverte qui les jetterait à tous les vents.

Elle traversa le pont et gravit le sentier humide de l'autre côté. Tout autour d'elle s'étendait un tapis de gaultherias aux clochettes d'un blanc rosé. Des orchidées lilliputiennes devaient leur salut à des queues trop courtes pour être cueillies. Un oriole clamait sa beauté et ses dispositions galantes dans la pleureuse fontaine verte d'un bouleau argenté. Deux écureuils roux, à mi-hauteur du tronc d'un pin, arrêtèrent leur chasse amoureuse pour faire flotter leurs queues en panache, et lui signifier ainsi qu'elle était une intruse.

Harriet s'aperçut qu'elle était infiniment moins essoufflée par la montée qu'elle ne l'eût été quatre mois plus tôt. Néanmoins son cœur battait vite quand elle sortit du sous-bois et regarda l'espace découvert où était la ferme aux Renards. Elle voulait absolument faire ce qu'elle avait décidé, elle voulait le faire d'une manière efficace, et cependant avec la plus grande précaution, et elle avait peur d'intervenir dans les affaires d'autrui, ce qu'elle n'avait jamais fait de sa vie.

Sarah était penchée sur un parterre de jacinthes bleues et portait une robe vert pâle à grandes manches flottantes. Les reflets de ses épaisses nattes noires lui donnaient l'air d'avoir une tête d'ébène sculpté. Elle se retourna et regarda Harriet Archer avec surprise. Malgré la mode des lèvres rouges, les siennes étaient à peine dessinées, et serrées comme un bourgeon secret.

— J'espère que je ne vous ai pas fait peur, dit Harriet. Je me promenais par ici et je vous ai vue. Je n'ai pu résister au désir de vous voir.

Sarah esquissa un pâle sourire et tendit la main.

— Vous ne m'avez pas fait peur: j'ai eu une émotion. Quand je vois arriver quelqu'un, j'espère toujours que ce sera Finch.

Embarrassée par cette confidence qui, en même temps, l'encourageait, Harriet répondit avec bonhomie:

— C'est très pénible pour vous de vivre loin de Finch. Je suis sûre que c'est très pénible.

— C'est épouvantable. Et le pire est qu'il me serait revenu depuis longtemps sans son scélérat de frère.

Harriet cligna des yeux: à peine arrivée elle était en plein dans l'action.

— Oh! vous ne pensez pas vraiment que Renny soit un scélérat? dit-elle.

Sarah la dévisagea:

— Comment pourrais-je penser autre chose de lui?

Il se met délibérément entre deux êtres qui s'aiment... N'est-ce pas infâme? Et ce n'est pas tout. Vous êtes la tante d'Alayne, vous savez quel mari odieux Renny a été pour elle. Il avait coutume de venir par ce ravin, dans ce bois où il avait des rendez-vous avec la femme qui habitait cette maison. N'était-ce pas infâme? C'est lui qui a éloigné Alayne. Et puis, quand il a voulu qu'elle rentre — puisque Clara Lebraux était partie — il est allé la chercher et il l'a ramenée. Il voudrait que nous fussions tous ses esclaves; mais il s'apercevra que ce n'est pas mon genre. Je ne me soumets pas comme cela. Quand on me bat, moi, je réponds.

Une lueur glacée illuminait son visage. Elle montrait ses petites dents blanches.

— Si nous nous asseyions... demanda Harriet. Je crois que nous pourrions parler plus calmement, si toutefois vous avez envie de parler avec moi.

— Je veux ·parler avec tous ceux qui viendront m'écouter, s'écria Sarah. Je veux crier cette injustice au monde!

Elle conduisit miss Archer dans la véranda et elles s'assirent là ou Clara et Pauline s'étaient reposées si souvent.

— Quelle délicieuse installation! dit Harriet.

— Si vous l'aviez vue quand je suis arrivée! C'était monstrueux; mais j'ai fait beaucoup de transformations. Cela m'a bien occupée et j'aime cette maison. On y est très chez soi et pourtant c'est près de la ville. J'ai l'intention de passer toute ma vie ici.

— Dans cette maison? demanda Harriet avec douceur.

Sarah lui lança un regard de défi, comme pour dire: « Allons-y, et toi, répète cela aux Whiteoak! »

— Non, j'ai l'intention d'habiter Jalna, dit-elle.

Harriet eut peur de cette femme, peur de ce sourire froid et moqueur. Pourtant Sarah avait quelque chose de désarmé, de puéril; elle faisait penser à de l'eau sur laquelle il est impossible d'écrire quoi que ce soit. Harriet murmura:

— Que voulez-vous dire? Habiter Jalna?

Il n'y avait pas de voix plus douce que celle de Sarah.

— N'êtes-vous pas au courant de l'hypothèque? demanda-t-elle. Son échéance tombe dans quelques semaines: je ne vais pas renouveler. Je vais mettre tous ces gens-là dehors et habiter Jalna moi-même. J'y vivrai seule — à moins que Finch n'habite avec moi!

— Etes-vous vraiment bien décidée? demanda Harriet.

— Dur comme du fer.

— Savez-vous ce que je pense de vous? Je ne crois pas du tout que vous aimiez Finch.

— Moi, ne pas aimer Finch? Je l'aime trop, voilà le malheur.

— Ce n'est pas lui que vous aimez. Ce n'est pas lui, réellement lui. Ce que vous aimez, c'est sa présence. Elle vous stimule, vous ne vous souciez pas d'autre chose. Vous ne voyez rien au-delà. Je ne vous connais pas depuis longtemps; mais je suis sûre de ce que je dis, je le sens au fond de mon âme. Oh! essayez, si cela vous est possible, de le voir réellement comme il est. Alors vous comprendrez que ce que vous vous proposez de faire serait le summum de la cruauté envers lui!

Elle savait qu'elle parlait en pure perte, mais pensait: « Il faut que je sois courageuse et loyale envers moi. Il faut que je lui donne une chance. »

Elle contempla Sarah de son doux regard bleu pastel, mais son âme bouillonnait d'énergie et brûlait du désir de protéger Jalna et la famille Whiteoak.

— Je le tuerais plutôt que de l'abandonner à cet homme! répondit Sarah d'un air indifférent.

Harriet Archer se leva.

— Je crois que je ferais mieux de partir, dit-elle. Je vois qu'il n'y a rien à faire, que je ne peux absolument rien...

Elle ajouta d'un ton imperceptible:

— ... de ce côté-ci du ravin.

Elle reprit la même route et, cette fois, en montant la pente raide, elle sentit encore moins de fatigue qu'à l'aller. Elle se sentait tout armée de la puissance du bien. En arrivant en haut, elle regarda le torrent qui brillait à ses pieds et elle rassasia ses yeux de la beauté du paysage. Elle dressa ses deux mains au-dessus de sa tête et les serra l'une contre l'autre, d'un air de dire: « L'avenir est à moi. »

Ernest traversait la pelouse, une marguerite entre le pouce et l'index. Il vint lui ouvrir la petite barrière blanche, au sommet du sentier, et lui dit:

— Quel geste charmant! Vous personnifiez admirablement le printemps!

Comment s'étonner qu'Harriet eût le désir de protéger cette maison?

CHAPITRE XXIX

Harriet et Finch

Finch avait fermé le piano et mis la clé dans sa poche. Plusieurs fois, ces derniers temps, le tapage des enfants tapotant les touches l'avait mis à la torture. Un jour il avait trouvé Adeline et Roma debout côte à côte, tirant de l'instrument d'affreuses dissonances. Leur ivresse de faire du bruit s'était changée en défi chez Adeline et en peur chez Roma, quand il leur avait défendu avec colère de toucher dorénavant au piano. Elles avaient recommencé. Alors, ce matin-là, il leur avait vraiment fait peur. Elles avaient détalé à toutes jambes et il avait fermé le piano et pris la clé dans sa poche. Il se demandait pourquoi il ne l'avait pas fait plus tôt. Cela lui donnait une sensation de sécurité et de domination, non pas sur les enfants, mais sur le piano lui-même. Il l'avait condamné au silence, il avait réprimé son appel qui était une tentation et une torture.

Par un effet curieux, cependant, une des suites d'accords dissonants produites par les enfants lui resta dans la tête sans l'irriter, comme quelque chose d'étrange et suggestif. Il la fredonna à plusieurs reprises en se dirigeant vers le verger. Dernièrement il y était allé et c'était l'endroit où il était le plus sûr d'être tranquille. Il disparaîtrait entre les arbres, au plus secret de cette armée de troncs; il s'abîmerait dans la contemplation de ce torrent blanc de fleurs. Il écouterait le bourdonnement continu des abeilles, regarderait la chute des pétales quand un oiseau quitterait une branche.

Mais il put à peine en croire ses yeux quand il vit combien le paysage avait changé. Tant de beauté perdue le décevait au-delà de toutes limites. Il considérait presque cela comme une injure personnelle: Piers y avait mis ses hommes à travailler! Ils avaient labouré sous les arbres; le sentier cher à Finch avait disparu! Il n'y avait plus que de la terre rude et brune et fumante. Et, comme si cela ne suffisait pas, Piers lui-même était dans une charrette avec le pulvérisateur et tenait dans ses mains le tuyau d'où l'arc-en-ciel venimeux de la bouillie bordelaise partait en jet contre le ciel.

L'expression de Finch était presque comique de désespoir. Piers l'aperçut et poussa un cri de ralliement familier. Il remua le tuyau et l'arc-en-ciel dessina un salut haïssable.

Finch répondit d'un geste, mollement. Il ne savait plus où aller, que devenir. Sa main, dans sa poche, tripotait la clé du piano.

A cet instant Harriet Archer apparut dans l'allée, marchant à sa rencontre. Il sentit que c'était bien lui qu'elle visait et décida de fuir s'il le pouvait. Mais elle l'en empêcha: elle fixa son regard sur lui et le retint ainsi en s'approchant.

Il fut obligé de lui dire bonjour. Elle était hors d'haleine et s'écria:

— Il faut que je vous voie! Je vous ai cherché partout! Où pouvons-nous parler tranquilles?

— Eh bien!

Il regarda vaguement autour de lui.

— Je ne sais pas. Je...

Un peu de couleur envahit son visage.

— Etes-vous sûre que ce soit moi que vous ayez envie de voir?

— Oh! absolument, absolument sûre! Vous êtes le seul qui puissiez quelque chose.

Il ouvrit les larges pupilles de ses grands yeux, au comble de la surprise.

— Eh bien! Alors, c'est entendu. Je me demande où nous pourrions aller.

Il regardait les environs d'un air désemparé.

— Je ne voudrais pas vous ennuyer, mais il n'y a que vous qui puissiez trouver la solution. Vraiment que vous!

Elle regardait sa figure avec inquiétude; elle avait peur de ne pouvoir l'atteindre, de ne pouvoir lui insuffler la volonté de tout faire pour sauver Jalna.

— Il y a le hangar derrière le verger, dit-il. Nous pouvons y aller.

Il pensait: « Si elle me coince, je ne serai pas capable de m'en dépêtrer; mais je vais la laisser parler et, si elle m'ennuie trop, je lui dirai que je ne suis pas bien. Peut-être Piers... »

Il lui dit:

— Piers est là. Il est bien plus calé que moi pour... ce que vous cherchez... moi, je n'ai vraiment aucune disposition...

Il fit mine de la quitter, mais la forme fluette lui bloqua le chemin.

— Il faut que vous m'écoutiez! Il faut que vous écoutiez ce que j'ai à vous dire!

Il la conduisit donc, d'un air résigné, dans un hangar encombré de vieilles caisses à claire-voie qui servaient habituellement aux fruits; elles étaient restées là depuis la dernière récolte. Par-devant s'allongeait un buisson de framboisiers et de mûres couvert de jeunes pousses et des rangées de fraisiers soigneusement paillés. Ils s'assirent sur un banc. Finch enleva ses lunettes et se mit à les polir. Harriet avait un peu de terre sur ses souliers, elle était fatiguée, elle avait chaud, sa force combative semblait l'avoir abandonnée. Elle se sentit tout à coup seule, et étrangère.

Mais cet affaissement était le premier pas de son plan d'attaque. Finch la regardant timidement n'éprouva plus le désir de s'enfuir.

— C'est un endroit tranquille pour bavarder, lui dit-il. Je regrette tellement que vous soyez ennuyée!

D'un geste impulsif elle posa sa main sur celle de Finch. Il pensa qu'il n'avait jamais rien senti de plus doux, de plus apaisant.

— Que j'aie des difficultés n'est rien, dit-elle, mais j'aime cette maison et les êtres qui l'habitent!

Il la regarda avec un redoublement d'intérêt et avec un air lucide qu'elle ne lui avait jamais vu.

— Oui? dit-il.

Elle continua d'un ton lugubre:

— Je pense que vous savez que Jalna est hypothéqué?

Il rougit.

— Naturellement.

— Et que cette hypothèque expire cet été?

— Je n'y pensais pas...

Miss Archer prit un air de reproche.

— Vous n'y pensiez pas!...

Il rougit encore plus.

— C'est que, vous savez, j'ai été malade si longtemps... Presque un an!

— Vous n'avez plus l'air malade maintenant. Vous avez changé depuis mon arrivée.

— Oh! je vais mieux. Je ne me rappelais pas, mais voyons, quand ces sortes de choses expirent, on les renouvelle, non?

Harriet Archer lâcha:

— Pas votre femme! Elle s'apprête à refuser! Vous savez ce que cela représente pour Renny — pour vous tous?

Finch la considéra d'un air incrédule.

— Mais il ne la laissera pas faire. Ne croyez pas qu'il soit prêt à abandonner la lutte!

— Je crois qu'il ne le sait pas. Elle vient juste de me le dire. J'arrive tout droit de chez elle.

— Vous... revenez... tout droit de chez elle?...

Finch parlait comme en rêve, comme à quelqu'un qui reviendrait d'un pays inimaginable.

— Oui. J'en ai le souffle coupé.

Elle pensait que, pour une raison ou une autre, il serait agacé par son agitation et elle cherchait à l'expliquer par une cause physique.

— Pourquoi vous a-t-elle dit cela? lui demanda-t-il.

Croyez-vous qu'elle ait voulu se servir de vous comme médiateur?

A voir le durcissement de ses lèvres, elle sentit combien il était hostile à Sarah. Elle lui répondit:

— Sarah m'a demandé d'annoncer cela à Renny.

— L'avez-vous fait?

— Non. Je n'aurais jamais pu. Il fallait que je vous visse avant.

Il prit un ton grave:

— Miss Archer, que puis-je faire, à votre avis?

— Je pensais que, peut-être... Oh! c'est difficile de s'exprimer! Que, peut-être, vous pourriez la voir vous-même. La supplier. Elle est follement amoureuse de vous, vous savez!

Il l'interrompit nerveusement:

— Dites-moi la vérité. Pourquoi Sarah agirait-elle ainsi? Je suis sûr que vous le savez.

— Elle croit... Elle accuse Renny de vous empêcher de retourner auprès d'elle.

— Alors?... C'est sa revanche sur Renny? Où est-ce pour me forcer à retourner vivre avec elle?

— L'un ou l'autre. Ou les deux. Je n'en sais rien.

— Miss Archer, dites-moi la vérité! Etes-vous venue voir si vous pourriez me décider à rentrer chez Sarah?

Harriet détourna les yeux. Il lui fallut beaucoup de courage pour répondre:

— Je pensais que, peut-être, si vous saviez... Il y a des ménages qui se raccommodent après une séparation!

— Pas après une séparation comme la nôtre, dit-il

sauvagement. Je vous assure que je ne le ferai pas. Même pour sauver Jalna. Même pour l'amour de Renny. Voilà, c'est absolument inutile d'y penser.

Elle le regarda d'un air tragique.

— Etes-vous d'avis que j'aille le dire à Renny? Lui annoncer ce dont elle le menace?

— Non. Je vais y aller moi-même. Il est par ici, il parle à Piers. J'y vais tout de suite.

— Croyez-vous qu'il puisse trouver l'argent?

— Je crois qu'il remuera ciel et terre pour sauver Jalna.

Il lui sourit. C'était la première fois qu'elle voyait ce grand sourire d'enfant qui était le sien, et il l'attendrissait.

— Renny a été tellement bon pour moi! lui dit-elle. Personne n'a jamais été aussi bon! Je ne peux pas me faire à l'idée...

Elle serra ses mains croisées sur ses genoux.

— Peut-être après lui avoir parlé voudrez-vous me dire ce qu'il aura répondu? Je vais rester ici à vous attendre.

Finch franchit à grands pas la distance qui le séparait de Renny. Celui-ci le vit arriver avec joie.

— Eh bien! dit-il. Il y a longtemps que je ne t'ai pas vu marcher comme cela!

— Ecoute, Renny.

Il prit Renny par la manche et l'entraîna dans l'allée. La charrette se traînait lourdement et laissait derrière elle l'affreuse odeur de sulfate.

— Renny, je viens de parler avec miss Archer...

— Tu m'en vois enchanté. Charmante femme,

n'est-ce pas? Et qui s'est bien adaptée! Elle est de la famille.

Finch éclata d'un rire bref.

— Oui, étonnamment. Elle vient de me dire que l'hypothèque de Jalna expirait cet été. Je l'avais oublié.

Renny dressa les sourcils.

— Pourquoi, diable, t'a-t-elle dit cela?

— Parce que Sarah vient de lui annoncer qu'elle avait l'intention de ne pas renouveler.

Renny eut un instant d'inquiétude, mais s'écria:

— Elle n'osera pas.

— Tu ne connais pas Sarah, si tu dis cela. Elle est absolument sans pitié. Ne t'a-t-elle donné aucun avertissement?

— Elle a lancé des insinuations. Elle a dit qu'elle aimerait avoir Jalna, qu'elle aimerait y passer toute sa vie. Naturellement, le fin mot de l'histoire est qu'elle veut te reprendre.

Il tourna son œil pénétrant sur Finch. Celui-ci soutint ce regard et tout ce qu'il sous-entendait sans fléchir. Il mit sa main dans sa poche et serra ses doigts sur la clé du piano.

— Et qu'elle ne m'aura pas.

— Très bien! Obstine-toi! Elle empoisonnerait toute ton existence. Je ne peux pas la sentir moi non plus.

— Renny, qu'est-ce que tu vas faire?

Il y avait dans son intonation un reste de la vieille foi aveugle dans la toute-puissance de Renny. La figure qu'il regardait à ce moment-là était d'ailleurs assez déterminée pour justifier cette pleine confiance. Sa rudesse pétrie par la résistance aux intempéries était concentrée dans la palpitation indignée de ses narines et dans le raidissement des muscles de sa bouche.

— Il faut que je trouve l'argent! La sorcière se trompe si elle se figure qu'elle fera jamais son nid à Jalna. Si je ne trouve pas d'ami pour m'aider — et il n'y a pas beaucoup de chances! — eh bien! je bazarderai les chevaux, ou un lopin de terre. Je vendrai mon âme s'il le faut.

Ses yeux lançaient des éclairs. Finch le prit par le bras.

— Renny, je vais te donner la solution. C'est simple comme bonjour. Il me reste assez d'argent pour lever l'hypothèque. Prends-le!

Les lèvres de Renny s'adoucirent de tendresse.

— Tu ferais cela, Finch? Mais tu ne peux pas! Ce n'est pas équitable!

— Mais si, c'est équitable! C'est simplement juste.

— Dieu! Quel poids de moins de savoir cette hypothèque entre tes mains au lieu des siennes!

— Non, non, ce n'est pas ce que je voulais dire! Je ne veux pas du tout dire cela. Renny, je ne veux pas avoir d'hypothèque sur Jalna. J'aurais cela en horreur. C'est déjà suffisamment pénible d'en avoir une sur Vaughanlands! Tu sais bien qu'en toute conscience il est simplement juste que tu aies une part de la fortune de Gran. Ce sera ta part. Tu n'auras qu'à donner l'argent à Sarah et à déchirer les papiers. Moi, j'y gagnerai le bien le plus cher: ma liberté. Et je me sentirai mille fois plus libre quand elle n'aura plus ses griffes sur toi, son étreinte mortelle — son hypothèque.

Il était fou d'excitation, ses lèvres tremblaient, il frissonna de la tête aux pieds. En le regardant, en réalisant ce qu'il allait faire, Renny s'émut également. Il ne pouvait pas parler, il regardait son frère, sa figure orgueilleuse s'adoucissait de plus en plus, au point que ses lèvres se mirent à trembler elles aussi.

— Tais-toi, dit-il avec douceur. Tu es en train de devenir fou. Moi aussi.

Il sortit un mouchoir bien plié, le secoua et se moucha avec fracas.

— C'est entendu, n'est-ce pas? Tu vas faire cela tout de suite?

— Tu crois? C'est le plus beau jour de ma vie, je t'assure. Cela m'a tourmenté plus que personne ne peut le savoir. J'ai été à la banque, j'ai essayé de leur arracher un prêt; mais ils font des conditions draconiennes en ce moment. De même pour la vente des chevaux... Ç'aurait été une catastrophe. Mais il n'en est plus question. Merci, Finch. Un meilleur frère que toi, il n'y en a pas au monde, cher vieux.

— Je t'en prie, dit Finch. Ne me remercie pas, Renny. Je ne pourrais pas supporter cela.

Il tourna brusquement les talons et partit à grands pas dans l'allée sablée où la charrette avait creusé des ornières. De là, il s'engagea dans l'étroite allée cavalière qui traversait le bois. C'était la première fois de l'année qu'il y allait. Il y retrouvait trop de souvenirs d'enfance, toutes ses terreurs et ses espoirs exaltés. En outre il avait toujours peur d'y rencontrer Sarah, Piers lui ayant dit qu'il l'y avait vue. Mais, ce jour-là, il ne pensa même pas à elle. Il ne pensait à rien qu'à la légèreté et à la force nouvelles qui s'insinuaient en lui. Son âme se raffermissait si subitement qu'il en souffrait physiquement dans la poitrine. En marchant sur les aiguilles de pins il serra ses mains sur son cœur, sentant ce nouveau pouvoir qui était en lui. Il essayait de comprendre ce qu'était cette puissance inconnue en lui. Elle s'élevait jusqu'à son âme, comme surgissant de la terre sous ses pieds. Une communion s'établissait entre lui et la terre, comme il n'en avait jamais ressenti. Mais c'était quelque chose de nouveau parce que cette communion était faite du mélange de son enfance, de son adolescence, de sa maturité. Tout son passé, son présent, son avenir, la splendeur et la misère de son âme ne faisaient qu'un avec la terre. Il se jeta sur les aiguilles de pins au pied des grands arbres noirs qui obscurcissaient le jour et il enfouit son visage dans ses bras.

Il pressa son corps contre cette terre donneuse de vie. « Pourquoi suis-je subitement si fort, si dispos? pensa-t-il. Qu'est-ce qui a rompu les chaînes qui me retenaient captif de la terreur et de l'angoisse? Inutile de me le demander: c'est parce que j'ai abandonné le reste de la fortune de Gran. Je l'ai donné à Renny qui aurait dû l'avoir tout entière... J'ai été si égoïste, si stupidement enfoncé dans ma propre souffrance que j'ai oublié la souffrance des autres. J'étais comme un nageur qui a été submergé par une grande vague et qui suffoque, sans lumière et sans air. Mais maintenant j'ai repris ma respiration, je suis revenu à la lumière... J'ai renoncé à tout, j'ai oublié ce que je suis. Je prends conscience de ce qui m'entoure d'une façon nouvelle.

Plus aucune crainte en moi! La crainte est sortie de moi, comme la musique... comme la musique... »

Il se tourna sur le côté et regarda sa main, expressive et osseuse, allongée sur les aiguilles de pins. Sa main avait changé, elle signifiait une chose nouvelle. Une chose qui lui était étrangère. Ses doigts étaient comme cinq êtres séparés, doués chacun d'une puissance propre. Mais reliés à lui par son poignet.

Il entendait les bruits les plus infimes. Sûrement il entendait le bruissement des aiguilles de pins faisant de la place à celles qui tombaient. Sûrement il entendait les murmures de la mousse qui enrobait la bosse de cette racine robuste. Etait-ce impossible qu'il entendît les racines des pins communier l'une avec l'autre au sein de la terre chaude? Ou le faible cri du bourgeon à son premier contact avec l'air?

Il sentit un objet dur contre sa hanche. Il se roula sur le côté et plongea sa main dans sa poche. C'était la clé du piano. Il la sortit. Elle était chaude de la chaleur de son corps. Il sourit en la regardant dans le creux de sa main. L'étrange petite phrase musicale, gentille et discordante, que les enfants avaient plaquée sur le piano, recommença de chanter dans sa tête.

CHAPITRE XXX

Paiement intégral

Il y avait une carte épinglée au-dessus de la sonnette pour dire qu'elle ne fonctionnait pas; mais il y avait un heurtoir de cuivre sur la porte — un homme en armure. Renny donna de petits coups secs qui résonnèrent dans la maison. Sarah vint ouvrir et parut sur le seuil avec l'air anxieux qu'elle avait chaque fois qu'on sonnait.

Une ombre couvrit son visage quand elle vit qui c'était. Puis elle sourit légèrement et lança de côté à Renny un regard narquois, sentant que c'était elle qui l'avait fait venir par l'intermédiaire de miss Archer. S'il y avait une dispute entre eux, pensa-t-elle, elle ferait appel à toute la cruauté dont elle était capable, afin qu'il souffrît comme elle-même avait souffert. Néanmoins elle lui parla aimablement et ils entrèrent dans le petit salon. C'était la chambre où Antoine Lebraux était mort, mais Sarah l'avait tellement transformée qu'elle n'était pas reconnaissable. Elle l'avait tapissée de vert; la lampe aussi était voilée de vert et, à sa lueur, leurs visages paraissaient blafards, presque sinistres. Les meubles étaient jonchés de revues, de boîtes de bonbons et de coussins. L'atmosphère était lourde du parfum de cigarettes russes. Pourtant Sarah était fraîche et dispose. Elle jeta un regard curieux sur la serviette que Renny portait à la main.

Il posa celle-ci sur la table et dit:

— Vous pouvez la regarder, elle contient une jolie somme d'argent. Ce sera la dernière affaire — d'intérêt ou autre — entre nous.

Elle était intriguée.

— On dirait absolument un agent d'assurance, répondit-elle, ou un accordeur de piano. Vous venez peut-être accorder mon piano?

— Non, je suis venu pour payer les violons.

Il ouvrit la serviette et lui montra qu'elle était pleine de billets de banque.

— Vous voyez? C'est le montant total de l'hypothèque, le montant intégral.

— Le montant intégral de l'hypothèque? répéta-t-elle d'une voix faible.

— Oui. Miss Archer m'a dit que vous aviez décidé de ne pas la renouveler, alors j'ai apporté l'argent. C'est sans doute une idiotie de ma part, mais je n'aurais pas pu la payer par chèque; je voulais tenir en main l'argent que je vous remets, pour voir ce tas énorme passer de mes doigts dans les vôtres. J'aurais voulu pouvoir vous l'apporter en pièces d'or — ou d'argent à la rigueur — mais cela n'aurait pas été commode pour vous. Voilà. Si vous voulez vous asseoir en face de moi, je vais compter ces billets sur la table. Je veux que vous soyez sûre que le compte y est.

— Ah! oui. Si vous voulez.

Elle s'assit devant la table, docile comme un enfant.

Mais elle ne put le suivre pendant qu'il comptait. Ses yeux allaient du glissement des billets entre les doigts de Renny à sa figure que la lumière rendait d'un bronze verdâtre. Ainsi, toute la vengeance qu'elle mijotait contre lui aboutissait à cela? Tranquillement assis en face d'elle, il était en train de briser, anneau par anneau, la chaîne par laquelle elle avait pensé s'approprier Jalna...

Et cependant, tandis qu'elle le regardait, elle sentait sa haine s'évanouir. Peut-être rien de violent ne pouvait-il subsister dans cet éclairage vert d'eau. Elle avait presque un air humble en voyant le tas de billets s'accroître par milliers de dollars.

— C'est merveilleux, dit-elle, d'avoir pu trouver cette somme sur une réflexion dite en l'air.

— Chut, répondit-il en continuant de compter.

Elle s'affaissa, silencieuse, soumise. Quand il eut mis le dernier billet sur pile, il dit:

— Je n'aurais pas pu y arriver sans Finch.

Elle eut le souffle coupé.

— Finch? répéta-t-elle. Il vous a prêté tout cela?

— Il ne me l'a pas prêté: il me l'a donné.

— Bah! Pourquoi l'aurait-il fait?

Un sourire passa sur la figure de Renny.

— Oh! dit-il, je crois que vous pouvez le deviner.

— Comment? Pour que je m'en aille d'ici?

— Oui. Il y a des années que je ne l'avais pas vu aussi heureux qu'en me donnant cette somme.

La voix de Sarah devint presque confidentielle.

— Alors, vous croyez que c'est absolument sans espoir? Qu'il ne me reviendra jamais?

— Je vous l'ai dit depuis longtemps, mais vous vous obstiniez. Maintenant vous voyez, il n'y a rien à faire. Il faut que vous partiez, Sarah.

— Mais où aller? Que devenir?

— Grands dieux! répondit-il avec impatience, vous avez l'univers entier devant vous. Vous êtes jeune. Vous trouverez un autre homme.

— Je n'aimerai jamais d'autre homme que Finch. C'est le seul être au monde qui compte pour moi.

— Vous devriez voir du pays. C'est ridicule de vous cloîtrer comme un ermite. Cela vous a détraquée.

Elle le regardait sans sourciller. Il fut cloué par la haine qu'il voyait dans ses yeux.

— Pourquoi me regardez-vous ainsi? demanda-t-il. Ce que je fais est absolument naturel.

Elle ne répondit pas. Elle avait l'air de réunir tout ce qui lui restait de volonté pour concentrer son regard sur lui. Il eut un petit rire.

— Enfin, j'ai payé. L'affaire est terminée, dit-il.

Alors, elle hurla avec une véhémence qui le fit tressaillir:

— Je ne prendrai pas votre argent! Je n'en veux pas.

Elle s'empara du tas de billets de banque pour l'envoyer dans le feu, mais il bondit sur elle et lui saisit les poignets. Sarah poussa un cri tellement perçant qu'il pâlit. Elle libéra une de ses mains et le frappa de plusieurs coups.

— Démon! cria-t-elle. Je vous tuerai!

Il la lâcha pour prendre la liasse de billets qu'il jeta dans un tiroir du bureau. Puis il le ferma à double tour et lança la clé dans la braise.

Sarah s'effondra sur le canapé, et cacha son visage dans ses mains.

— Les papiers de l'hypothèque, les avez-vous ici? demanda Renny.

— Non, répondit-elle d'une voix rauque, qu'il reconnut à peine.

— Tant pis, cela n'a pas d'importance. Je les prendrai plus tard. Mais il faut signer ce reçu. Si j'avais prévu votre façon d'agir, j'aurais certainement envoyé un chèque à votre homme d'affaires! Maintenant il faut vous ressaisir et vous asseoir.

Il lui apporta le reçu préparé sur un bloc de papier. Elle se redressa et prit la plume qu'il lui tendait.

— Signez là, dit-il en indiquant l'endroit avec le bout de son doigt.

Elle signa. Puis elle leva vers lui son visage pâle sous ses cheveux noirs, pareil à celui de la Méduse.

— Si ç'avait été vous, lui dit-elle, si ç'avait été vous que j'avais aimé, vous ne m'auriez jamais mise dehors. Oh! j'aurais voulu que ce soit vous!

CHAPITRE XXXI

Dénouement

Finch avait levé l'hypothèque, Jalna était libéré et prêt à braver tous les vents. La nouvelle se répandit dans la maison, du grenier au sous-sol. Et la maison elle-même sembla prendre conscience de cet heureux événement. Pleine de fierté elle déployait son toit avec une nouvelle assurance, au-dessus de ses hôtes bien-aimés; elle buvait le premier soleil de l'été, elle redressait ses pignons contre les impétueuses tempêtes à venir. La nuit, ses murs faisaient écho aux cris des engoulevents, ses carreaux reflétaient les éclairs. Le matin, la fumée sortait de ses cheminées en spirales joyeuses.

Le futur maître de Jalna prospérait et sa sœur devenait plus belle tous les jours. Les joues de Roma elle-même prenaient la teinte de l'églantine en fleur et ses jambes trop minces devenaient rondes et fermes. Ses cheveux épaississaient et entouraient sa tête d'une auréole dorée.

Les champs offraient des promesses de copieuses récoltes; dans le verger, les fleurs des arbres annonçaient des fruits abondants. Piers se glorifia de n'avoir pas eu à déplorer la mort d'un seul poulain, ni d'un veau, ni d'un porc. Les poules semblaient gonflées de joie à l'idée de couver de nombreuses progénitures. Piers surprit un jour Meg se glissant furtivement dans son propre poulailler. Elle avait un panier dans lequel elle dissimulait adroitement des œufs et était en train de se constituer un élevage de race pure. Elle lui dit que tout ce qu'on racontait lui avait fait perdre la tête et qu'elle ne savait plus ce qu'elle faisait. Il la laissa emporter son butin.

Un mot de Wakefield arriva disant qu'on pouvait s'attendre à le voir dans quelques jours. Renny lui avait écrit pour lui annoncer le remboursement de l'hypothèque et, évidemment, Wakefield ne pouvait pas résister à l'envie de venir passer une journée dans sa famille. Il voulait se joindre à la jubilation générale.

Ce fut Nicolas qui proposa de célébrer l'événement par un dîner qui réunirait toute la famille. Ce dîner aurait lieu pendant le séjour de Wakefield et pourrait être donné en l'honneur de Finch — si toutefois Finch était en état de supporter cet honneur.

Finch accepta, mais à condition qu'on ne lui demandât pas de prendre la parole, même devant la famille toute seule. Il se rappelait le speech qu'il avait fait le jour de ses vingt et un ans.

Renny se réjouit particulièrement de ce projet de dîner qui serait l'occasion d'un certain déploiement de faste. Il était ulcéré de penser qu'Harriet était au courant de sa situation difficile, et qu'elle savait à quel point il était à court d'argent; et il voulait lui faire sentir qu'il ne faisait aucun sacrifice en lui offrant l'hospitalité. Il voulait lui donner idée de ce qu'était autrefois le luxe de Jalna. Avec Alayne il fit des plans pour ce dîner. Elle trouvait que c'était extravagant pour une simple réunion de famille, mais elle était enchantée de le voir faire des folies. Elle arrêta donc un menu compliqué qui était à la limite des capacités de Mrs Wragge. Sur le désir de Renny, on sortit l'argenterie d'apparat et le service massif du capitaine Whiteoak. Sur le désir de Finch on n'invita personne. Il venait seulement de retrouver son équilibre et n'avait pas le courage d'affronter des étrangers.

Ce fut pour lui une période durant laquelle chaque réveil était un émerveillement. Tous les matins il redécouvrait qu'il était libre. Sarah était partie, la ferme aux Renards était vide, il pouvait vagabonder dans toutes les directions sans craindre de la rencontrer. Elle n'avait dit au revoir à personne et était partie sans un mot, le lendemain de son entrevue avec Renny. Des déménageurs étaient venus chercher ce qui lui appartenait dans la maison, qui ne renfermait plus que ce qui avait été prêté par la famille. Déjà l'herbe de la pelouse devenait haute et la ferme prenait un air abandonné. Un jour Finch y alla, l'esprit rempli de réflexions confuses, et mit le nez aux fenêtres. Il fut surpris de voir Ernest et miss Archer sur le canapé du salon en grande conversation. Saisi, Finch se souvint de son voyage en Angleterre avec ses oncles et de l'attention qu'Ernest avait marquée, à bord, pour une Américaine. Aujourd'hui il était manifestement en admiration devant la tante d'Alayne. Les Américaines avaient le don de l'attirer.

Finch s'éloigna sans avoir été vu. Il ne pouvait pas

tenir en place. Il débordait d'énergie, mais il était toujours inquiet. Il ne se trouvait pas lui-même. En dépit du bonheur, de la paix qu'il avait donnés à Renny, de la sensation de sécurité qu'il avait pu donner à Jalna, il ne pouvait pas se trouver lui-même. Il attendait impatiemment l'arrivée de Wakefield.

Ce dernier arriva deux jours plus tard. Tout le monde fut obligé de reconnaître que la vie monastique lui convenait. Il n'avait jamais eu pareil air de santé et il semblait aussi plus heureux. Ses yeux brillaient de bonheur, il ne pouvait regarder personne sans sourire.

Alayne étrenna une robe neuve pour le dîner. Il y avait longtemps qu'elle n'avait rien acheté pour elle — à part la robe du concours hippique — et, dans son nouveau bonheur, elle éprouvait l'instinct féminin de se parer. Elle avait demandé à Renny ce qu'il en pensait, et il avait convenu qu'elle avait besoin d'une robe neuve. Quand il lui avait apporté la somme dernièrement versée par les oncles et qu'il la lui avait mise dans la main, elle en aurait pleuré, se rappelant combien elle avait été avare à son égard quand c'était elle qui avait de l'argent et qu'il n'en avait pas. Mais elle sourit, prit le quart de ce qu'il lui offrait et lui rendit le reste. De nouveau, elle aurait pleuré en voyant son air soulagé. Allait-elle toujours vivre entre le sourire et les larmes?

Renny fut prêt le premier et vint la voir dans sa robe neuve, en taffetas gaiement fleuri avec une petite traîne. Elle était debout devant sa psyché, de sorte qu'en ouvrant la porte il vit deux Alayne. Il rejeta la tête en arrière et leva les mains, éperdu d'admiration.

— Délicieuse! murmura-t-il. Absolument délicieuse.

Elle se tourna vers lui.

— L'aimez-vous tant que cela?

— Je l'adore! Par Georges! je ne vous ai jamais vue si ravissante.

— Jamais? dit-elle, incrédule.

— Jamais, répondit-il avec ferveur.

Elle eut elle-même l'air d'en convenir en se retournant vers son image. La nouvelle mode lui allait bien et, au cours de ces derniers mois, son visage avait gagné une douceur qui lui manquait auparavant.

Par-derrière, il lui prit la taille, et ils se balancèrent doucement ensemble. Il se mit à rire. Elle leva son visage.

— De quoi riez-vous?

— Je pensais au jour où j'ai remboursé intégralement Sarah.

— Ah! je ne vois pas ce qu'il y a de drôle là-dedans.

— Je la revois criant... Vraiment, elle poussait des cris d'orfraie et me donnait des coups sur la tête!

Alayne était horrifiée.

— Elle vous a battu?

— Ne vous l'avais-je pas dit?

— Jamais. Elle a osé vous battre? J'ai toujours pensé qu'elle était brutale, sous son air de ne pas y toucher.

— Oui, c'est vrai. Et elle a dit... Voyons, qu'était-ce donc? Ah! oui: elle disait que, si c'était moi qu'elle avait aimé, je ne l'aurais jamais abandonnée.

— Eh bien! Elle se vante!

— C'est mon avis. Je n'aurais jamais pu aimer cette fille-là — même sur une île déserte. Mais j'avoue que j'ai plus de considération pour elle depuis qu'elle a dit cela!

— Eh bien! Il est heureux qu'elle soit partie!

Ils descendirent, la main dans la main.

Ernest chercha l'occasion de prendre Renny à part.

— A mon avis, lui dit-il, il serait préférable que tu ne parlasses ni de ma mère ni d'Eden, ce soir, au dîner. Je sais que tu aimes bien donner cette preuve de ta grande affection pour eux, mais c'est attristant. Et je tiens particulièrement à ce que tout soit au bonheur ce soir, sans la plus petite ombre.

Renny considéra son oncle d'un air agressif.

— Alors, vous trouvez que cela gâterait la soirée si je prononçais le nom de Gran?

— Non, non, mais... Tu as quelquefois une manière trop émouvante d'en parler. Passe encore pour ma mère, si tu veux, mais je crois réellement que tu ferais mieux de ne pas mentionner la mémoire d'Eden. Pas ce soir, cher enfant.

— Je ne parlerai ni de l'un ni de l'autre, dit Renny assez vexé.

Il était encore taciturne quand Finch fit irruption dans la salle à manger. Celui-ci venait voir la table et se sentait fabuleusement jeune, dénué de toute responsabilité. Le seul fait de voir le couvert si bien dressé le mettait en joie; il se passionnait pour certaines choses qui l'auraient, il y a quelques semaines, laissé indifférent ou fait frémir d'horreur. Aujourd'hui, cette réunion de famille, ce rapprochement les uns des autres, cette atmosphère de fête, la sensation d'être redevenu un petit jeune homme, plus jeune que tous les autres, plus jeune que Wake... Il regarda avidement Renny. Devinerait-il?

Mais Renny lui dit:

— Ah! tu viens picorer quelque chose sur la table? Sacripant!

Rags ne se tenait pas de joie, dans un costume neuf. Un évêque en grand apparat aurait montré moins de dignité que lui servant à table. Il était rempli de vanité par son élégance et plein d'orgueil des talents de sa femme. Personne n'aurait pu nier que le dîner ne fût parfait, depuis le consommé limpide jusqu'aux premières fraises de l'année, servies avec une onctueuse crème glacée. Tous firent honneur au dîner, mais nul autant que Wakefield.

Meg était pensive. Il était dur de penser que Renny et Alayne étaient si miraculeusement délivrés de leur hypothèque, alors qu'elle et Maurice étaient encore sous le faix de la leur — dont l'intérêt impayé montait... Mais personne ne se délectait plus qu'elle de l'excellente cuisine et, mettant bientôt sa jalousie de côté, elle parcourut d'un regard joyeux tout le tour de la table.

Harriet Archer était à la droite de Renny. Elle s'apercevait des clins d'œil admiratifs qu'il jetait sur sa robe de mousseline mauve-rose, sur ses cheveux d'argent si parfaitement ondulés. Elle sentait qu'elle-même et Alayne avaient un style tout différent de celui de Meg et de Pheasant. Pourtant elle reconnaissait volontiers qu'elle ne s'était jamais assise à une table entourée d'êtres aussi remarquables et aussi originaux. Ses yeux se reposèrent longuement sur l'aristocratique figure d'Ernest.

Celui-ci se leva.

« Mais on ne devait pas faire de discours! » pensa Alayne.

— Silence! Silence! s'écria Piers.

Nicolas fit un sourire encourageant à son frère.

— Je ne vais pas vous faire de discours, dit Ernest assez nerveusement. Je veux seulement vous dire quelque chose qui, j'espère, vous fera plaisir. J'ai toute ma vie désiré me marier — quoique vous ayez pu ne pas vous en douter — mais je n'avais pas trouvé la personne qui, seule, pouvait me convenir parfaitement. Aujourd'hui, je l'ai trouvée et, quoique ce soit un peu tard, je crois que nous allons être très heureux. Miss Archer m'a promis d'être ma femme.

Fort heureusement ils avaient tous bu un verre de champagne avant ce coup de théâtre; aussi furent-ils immédiatement débordants d'excitation. Renny était franchement enchanté. Il prit Harriet Archer dans ses bras et l'embrassa carrément. Nicolas vint l'embrasser aussi, quoique cette nouvelle n'eût pas été une surprise pour lui. Les hommes serrèrent la main d'Ernest, Pheasant lui sauta au cou.

— Félicitations, oncle Ernie, s'écria Piers. Joli départ! Je vous prends à quarante contre un!

Meg et Alayne échangèrent un regard de sympathie, ce qui était rare entre elles. C'était exagéré: l'oncle de Meg et la tante d'Alayne, lui passé quatre-vingts ans, elle courant sur ses soixante-dix... Mais toutes deux sourirent, les félicitèrent. Alayne pourtant ne pouvait s'empêcher d'être un peu incrédule. Et elle avait peine à reconnaître, dans ce petit bout de femme exubérante, sa tante si Nouvelle-Angleterre qui avait passé sa vie sur les bords de l'Hudson.

— Nous avons pensé, dit Ernest à Renny, que nous pourrions louer la ferme aux Renards, si tu n'y vois pas d'inconvénients. C'est une jolie petite maison, tout près de Jalna, et je crois qu'Harriet pourrait en faire quelque chose de charmant. Plus tard, naturellement, nous irons passer quelque temps en Angleterre.

Tout le monde se remit à parler. Rags, après avoir cérémonieusement offert ses meilleurs vœux, redonna du champagne. Piers et Maurice devinrent un peu trop gais. Meg crut de son devoir de presser le pied de Maurice sous la table, ses réflexions sur le futur ménage prenant un tour osé.

Wakefield seul paraissait un peu absent. Harriet Archer se demanda si le jeune moine la désapprouvait. Il restait dans l'ombre et Renny s'en aperçut bientôt. Il se tourna vers lui.

— Eh bien! Et toi? N'as-tu rien à dire?

— Si, répondit Wakefield de son air le plus grave. J'ai quelque chose à dire, mais après ce coup de tonnerre cela passera inaperçu.

Il prit une mine boudeuse, l'oncle Ernest lui avait coupé ses effets.

Renny se pencha vers lui.

— Qu'y a-t-il donc?

— Voilà, dit Wakefield.

Il se leva et resta sans bouger, tout noir dans sa robe de novice.

Tous les yeux se braquèrent sur lui, les visages perdirent leurs sourires. Une certaine appréhension s'empara de Renny.

Wakefield le regardait sans rien dire; il se mit lentement à déboutonner sa robe. Dans un silence complet, il l'enleva entièrement et la posa avec soin sur le dossier de sa chaise. Il se retourna vers la table, il était en tenue de soirée.

Un soupir général de stupéfaction le remit à son aise. Il retrouvait l'atmosphère théâtrale qui jouait un si grand rôle dans sa vie.

S'adressant à Piers:

— Tu avais raison, Piers, dit-il tout uniment. Tu avais dit que je reviendrais: je suis revenu. Mais tu m'avais donné six mois: il m'a fallu un an. Et, si j'ai quitté le monastère, ce n'est pas parce que je ne pouvais plus m'y voir, mais parce qu'il me fallait « tout ce dont un Whiteoak a besoin », comme dit Renny. Les prêtres et les pères ont été absolument parfaits, ils n'ont pas cherché à me retenir. J'espère que cela ne t'ennuie pas trop de me revoir, Renny?

Sa figure s'éclaira d'un sourire où passa un reflet de son impudence puérile d'autrefois.

Renny demeurait silencieux, immobile comme une statue; mais il dévorait Wakefield des yeux, notant la ligne parfaite de ses épaules dans l'habit qui lui allait bien, et la coloration chaude de ses joues. Et les yeux de Renny pétillaient de reconnaissance, de soulagement, d'orgueil.

Piers donna à son petit frère une bourrade dans le dos.

— Quelle folie d'avoir perdu un an de ta vie!

— Pheasant, s'écria Meg, viens prendre ma place! Il faut que je sois à côté de Wakefield.

Elle courut jusqu'à lui et le serra dans ses bras.

— Oh! quel bonheur tu me donnes! Cela me semble trop beau pour être vrai!

Elle se mit à pleurer et, les yeux noyés de larmes, ne quitta plus du regard la figure de son jeune frère.

— C'est moi qui t'ai élevé, tu le sais, Wake chéri. Ne l'oublie jamais, jamais! Sans moi, tu ne t'en serais jamais tiré, on peut le dire.

— Un miraculé, quoi! marmotta Piers.

— Dis-moi, Wakefield, es-tu toujours catholique? demanda Ernest.

— Plus que jamais! Piers dit que j'ai perdu un an, mais je crois que je considérerai toujours cette année-là comme la plus belle de ma vie.

Meg, assise à côté de Wake, lui pétrissait la main. Il était assis droit et fier. Les fiancés étaient oubliés.

— Ce garçon-là aurait dû faire du théâtre, grommela Nicolas. Avec cette figure et ces talents de comédien...

— De vrais cils de star, n'est-ce pas? dit Pheasant.

— Veux-tu te taire, dit Wakefield en riant.

Puis il se tourna vers Renny.

— C'est tout ce que tu trouves à me dire, Renny?

— Te rappelles-tu, répondit Renny, ce basset allemand que j'avais rapporté de New York? Le type qui me l'avait donné m'avait dit que je pourrais le vendre soixante-quinze dollars quand il serait élevé. Eh bien! Je l'ai vendu cent dollars aujourd'hui. Qu'est-ce que tu dis de cela?

— Magnifique! dit Wake.

Si le vieux Renny voulait qu'on parlât chiens, eh bien! on parlerait chiens. Tout le monde était d'accord, et la conversation prit son cours habituel et plaisant sur les écuries et le chenil. Mais un peu de rêve continuait à flotter dessous. Le retour de Wakefield au bercail, celui de Finch à la santé, l'arrivée d'Harriet Archer et ses fiançailles avec Ernest, la réconciliation d'Alayne avec Renny et la naissance de leur fils, tous ces changements, tous ces retours se trahissaient par de subtiles inflexions de voix et par la vivacité des regards. Les cordes obscures de la parenté, qui liaient indissolublement tous ces êtres ensemble, vibraient avec une force nouvelle. La continuité était maintenue. Foncièrement authentiques et simples, tous puisaient une satisfaction profonde dans les moindres mots les uns des autres.

Tandis que toute la famille passait au salon, Renny demeura un instant en arrière. *Merlin* était resté tout le temps du dîner couché aux pieds de son maître; il se leva, s'étira et dressa son museau en le regardant. Renny alla jusqu'au portrait de sa grand-mère et le considéra d'un air pensif. Puis il monta sur le barreau d'une chaise pour mettre sa figure au niveau de celle du portrait. Il pressa ses lèvres sur l'image et dit:

— Tout va bien, chère vieille dame. Tout s'arrange à merveille!

TABLE DES MATIÈRES

Cet ouvrage
réalisé d'après les maquettes
de Gilbert Gilliéron
est une production des Editions
Edito-Service S.A., Genève

Imprimé en France